STUDIES ON VOLTAIRE

# STUDIES ON VOLTAIRE

## With Some Unpublished Papers of Mme du Châtelet

BY IRA O. WADE

NEW YORK / RUSSELL & RUSSELL

REISSUED, 1967, BY RUSSELL & RUSSELL
A DIVISION OF ATHENEUM HOUSE, INC.
BY ARRANGEMENT WITH PRINCETON UNIVERSITY PRESS
L. C. CATALOG CARD NO: 66-27196
PRINTED IN THE UNITED STATES OF AMERICA

# PREFACE

IT IS MY PRIMARY PURPOSE in offering these *Studies on Voltaire* to present to the public Mme du Châtelet's papers which have long remained unnoticed in Voltaire's library at Leningrad. These papers comprise three items, all of them fragmentary: (1) her translation of a portion of Mandeville's *Fable of the Bees;* (2) a fourth chapter of an *Essay de l'optique*; and (3) three chapters of a work on *Grammar*. I have already discussed at some length one of these items in the first chapter of my *Voltaire and Mme du Châtelet*, where I attempted to show that the rôle played by the Marquise in the formation of Voltaire's thought was more varied and profound than has been thought hitherto.

However, not possessing at the time copies of all the papers, I did not fully realize their significance. Thanks to the kind services of Mr. Cuthbert Lee of the Cultural Division of the Department of Agriculture and to the generous cooperation of the staff of the Leningrad Public Library, photographs of these documents are now at my disposal. But I hesitate to affirm that they have been fully evaluated. This is particularly true of the three extant chapters of Mme du Châtelet's *Grammar* presented here with a rather modest and inconsequential introduction. Although an earnest effort has been made to fit this work into the eighteenth century current of linguistic studies, my attempts will doubtless appear futile to those who are better acquainted with the field.

My publication of Mme du Châtelet's papers is preceded by a number of studies which, with the exception of the first, the result of a piece of detective research undertaken many years ago, have all been suggested in one way or another by a close reading of her texts. The importance of her work lies less in its own intrinsic value than in its contribution to the formation and evolution of Voltaire's thought. That he considered her articles important may be deduced from the fact that he carried them from Cirey to Paris to Berlin, and from thence to Geneva and Ferney. Presumably this preoccupation on his part can be attributed to more than a simple act of piety.

With this assumption, I have sought to determine what in a larger sense the papers meant to him. Thus her translation of portions of Mandeville has led me to reinvestigate Voltaire's relationship to Mandeville, an investigation which seemed to warrant changing certain generally accepted conclusions concerning the genesis of the *Mondain*. As a consequence of this revision, it became necessary to offer another explanation of its genesis. Furthermore, the translation threw some light upon the genesis of the *Ingénu*. Finally it led me to reconsider the whole problem of the composition of the *Traité de métaphysique*. Similarly, the fourth chapter of Mme du Châtelet's *Essay de l'optique* reopened the question of her contribution to the *Eléments de la philosophie de Newton*. Her chapters on *Grammar* led to a reconsideration of Voltaire as grammarian, but there, as I have already stated, I can hardly claim to have added anything new.

It is obvious that this type of study could be continued indefinitely as the research around one work led inevitably to the consideration of a subsequent work. Study of the *Traité de métaphysique,* for instance, provokes an inquiry concerning its relationship to Part I of the *Eléments de la philosophie de Newton*. This relationship has always been taken for granted, although it is but imperfectly defined. Some say the *Traité* is a rough draft of Part I of the *Eléments*, others believe it subsequent to Part I, but no one has yet analyzed the intellectual factors intervening between the two works. I was strongly tempted to do so at this time and to record the results in an additional article. Indeed, I have already pursued this inquiry at considerable length and in various directions of which I give some indication at the end of my study on the *Traité*. But in my opinion it would be more fitting to record these results in a more extensive exposition of the formation and development of Voltaire's thought. This is the goal which I intend to reconsider from a different angle and hope to achieve in the not too distant future. For the present, however, it seems more reasonable to continue reexamining the foundations of that thought in a few basic works where I have some control of my material, than to extend my inquiry to a larger number of works or to the later elaborations of Voltaire's philosophical position.

In presenting these little essays, my inquiry has been broadened far beyond the scope of the first chapter of my *Voltaire and Mme du Châtelet*. While convinced that Mme du Châtelet's contribution to Voltaire's thought was distinctly important, I have shifted more and more the emphasis to the formation of that thought, investigating and scrutinizing with care the researches of others. In studying the investigations of others I have studiously endeavored to mark the point to which each has pursued a particular subject. But since my chief concern has been to carry the subject further, there is occasionally an implied criticism of these investigations. Under no circumstances is this implied criticism intended to detract from the general excellence of these analyses or indeed from the validity of their conclusions. My interpretation is merely another offered in the light of new or differently arranged facts.

In many respects these essays are more detailed than my previous studies, much time and space being given to determining dates and their sequence, the genesis of ideas and problems of influence, and whether we are dealing with a direct or an indirect influence. Voltaire's correspondence has been exhaustively examined for hints and implications, while the papers of Mme du Châtelet have been carefully scrutinized for any additional information which they may reveal concerning Voltaire.

The object of all this inquiry is really further clarification of the Cirey Period. But several currents of thought, neither entirely distinct nor exactly similar, are merging; in this period science and art, prose and poetry, drama and conte, metaphysics and physics, physics and social morality, natural science and social science are intermingling in such a way as to make it singularly complex. It is impossible to clarify this complexity without constantly confronting problems of dates—dates of inspiration, composition, publication; questions regarding sources of inspiration; and troublesome details concerning genesis and evolution of specific works. These difficulties, of course, occur in all studies of literary history, but they are especially acute in a writer who is developing a basic philosophy and a basic aesthetic simultaneously and evolving this development in a most clandestine way. For the fact must not be overlooked that Voltaire during this period is completing and synthesizing an education from which will stem all his work. Nor must it be forgotten that he is doing so at this moment with great sincerity and a minimum of fanfare.

These essays are only one more step in the clarification of this period. They do seek to establish, however, the exceedingly close relationships which exist between some of the Voltairean productions of the period: between the *Traité de métaphysique*, the *Bible enfin expliquée*, and other deistic treatises of the time; between the *Traité* and the *Mondain;* and between the *Traité* and the *Eléments de la philosophie de Newton*. It is very probable that there are other close relationships not yet sufficiently demonstrated—for instance, between the *Traité* and the *Discours en vers sur l'homme*. One relationship which certainly must be investigated is that between the *Eléments* and *Micromégas*. This one is so crucial that even now I am preparing a short monograph on the latter work. With its completion it is hoped that the preliminary investigation will be finished and that I can then proceed with what has been my intention from the start of my investigations in Voltaire in 1932. It has been my desire to devise some means of integrating these relationships simultaneously and in such a way (which was what Voltaire was forced to do) that Voltaire's mind and art can be defined with some accuracy, and the essential unity between his mind and art can be established. For it should be clear by now that although I am pursuing my investigations in the most positivistic way, my objective is nothing less ambitious than the establishment of that unity.

It remains my pleasant task to thank all those who have made this work possible. I have already mentioned my debt to Mr. Cuthbert Lee of the Department of Agriculture and my gratitude to the librarians of the Leningrad Public Library. As usual, I am indebted to Professor Chinard, my teacher and colleague, who has examined my manuscript with a friendly, but very critical, eye. Professor

Gauss also smoothed over many of the asperities of my monotonous style. To them I am deeply grateful. I am likewise indebted to the Trustees of the Princeton University Press and the Research Committee of Princeton University through whose generosity I have been granted sufficient funds for publishing this work.

IRA O. WADE

Princeton University

# CONTENTS

# PART ONE

## Studies on Voltaire

# CHAPTER I · VOLTAIRE'S "LA LIGUE" AND DE RENNEVILLE'S "VISION"

AN ARTICLE published April, 1935, in the *MLN* (Vol. L, No. 4, pp. 209-215), suggested that Voltaire in changing his name made use of a special copy of Adrien Baillet's *Auteurs déguisez sous des noms étrangers, empruntez, supposez, feints à plaisir, chiffrez, renversez, retournez, ou changez d'une langue en une autre,* Paris, 1690. The same article briefly outlined the circumstances surrounding the presence of the book in the library of the Bastille as they were given in the *Catalogue général des manuscrits des bibliothèques publiques de la France,* XLV, 33. From these circumstances it was deduced that Baillet's copy was still at the Bastille when Voltaire was incarcerated in 1717-18, that he had access to it, and actually utilized its contents in making his pseudonym. Though the argument went so far as to prove the accessibility of the work to Voltaire, I could not at that time prove positively his having actually utilized it. The purpose of this paper is to seek this positive proof and to see in what further way Voltaire made use of the Bastille copy.

It is rather essential to review the history of Baillet's work at the Bastille. When on May 16, 1702, Constantin de Renneville (1650-1723) was arrested as a spy in the employ of Holland he was imprisoned in the Bastille. Apparently on entrance he was refused the use of writing materials. Being a writer as well as an adventurer he must have found this particular prohibition exasperating. The following year, however, an acquaintance of his smuggled into his quarters Baillet's work. Renneville, who foresaw that if caught he would need some justification for possessing it, inscribed on the fly-leaf: "Ce livre m'a été donné à la Bastille par le très révérend Père Florent de Brandebourg, capucin, suivant le billet de sa main dont je suis porteur ce 23 juin 1703. De Constantin." The work of itself was hardly of an incriminating nature, but it furnished Renneville with writing material. The *Biographie universelle* (XLI, 1026) has noted in his short biography how he made use of it: "Après avoir trouvé le moyen d'écrire avec un mélange de suie et de vin et de petits os taillés, il composa des ouvrages d'une étendue considérable, par exemple un *Traité des devoirs du chrétien*, beaucoup de contes, de sonnets et de vers, et un poème, *L'Amour et l'amitié*, qui comptait déjà six mille vers lorsqu'on lui enleva ses manuscrits."

The account of the *Biographie universelle*, in spite of its anecdotal character, appears in the main to be true. The Bastille copy of Baillet is indeed partially filled with madrigals, sonnets, stories in verse, epigrams, and some prose. Renneville began in the back of the work and, writing from the back toward the front as well as from the bottom of the page to the top, he filled the lower and side margins as well as the space between the Baillet text with his own poetic creations. Among these was a poem of 2072 lines entitled *Vision ou Caprice*, which he was careful to date: "commencé le 22 août 1706, jour auquel P. P. est entré dans sa 69 année," and at the end of the poem: "cette pièce a été achevée le jour de la fête de St. Michel, 1706, jour de la mort de Mr. de Junquart Lieutenant du Roi de la Bastille."

Upon leaving the Bastille, on June 16, 1713, Renneville was forced to leave the Baillet behind. For this episode in the book's history we are indebted to an autograph letter by Chevalier, commandant of the Bastille. The letter, which is now pasted in the front of the copy, reads as follows:

A la Bastille, le 26 septembre, 1753.

Monsieur,

Le livre que vous trouverez cy-joint qui porte titre Auteurs deguisés dont vous m'aves donné des renseignements, a esté donné par le pere Brandebourg Capucin le 23 Juin 1703 au Sr. Constantin de Renneville auteur de l'inquisition de la Bastille, comme il *apert* sous la 1ere couverture de ce livre vis-a-vis le titre.

Il n'est pas douteux que le livre a esté retenu au Sr. Constantin lors de sa translation, parce qu'il y a plusieurs traits injurieux contre Mrs. de St. Mars et Bernaville, ancien gouverneur de la Bastille et contre d'autres personnes aussi, moyennant quoy il a resté au Chateau annexé à la Bibliothèque. Ce livre a couru touttes les chambres depuis cinquante ans, et a esté lu de tous les prisonniers qui ont eu la permission d'avoir des livres.

Comme le Sr. de la Baumelle a jouy de cette permission lors de sa détention à la Bastille, ce livre luy a tombé dans les mains et l'a lû de bout a fond, et en avoit osté furtivement 27 feuilles qu'il avoit caché entre la forme de son chapeau et la coiffe que nous luy avons ostez lors de sa sortie et que je vous en fais passé dans le temps dans un mes (*sic*) raports. Le Sr. de la Baumelle pretend que cest sur ces 27 feuillets que le Sr. de Voltaire a pillé un chant de sa henriade qui est le plus beau de tous que je vous ai denommez alors dans mon raport. Je ne m'en souviens pas bien aujourd'hui mais je crois que fut (*sic*) le 6e chant. Le Sr. de la Baumelle se promettoit avec ces 27 feuillets de faire voir dans le monde que ce que le Sr. Voltaire avoit fait de plus beau dans sa vie n'estoit pas de son crû, et qu'il en avoit trouvé les matériaux a la Bastille lors de sa détention a ce chateau. Voilà tout ce que je peux vous dire à ce sujet.

Je joins icy une grande lettre ou paquet du Sr. de Marville.

J'ai l'honneur d'estre avec un profond respect, Monsieur,

Votre très humble et très obéissant serviteur.

CHEVALIER.

Na. J'ai obmis dans le corps de ma lettre que Mr. Duval m'a remis les 27 feuilles que je lui ai demandé de votre part, lesquelles 27 feuilles j'ai remis dans livre livre (*sic*) ou elles doivent estre, de meme que d'autres feuilles qui sont detachez, moyennant quoy le livre est complet.

The present appearance of the book affords some substantiation of La Beaumelle's escapade, for it is evident that pp. 409-480 have been resewn. Some of these pages comprise the *Vision* which occupies from p. 471 to p. 420.

La Beaumelle's verbal allegation to Chevalier that Voltaire utilized Renneville's *Vision* in the composition of the sixth canto of *La Ligue* was repeated in the 1769 edition of his *Commentaire sur la Henriade*. However, in the 1775 edition of the *Commentaire* (I, 250) which was published by Fréron, the allegation was not made. There Voltaire was accused of imitating *La Louisiade* of the Jesuit Le Moine. (*Cf.*: "M. de Voltaire, qui ne dédaigne pas d'emprunter, quelque riche qu'il soit de son propre fond, l'a tirée du Père le Moine, dans son Poème épique de la Louisiade.") It may be conjectured that lacking in documentary proof, since the 27 feuillets had been taken away from him, La Beaumelle hesitated to continue the allegation. Or it may be that Fréron who could not have been acquainted with Renneville's *Vision* did not lend much credence to La Beaumelle's charges and preferred to accuse Voltaire of imitating only the idea of Le Moine.

None the less, the charge has persisted and in a rather curious way. Baillet's book, after the fall of the Bastille, found its way to England. In 1906 it was offered for sale by the bookselling firm of James Tregaskis. Some reporter of the *Times* had a preview of Tregaskis' catalogue and wrote the following article in the *Times* of Friday, June 22, 1906:

> *Poems Written in the Bastille.*—The forthcoming book catalogue of Mr. James Tregaskis, of High Holborn, will contain an interesting addition to the long list of books written in prison. It is what may be described as the original autograph manuscript of the verses written by Constantin de Renneville during his incarceration in the Bastille from 1702 to 1713. Manuscript paper was wanting, and so the author has written what he calls "Otia Bastiliaca" throughout the blank margins of a copy of "Auteurs Désguisez," Paris, 1690, which he obtained while in prison from the Père Florent. One of the poems contains 2052 lines, and there seems to be no doubt that Voltaire "availed" himself, without any acknowledgement, of one of the songs in this manuscript for "La Henriade." Mr. Tregaskis gives an exhaustive account of his interesting "find." It may be added that when De Renneville was set at liberty in June, 1713, he was banished from France and came to England, when he wrote his famous history of the Bastille, which was published under the patronage of George I, to whom the work is dedicated.

The glowing account by the *Times* reporter is inaccurate and considerably exaggerated. The Tregaskis catalogue of June 25, 1906, did give an account of the Baillet book, chiefly from the bibliographical point of view, with some attention to the Chevalier letter, but absolutely no proof was offered to substantiate the charge of La Beaumelle. The article (No. 1 of Catalogue 599, pp. 1-4) is not at all exhaustive.

The book was bought by Mr. H. Goudchaux, who returned it to Paris and presented it to the Bibliothèque de l'Arsenal where it now remains. Mr. Goudchaux, who had heard of the La Beaumelle allegation, was mildly interested in knowing whether it was true or not. Feeling incompetent himself to solve this little problem, he attempted to interest Mr. Funck-Brentano the Conservateur at the Arsenal. The letter which he wrote is as follows:

28 septembre, 1906.

Monsieur,

Comme vous êtes sans doute maintenant rentré à Paris depuis déjà quelque temps, je désire vous remercier de la lettre que vous avez eu l'obligeance de m'adresser avant de partir en vacances, et je veux en même temps bien vous confirmer que le volume que j'ai laissé à la bibliothèque en juillet est dans mon intention destiné à y rester si elle veut bien l'accepter.

Je serai bien aise si vous avez quelque jour le loisir de parcourir ce bouquin, et de voir s'il est vrai que Voltaire a plus ou moins utilisé les 27 feuillets de "Vision ou Caprice" pour son VII^e^ chant de la Henriade, comme le prétendait la Beaumelle, mais comme vous sembliez en douter il y a quelques semaines, et moi beaucoup aussi depuis que j'y ai mis le nez: cela m'a d'ailleurs suffi pour me faire me demander si l'on a eu plus raison de mettre Constantin de Renneville à la Bastille pour être capable de faire de si méchants vers, ou plus tort de l'y garder, pour lui permettre d'en tant écrire.

Veuillez agréer, Monsieur, l'expression de mes sentiments les meilleurs et les plus distingués,

H. Goudchaux.

It must be admitted that Mr. Goudchaux's appraisal of Renneville's poetic ability is rather accurate. Renneville seems to have had several sources of inspiration competing one with another. He wished at first to present a picture of his unjust imprisonment and unfair treatment at the hands of the authorities while confined in the Bastille dungeon. In addition, he coupled with this personal outcry the theme of regeneration through suffering to which is added the Christian note of salvation. And lastly, he was definitely motivated by the Dante urge to describe Heaven and Hell. Just how strong was the Dante influence upon his poem and whether it was intermingled with a Milton current cannot be determined. Certainly Renneville has neither the poetic fire of Dante, nor the tremendous vigor of Milton. His imagery is poor, though vaguely Homeric. And his versification is definitely bad. Certainly the world was not deprived of a masterpiece when he had to leave the manuscript of his poem in the Bastille.

None the less, the work is not entirely devoid of interest. The descriptions of Heaven with its symbolic entrances, its hierarchies of angels, and its patriarchs from the Old Testament are commonplace and distinctly medieval. But the picture of Hell with its illustrious damned from the *Bible*—Cain, Absalom, Judas; with its wicked kings and conquerors—Caesar, Alexander; and its masses of wicked groups—evil counsellors, misers, prudes, and even "femmes savantes" and "précieuses," is more animated. Renneville has not used the dramatic devices of Dante: the illustrious human guide, and the placing of contemporaries and well-known enemies in the nether regions. His Hell is hot with flame; only the poets are cold. But there are discussions, fights, and tortures which lend animation to the descriptions.

Certain points should be noted for comparison with Voltaire's sixth canto of the *Ligue*. Renneville started to approach the throne of God but was restrained by his guiding angel. In Voltaire's *Henriade*, Henry IV also refrained from approaching the Throne. In the Renneville poem, a thundering voice issues from the Throne and Renneville is precipitated into Hell. In a somewhat similar way, in the *Henriade*, Henry also receives a Divine rebuke and is precipitated into the lower regions. The only French Kings noted by Renneville as being in Heaven are Louis XII and Saint Louis:

> Heureux un peuple, heureux qui sous un Prince sage
> S'exerce à ses devoirs, sans craindre l'esclavage
> Un Saint Louis, un Louis douze ont leurs noms dans
> nos cœurs,
> Leurs ames dans le ciel goutent les vrais bonheurs
> Tandis que leur mémoire en terre est glorieuse.

It will readily be recalled that Saint Louis was selected by Voltaire to guide Henry IV through Heaven and Hell and that in the *Ligue* Louis XII was praised for his manner of dispensing justice to his subjects.[1] Renneville describes Hell in the conventional way as dark and obscure:

[1] *La Lique ou Henry le Grand*, poème épique par M. de Voltaire. A Genève; chez Jean Mokpap, MDCCXXIII, p. 97.

Une constante nuit, et sans aucune aurore,
Redouble la douleur de ce lieu de douleurs.

Voltaire uses the same conventional description in the *Henriade* and incidentally falls into the same poetic error of tautology:

De l'antique chaos abominable image,
Impénétrable aux traits de ces soleils brillants . . .

And there is at least one case in which the two authors use the same poetic simile. In Renneville's poem, the angel after the vision takes his departure:

Dans une claire nuit tels l'on voit certains feux
Se tracer un chemin de l'un à l'autre pôle
Tel mon ange éclatant vers l'éternel s'envole.

Voltaire makes use of the same figure to describe the flight of Henry and Louis to Heaven:

Comme on voit dans la nuit la foudre et les éclairs
Courir d'un pôle à l'autre, et diviser les airs; . . .[2]

The greatest similarity, however, exists in the treatment accorded damned kings by the two writers. This section of Renneville is really one of the stronger passages in his *Vision*. It appears that he had ample reason to detest kings, and although prudence counselled that he refrain from consigning to the underworld the king who was responsible for his incarceration, it did not prevent him from depicting in that environment kings who possessed vices which could with slight effort be attributed to Louis XIV. The passage opens with a description of Nebuchadnezzar who was damned for his pride, his opulence, his magnificence, his tyranny and his belief that he was really a god. Near Nebuchadnezzar is a whole lake of damned kings and their flatterers. They are condemned for being tyrants, for enslaving their people, for waging wars. And there are others punished for permitting evil and encouraging laxity:

On en voyoit plusieurs qu'un châtiment sévère
Punissoit pour le mal qu'ils avoient laissé faire.

[2] *Ibid.*. p. 91.

Non pas qu'ils eussent fait d'exécrables forfaits;
Mais pour avoir souffert les crimes des sujets.
Pour avoir toléré l'injuste violence,
Le luxe fastueux qui mène à l'indigence;
Car une negligence est imputée aux Rois
Qui laisse agir le crime ou méprise les lois.

The punishment of these kings consists in showing them in a mirror what they think they are and then presenting them with a contrasting portrait of what they really are. Enlightenment through Truth is thus their punishment.

La même vérité qu'ils eurent en horreur,
Les tourmente, déchire, et leur perce le cœur.
Rongeant sans rien détruire, elle est comme la foudre
Qui sans nuire au dehors, au dedans sait dissoudre
Comme dans la fournaise on voit fondre de l'or . . .

When we turn to Voltaire's description of Hell, we are rather surprised to note that the assemblage of wicked kings is the only group he describes. Some justification for this might be found in the fact that Henry IV being a king would only be interested in seeing what punishment was meted out to those of his own station who had sinned. But a moment's reflection will immediately disprove this assumption. Henry IV was not a wicked king, nor was it Voltaire's purpose to have him travel to the underworld in order to portray to him what could happen to wicked kings. According to Voltaire's own conception, the voyage was undertaken to enlighten Henry in the mysteries of the Catholic Religion; and, in imitation of Virgil, to give him a panoramic view of the future of his race. With this intention, Voltaire, it must be admitted, broke momentarily the unity of his poem by turning Henry aside to the lake of wicked kings. This break in unity was noted in the eighteenth century by Fréron and La Beaumelle in the 1775 edition of the *Henriade*. But the reason for the break can only be suggested. Either Voltaire felt the same way toward wicked kings as Renneville, or else he felt that there were real poetic qualities in Renneville's description of the lake of damned monarchs. For he certainly utilized the hundred and fifty lines of Renneville's description:

Mais aprenez mon fils quelles sévères loix,
Poursuivent dans ces lieux tous les crimes des Rois,
Regardez ces tirans adorez dans leur vie,
Plus ils étoient puissans, plus Dieu les humilie;
Et se plaît à venger par des maux infinis;
Les crimes qu'ils ont faits et ceux qu'ils ont permis.
La mort leur a ravi ces grandeurs passageres,
Ce faste, ces plaisirs, ces flâteurs mercenaires,
De qui la complaisance avec dexterité,
A leurs yeux ébloüis cachait la verité.
La verité terrible augmentant leurs suplices,
De son flambeau sacré vient éclairer leurs vices.
Près de ces mauvais Rois sont ces fiers Conquérans,
Héros aux yeux du peuple, aux yeux de Dieu Tirans,
Fléaux du monde entier que leur fureur embrase,
La foudre qu'ils portoient à leur tour les écrase.
  Devant eux sont couchez tous ces Rois faineans,
Sur un Trône avili, fantomes impuissans . . .[3]

Thus it becomes apparent that Voltaire actually read Baillet's manual, or at any rate parts of it. Not only did he have access to it, he actually availed himself of that privilege. And not only did he read the Baillet text. Having thumbed the pages of Baillet, and having much time upon his hands even though he was occupied with the composition of the *Ligue*, he turned to the Renneville poems. Among them, he found a portion of the *Vision* to his liking, and when he composed the sixth canto, he remembered a considerable bit of this portion. There can be, of course, no question of plagiarism as La Beaumelle would have us believe. But that he saw the poem and remembered passages of it is beyond question.

[3] *Ibid.*, pp. 94-95.

# CHAPTER II · MORAL PHILOSOPHY, PHYSICS, OR METAPHYSICS

## 1. THE GENESIS OF "L'INGÉNU"

ALTHOUGH many scholars have discussed the sources of *L'Ingénu*, none has given any consideration to the genesis of that work.[1] Critics have found it relatively easy to trace the trend of Voltaire's ideas which shaped his other works. But in this particular *conte*, they have found such sharp deviation from his usual interests and such divergence from his normal attitude that they have distinctly left the impression that it cannot logically be fitted into the current of his thought. They have freely confessed their inability to assign any cogent reason for this sudden shifting on Voltaire's part, although they have not hesitated to advance plausible arguments for his writing the work. Thus Mr. Mornet is inclined to believe that it was written merely "comme une sorte de distraction où le caprice de son imagination a joué un aussi grand rôle que la pure actualité."[2] Mr. Jones, on the other hand, stresses the way actual events impinged upon its composition.[3] Still others, for instance Mr. Bellessort or Miss McGhee, feel that it is a "mise au point" of the nature doctrine of Rousseau, Miss McGhee even declaring it a "second response . . . on the question of the nature doctrine (*Candide* being the first)." Toldo, however, contradicts this point of view, calling attention to the fact that *L'Ingénu* "n'a qu'une ressemblance incertaine avec l'homme idéal du philosophe de Genève et qu'il descend, en ligne droite, de ces Persans, et de ces Chinois, chargés par les romanciers du XVIIIe siècle, de parcourir le monde et d'en draper les défauts."[4]

[1] See especially for the sources E. E. Rovillain, in *PMLA*, XLIV (June, 1929), 537-545; M Meyer, in *RCC*, XXXI (June-July, 1930), 561-576 and 746-762; and W. R. Jones, *L'Ingénu de Voltaire*, Edition critique avec commentaires, Paris, 1936.

[2] D. Mornet, in *RHL*, 1936, 597-599.

[3] Jones, *op. cit.*, Introduction, p. xvi: "Ce roman est surtout un livre d'actualité et se distingue des autres romans de Voltaire par ce fait même."

[4] A. Bellessort, *Essai sur Voltaire*, Paris, 1925, p. 267, and D. McGhee, *Voltairian Narrative Devices*, Menasha, Wis., 1933, p. 41; P. Toldo, *ZRSL*, XL (1912-13), 131-185.

Amidst the divers opinions as to what gave origin to the work, there has been the suggestion that it sprang from Voltaire's readings. Here the sources have been confused with the genesis. It is, of course, entirely likely that Voltaire's readings were a most important factor in the origin of *L'Ingénu*. But the study of sources does not seem to bring out that importance. Thus, in the *Cours de littérature*, La Harpe noted that "Voltaire avait trouvé la principale situation de *l'Ingénu* dans un roman de Duclòs intitulé *Histoire de Mme de Luz anecdote du règne de Henry IV*."[5] On the other hand, Avenel expressed the opinion that "pour toutes les répliques du Huron sur la religion, Voltaire s'est inspiré de la relation du baron de la Hontan sur les sauvages du Canada."[6] Meyer in a lengthy study concludes: "Par cette longue étude et cette minutieuse confrontation de textes nous espérons avoir établi ce que nous proposions de démontrer, que les *Voyages* de la Hontan avaient inspiré Voltaire pour la composition de *L'Ingénu*, sans qu'il y ait, à proprement parler, imitation."[7] Still, while Meyer attributes to La Hontan's work so much importance in the initial stages of the *Ingénu*, Professor Chinard sees scarcely any connection between the two works: "Il est moins facile de déterminer si Voltaire s'est ou non servi de La Hontan. Il se peut qu'il ait fait de son Ingénu un Huron plutôt qu'un Iroquois en souvenir d'Adario; mais dans le conte lui-même on trouve fort peu de références à la vie des sauvages américains."[8] Professor Chinard himself believes that "Voltaire s'inspire surtout des *Lettres persanes*, et peut-être des *Lettres iroquoises* de Maubert de Gouvet, Paris, 2 vols., in-12, 1752."[9] However, Mr. Jones, after commenting upon the similarity of the story in both *L'Ingénu* and the *Lettres iroquoises*, adds prudently: "Ici encore, il convient, cependant, de qualifier l'importance de l'inspiration, car la conception à la base de chaque ouvrage n'est pas du tout la même."[10] The conclusion becomes rather obvious.

[5] *Cours de littérature, éd. Didot*, 1822, t. XIV, p. 284.
[6] *Œuvres complètes de Voltaire* (Paris, 1867-73), in-4°, t. VI, p. 218, note 2.
[7] *Op. cit.*
[8] G. Chinard, *Dialogues curieux du Baron de la Hontan* (Baltimore, 1931), p. 65.
[9] G. Chinard, *L'Amérique et le rêve exotique, XVII, XVIII siècles* (Paris, 1913), p. 373.
[10] Jones, *op. cit.*, pp. xxviii-xxix.

Not only is there considerable confusion concerning Voltaire's motive in writing the *Ingénu*, and the source of his initial inspiration, there is confusion concerning the meaning of the story itself. In this matter of intent, Miss McGhee is most specific: "*L'Ingénu* and the *Histoire de Jenni* both exalt simplicity of feeling rather than civilization or cultivation in matters of a religious nature. The former introduces a counter problem, however—the value of civilization for all other than religious matters."[11] Mr. Ascoli interprets the conte in similar fashion when he speaks of the "contraste entre une société civilisée et un sauvage."[12] On the contrary, Strauss states that: "Im Ingénu (was man "der Naturmensch" übersetzen kann) sagt Schlosser, sei keine leitende Hauptidee, und vielleicht ist eben dadurch dieser Roman der beste der Voltaireschen Romane geworden."[13] And Mr. Jones in several places of his lengthy introduction reiterates: "Rien n'est plus clair; il ne s'agit pas de trouver une thèse unique à *L'Ingénu*, ou de vouloir isoler ce qui en fait une partie intégrante."[14]

The net result of all these opinions indicates that Voltaire wrote *L'Ingénu* with no particular intention and with no purpose in mind. This conclusion would be passing strange, for it must be admitted that this was not his usual attitude. Granting that *L'Ingénu* was but another "rogaton," one might reasonably expect that, like his other "rogatons," it would have a place in the general pattern of Voltaire's thought, and it would make clear what that particular aspect was. Voltaire undoubtedly used the "contes" as diversions, as Mr. Mornet suggests, he does not seem to have felt though that this objective excused him from saying something, and saying it very clearly indeed. And when it is remembered that Voltaire deemed this "conte" better even than *Candide*, as Mr. Jones has pointed out, the failure of critics to agree upon its meaning is more puzzling still.

It must be admitted, however, that Voltaire did little to explain the inception of the "conte" and its meaning. His correspondence makes no mention of it until after its publication, and then only

[11] *Voltairian Narrative Devices*, p. 37.
[12] *RCC*, XXVI², 621.
[13] *Sechs Vorträge* (Francfort, 1906), p. 154.
[14] *Op. cit.*, pp. xvi, xvii, xix.

to deny its authorship. In fact, the correspondence gives but little information as to Voltaire's state of mind while composing it.[15] However, other indications may be gleaned elsewhere to warrant the assumption that he was showing some interest in savages during this period. The publication of *Les Scythes* at the beginning of this year 1767 bears some evidence of this interest. In the preface, Voltaire characterizes this particular work: "C'est ici, en quelque sorte, l'état de nature mis en opposition avec l'état de l'homme artificiel, tel qu'il est dans les grandes villes."[16] This interest might have been intensified by the author's experience in having *Les Scythes* performed at the Comédie Française. For the actors elected to give Sauvigny's *Hirza ou les Illinois* before presenting the *Scythes* and Voltaire protested bitterly against their decision on the ground that there was considerable resemblance in the two plays, as indeed there is if one considers only the first part of Sauvigny's play. It is to be noted that Voltaire sometimes compared *Les Scythes* to *Alzire*, another "savage" play. Indeed, it is in the preface of *Les Scythes* that he related the story of the man, who hearing the plot of *Alzire*, exclaims: "J'entends, c'est Arlequin sauvage."[17] And finally, during the time he was writing *L'Ingénu* he made inquiry about *L'Homme sauvage* of Mercier, about which he had heard. On June 19, 1767, he inquired of D'Alembert if Diderot was the author; and several days later, still under the impression that Diderot was the author, he urged Damilaville to send him a copy of it.[18]

However, it seems possible to overemphasize this sudden interest in primitive life. It must not be forgotten that Voltaire replied to D'Alembert who inquired about *L'Ingénu*: "Il faut que je vous dise ingénument, mon cher philosophe, qu'il n'y a point d' *Ingénu*, que c'est un être de raison."[19] There seems much truth in Mr. Chinard's remark that the Ingénu has very little in his make-up which is specifically Huron. The outstanding characteristic does

[15] Jones, *op. cit.*, pp. ii-iii, places the date of composition between April 1 and July 21, 1767.
[16] *Œuvres de Voltaire*, ed. Beuchot (Paris, 1825-30), VIII, 189.
[17] *Ibid.*, pp. 189-90.
[18] *Ibid.*, LXIV, pp. 264 and 272.
[19] *Ibid.*, 313, 3 Auguste, 1767.

not seem to be that he is a savage, but that he has passed the years of his early training unacquainted with the practices of European culture. He is in the strictest sense a child of nature—and at the same time, a French child at that—separated from the prejudices and conventions of his race. It seems to be the author's purpose, then, not to present a critique of civilization by a savage, but rather to show how a creature endowed with reason reacts to the conventions of a civilized society when he first comes in contact with it and how this civilized society transforms this man of reason into a cultured man. Thus, all suggestions that *L'Ingénu* has a connection with the Rousseau doctrine of native simplicity of savage life, as found in the startling pictures of primitive life of the *Second Discourse*, appear considerably out of place. Similarly, all suggestions that *L'Ingénu* belongs to the long line of anti-civilization literature which flourished during the century and which reached its climax in Diderot's *Supplément au voyage de Bougainville* are also quite beside the point. And finally, all comparisons of *L'Ingénu* with the *Lettres persanes* and the Persian letter vogue really obscure rather than clarify the meaning of Voltaire's *conte*. This *conte* is simply another demonstration of the Voltairean doctrine that all men are endowed with reason, that this native reason is not sufficient to produce the fullest man, and that it must be mellowed by civilization. To be sure, in the process of education, the man of reason will find many conventions absurd, but he will learn that even absurd conventions make life pleasanter. Thus the doctrine of the *Ingénu* skillfully unites the argument of *Le Mondain* with the argument of *La Loi naturelle*. Nothing could be more purely Voltairean.

A glance at the *Ingénu* will readily prove this point. It should be noted that at the beginning of the story, the Huron replies to the Bailiff's question concerning his name: "On m'a toujours appelé l'*Ingénu*, . . . et on m'a confirmé ce nom en Angleterre, parce que je dis toujours naïvement ce que je pense, comme je fais tout ce que je veux."[20] It should be noted likewise that the Huron's only indiscretion recorded by Voltaire was his rather unconven-

[20] Jones, p. 7.

tional way of expressing his affections for the beautiful Saint-Yves who "employa toute la délicatesse de son esprit à réduire son Huron aux termes de la bienséance."[21] However, after his instruction by Gordon, he is completely changed. "Je serais tenté," he said, "de croire aux métamorphoses, car j'ai été changé de brute en homme."[22] And when the beautiful Saint-Yves rescued him from the Bastille, she reported to the group: "Vous le verrez . . . mais ce n'est plus le même homme; son maintien, son ton, ses idées, son esprit, tout est changé: il est devenu aussi respectable qu'il était naïf et étranger à tout."[23] He no longer says naïvely what he thinks. Nor does he do whatever he wishes. When Mlle de Saint-Yves falls ill: "Il était sans doute le plus allarmé et le plus attendri de tous, mais il avait apris à joindre la discrétion à tous les dons heureux que la nature lui avait prodigués et le sentiment prompt des bienséances commençait à dominer dans lui."[24] And when he wishes to show his affection to Mlle de Saint-Yves, he says: "Pour moi . . . je compte bien jouïr d'une félicité sans mélange avec la belle et généreuse Saint-Yves. Car je me flatte . . . que vous ne me refuserez pas comme l'année passée, et que je m'y prendrai d'une manière plus décente."[25]

Once the intent of the story becomes clear, it becomes immediately evident that Voltaire could not have taken his inspiration from La Hontan, nor from the *Lettres persanes*, nor even from the *Lettres d'un sauvage dépaysé* and the *Lettres iroquoises* mentioned by Mr. Jones. Not that he did not utilize them or at any rate some of them to give breadth to the work.

Indeed, there are perhaps other works of this nature which should be examined as possible sources. One of these which could have offered material to Voltaire was *L'Espion Américain en Europe* ou *Lettres Illinoises* qui renferment quantité d'anecdotes amusantes et instructives suivies d'un poëme intitulé La Religion raisonnable par M. de V***, A Londres, aux dépens de la Compagnie, MDCCLXVI.[26] I know of no evidence which would connect this work with Voltaire. However, the date of its publica-

[21] *Ibid.*, p. 31. [22] *Ibid.*, p. 65. [23] *Ibid.*, p. 104.
[24] *Ibid.*, p. 114. [25] *Ibid.*, p. 111.
[26] I am indebted to Professor Chinard for the use of this work.

tion and the inclusion of Voltaire's *Poème sur la loi naturelle* at the end of the work are suggestive. And the characters of the "Espion" and the Ingénu offer at times startling parallels. For instance, the "Espion" is an "Américain apprivoisé parmi les Européens" (p. 3). He undertakes to show "combien les peuples qui habitent les climats [Européens] sont encore éloignés de ce degré de perfection où leur amour-propre leur fait croire qu'ils sont parvenus" (p. 3). He speaks English and French before his arrival in Europe (p. 16). He is in fact presented as having a French or English father or grandfather from whom "il a tout au moins conservé une certaine façon de penser, qui n'est pas tout à fait aussi sauvage que vous pourriez vous l'imaginer." The public is urged to look upon him as a "philosophe sauvage" and to forgive him for "bien des naïvetés" (p. 6). He has not disguised the truth, the author of the work tells us, and "[il] vous fera connaître les choses telles qu'il les a pensées" (p. 7). Because of the whiteness of his skin, he is mistaken for an Englishman. Finally, the thing which surprises him the most upon arriving in Europe is the curiosity of the inhabitants:

> De toutes les imperfections humaines, la curiosité est celle qui règne le plus parmi les nations qui se disent civilisées. A peine avois-je débarqué que l'on ne cessât de me faire une multitude de questions auxquelles j'eûs bien de la peine à répondre . . . ils ne vous laissent presque pas respirer. Ils veulent sçavoir sur le champ d'où vous venez: votre nom, votre origine; quels sont vos sentiments de Religion, quel est votre commerce ou votre employ, si par malheur vos réponses ne s'accordent pas avec leurs préjugés ou avec le motif d'intérêt qui les rendent si curieux, l'on risque toûjours de leur déplaire par l'un ou par l'autre endroit (p. 14).

The similarities between the *Espion* and the *Ingénu* are sufficiently striking to warrant some consideration. Curiously enough, they all occur in the first sixteen pages of the *Espion* and the early chapters of the *Ingénu*. They are all similarities in characterization; they seem to have nothing to do either with plot or with intent. The rest of the "Espion's" letters are totally different from the conte of Voltaire. It would appear that we are confronted with one of those possible Voltairean sources of which there are so many for the contes. It is not at all likely, however, that the *Lettres illinoises* gave Voltaire the initial impetus to the *Ingénu*.

That initial impetus undoubtedly came from Remark C of Mandeville's *Fable of the Bees*. Here, Mandeville discusses the actions of the unconventional man, and the conventional man in love. The unconventional man follows the rather violent love-making method of the *Ingénu* in Chapter V and with a similar repulse:

> If a man should tell a woman, that he could like nobody so well to propagate his species upon, as herself, and that he found a violent Desire that moment to go about it, and accordingly offer'd to lay hold of her for that purpose; the consequence would be, that he would be call'd a Brute, the Woman would run away, and himself never be admitted in any civil Company.[27]

The conventional man, on the contrary, resorts to more mundane methods, and thereby achieves his aims. And Mandeville slyly observes:

> The fine Gentleman I spoke of, need not practise any greater self-Denial than the Savage, and the latter acted more according to the Laws of Nature and Sincerity than the first.[28]

From this demonstration, Mandeville draws two conclusions: the practices of conventions are absurd and deceitful, but they make us more tolerable to one another:

> 'Tis custom and a general Practice that makes this Modish Deceit familiar to us, without being shock'd at the Absurdity of it; for if people had been used to speak from the Sincerity of their Hearts, and act according to the natural Sentiments they felt within, 'till they were Three or Four and Twenty, it would be impossible for them to assist at this Comedy of Manners, without either loud Laughter or Indignation; and yet it is certain, that such a Behavior makes us more tolerable to one another than we could be otherwise.[29]

It is not our intention to stress Mandeville's point of view but the way that point of view so eminently fits the conception of *L'Ingénu*. Even the language suggests Voltaire's own. The uncon-

[27] Ed. 1725, London, p. 63. [28] *Ibid.*, p. 64.
[29] *Ibid.*, p. 72.

ventional man is the *brute*, the *savage*. He apparently belongs to the group of men who "had been used to speak from the Sincerity of their Hearts, and act according to the natural Sentiments they felt within." The conventional man is the *fine gentleman*. Mandeville even suggests bringing the untutored man of twenty or so into society and watching his reactions to its conventions.

Mandeville's Remarks, or at any rate, some of them, were translated, it will be recalled, by Mme du Châtelet, who, true to her classical tradition, sharpened them with clearer general reflections. It will perhaps not be amiss to present her translations of the three passages in question:

C'est l'éducation qui fait naitre en nous, tout ce qu'on appelle decence. Celuy qui appelleroit tout par son nom, et qui diroit tout ce que la nature luy fait sentir, auroit beau estre d'ailleurs le plus honneste homme du monde. On le regarderoit comme le plus méprisable. S'il y avoit un homme assés grossier pour dire à une femme *quil a un desir violent de travailler avec elle dans l'instant à la propagation de son espece,* et quil se mist en devoir de l'embrasser, la femme s'enfuiroit, l'homme seroit regardé comme une beste brute, et personne ne voudroit avoir de commerce avec luy (p. 69).

Le respect qu'on a pour cette impudence que l'usage authorise, prouve bien quil ny a que façon de s'y prendre. Les hommes demandent seullement qu'on respecte leurs preiugés, et bien loin que la bienséance s'oppose a nos désirs, elle nous prescrit au contraire des règles pour les satisfaire d'une façon plus agréable, car dites-moy, ie vous prie si l'homme bien élevé, a esté reëllement plus vertueux que le sauvage, et si mesme ce dernier n'auroit pas agi plus conformément aux loix de la nature, et avec plus de sincérité (p. 71).

L'habitude nous a rendu ces supercheries de la politesse presque naturelles. Et elle nous en cache le ridicule, et l'absurdité. Mais si un homme élevé dans l'ignorance de toutes ces simagrées, et acoutumé a dire ce quil pense, se trouvoit au milieu d'une compagnie de gens qui savent vivre, il ne pouroit assister à cette comedie sans leur marquer son indignation, ou sans leur rire au nez et cependant la politesse toute ridicule quelle est, nous fait vivre ensemble d'une façon plus agréable, que ne feroit la grossière simplicité de la nature. Et on ne pouroit la banir sans de grands inconvéniens (p. 80).

It is to be remarked that Mme du Châtelet has not only kept the essential expressions, "brute," "sauvage," "conformément aux lois de la nature," "élevé dans l'ignorance de toutes ces simagrées," "accoutumé à dire ce quil pense," she has also tended to form certain conclusions consistent with those of *Le Mondain* and *La Défense du Mondain.*

But, it will be argued, Mandeville and Mme du Châtelet were far away from Voltaire in 1767. They were probably less far away than we are led to believe. It should be remembered that her translation of the Remarks were kept by Voltaire during his life and formed a part of his library when, after his death, it was moved to Leningrad. It should be remembered also that the year after the publication of the *Ingénu*, Voltaire published the *Marseillois et le lion* which he acknowledged had come from the fable related by Mandeville in Remark P. Curiously enough, there is one allusion in the fable which connects it with the opening chapter of the *Ingénu.*[80] The Abbé de Kerkabon, we are told by Voltaire, "savait assez honnêtement de théologie; et quand il était las de lire St. Augustin, il s'amusait avec Rabelais. . . ." A remark of similar nature occurs in the poem:

> Et pour devenir prêtre, il apprit du latin;
> Il savoit Rabelais et son Saint Augustin.

To be sure, the similarity of the two remarks does not prove that the two works are derived from the same inspiration. It merely offers a possibility of logical consistency, and the fable proves that Mandeville had certainly not been forgotten or discarded.

Since the initial inspiration of *L'Ingénu* proceeds from Mandeville's Remark C, two conclusions can be affirmed with some degree of certainty. The work is not at all inconsistent with Voltaire's other works. It proceeds in direct line from *Le Mondain* and *La Loi Naturelle.* Consequently, any attempt to place *L'Ingénu* in the current of primitivistic literature arises from a misunderstanding of its inception as well as of its meaning. Those who suggest that the *conte* is a *mise au point* of Rousseau's nature doctrine, or in any way a reply to him, appear to be far removed from the truth. In the strictest sense, it is a *mise au point* of Voltaire's social doctrine.

[80] See Jones, *op. cit.*, p. 2.

## 2. VOLTAIRE AND MANDEVILLE

VOLTAIRE's relationship with Mandeville has already been the subject of considerable investigation. Mr. Morize[1] in a work long considered a model of eighteenth century scholarship has attempted to show the parallelism of ideas between Voltaire's *Mondain*, his *Défense du mondain*, and Mandeville's *Fable of the Bees*. Mr. Morize, however, was more interested in fitting Mandeville and Voltaire in a current of ideas concerning luxury than in weighing critically the influence of the former upon the latter. When Mr. Kaye[2] published his critical edition of Mandeville's work, he was naturally led to discuss the influence of his author upon contemporary and later writers. However, such was the prestige of Mr. Morize's study that Mr. Kaye was satisfied merely to recapitulate the results already obtained and did not pursue further the investigation of Voltaire's indebtedness to Mandeville. Apparently deeming the problem of no great importance in comparison with other problems arising from his study of Mandeville, he contented himself with a general reference to Mr. Morize's earlier work. More recently, Mr. Patterson[3] called attention to similarities between certain ideas in chapters VIII and IX of the *Traité de métaphysique* and the *Fable of the Bees*. Naturally, Mr. Patterson could not deal with the general problem of the Voltaire-Mandeville relationship in a study of the *Traité de métaphysique*, but his work did suggest the need for reopening the subject. Finally, in my *Voltaire and Madame du Châtelet*,[4] I touched upon one or two bibliographical matters concerning Voltaire and Mme du Châtelet's acquaintance with Mandeville without attempting in any way to evaluate the influence of the English writer.

All these studies combined, however, fail to present an accurate picture of Mandeville's influence upon Voltaire. While each adds something to the picture, the contributions are so fragmentary, and indeed because of the nature of the investigations made, so

[1] A. Morize, *Le Mondain et l'apologie du luxe au XVIIIe siècle*. Paris, 1909.

[2] F. B. Kaye, *The Fable of the Bees . . . by Bernard Mandeville*. Oxford, 1924.

[3] H. T. Patterson, *Traité de métaphysique (1734)*, reproduced from the Kehl text, with preface, notes and variants. Manchester University Press, 1937.

[4] Princeton, 1941, pp. 24-33.

necessarily one-sided that they succeed in giving nothing approaching an evaluation of that influence. One might have expected an attempt at it in Sonet's work upon *Voltaire et l'influence anglaise*,[5] but the question is not even presented. Studies in fields other than literary have also failed to consider the question. For instance, Mr. Gaffiot in his excellent article upon "La Théorie du luxe dans l'œuvre de Voltaire"[6] characterizes Melon as "l'inspirateur habituel" of Voltaire, giving no consideration whatsoever to Mandeville.

There are, to be sure, difficulties in making this final evaluation. We do not know when or how Voltaire became acquainted with *The Fable of the Bees*, and we have no documents to suggest what was his early impression of it. Indeed, we have never stopped to consider what he thought in general of Mandeville. Until these points have received some clarification it would be idle to discuss in what specific ways he adopted and modified Mandeville's ideas. It is the object of this study to elucidate, in so far as it is possible, these questions.

Voltaire's references to Mandeville all date from the Ferney Period. In the "Avertissement" to *Le Marseillois et le lion*, 1768, he concedes that the "traits de philosophie anglaise" in his poem are borrowed from the *Fable*.[7] The poem itself he attributes to M. de St. Didier, permanent secretary of the Marseilles Academy. This appears to be, as Mr. Morize has pointed out, the first reference made by Voltaire in his works to the English writer. Two years later, however, in the *Questions sur l'Encyclopédie* (1770), he discussed Mandeville in his article "abeilles." Here he gave an extremely inaccurate poetic summary of *The Grumbling Hive*, for so concerned was he with comparing priests to drones that he completely disregarded the author's presentation of the constituent elements of a rich and powerful hive. This summary in poetry is followed by one in prose of two relatively short paragraphs:

> Mandeville va bien plus loin; il prétend que les abeilles ne peuvent vivre à l'aise dans une grande et puissante ruche, sans beaucoup de

[5] Rennes, 1926.
[6] *Revue d'histoire économique et sociale*, XIV (1926), No. 3, 320-343.
[7] Beuchot XIV, 208.

vices. Nul royaume, nul état, dit-il, ne peuvent fleurir sans vices. Otez la vanité aux grandes dames, plus de belles manufactures de soie, plus d'ouvriers ni d'ouvrières en mille genres; une grande partie de la nation est réduite à la mendicité. Ôtez aux négociants l'avarice, les flottes anglaises seront anéanties. Dépouillez les artistes de l'envie, l'émulation cesse; on retombe dans l'ignorance et dans la grossièreté.

Il s'emporte jusqu'à dire que les crimes mêmes sont utiles, en ce qu'ils servent à établir une bonne législation. Un voleur de grand chemin fait gagner beaucoup d'argent à celui qui le dénonce, à ceux qui l'arrêtent, au geôlier qui le garde, au juge qui le condamne, et au bourreau qui l'exécute. Enfin, s'il n'y avait pas de voleurs, les serruriers mourraient de faim.

Voltaire's summary offers a fairly good idea of the way he understood the work. His first remark about Mandeville's contention that a powerful state cannot exist without vice is an accurate general impression of the author's major thesis. It does not seem to be an accurate expression of the author's intention in proposing his major thesis. Mandeville's paradoxical rigorism has apparently been completely ignored by Voltaire.

The specific cases taken supposedly from the *Fable* and presented by Voltaire to support Mandeville's contention require some examination. The first, namely, that vanity in aristocratic women prevents poverty among workers, seems implied in Remarks F (Kaye I, 85) and M (Kaye I, 130). However, Voltaire attributes to aristocratic women what Mandeville attributed to everybody. The second also is taken from Remark F (Kaye I, 85).[8] The third specific example, that the growth of science and the arts depends upon envy or emulation, may have been suggested by Remark N (Kaye I, 138), but it is certainly an overstatement of Mandeville's idea.[9] The fourth is taken from Remark G (Kaye I, 86-88), but Voltaire has considerably amplified the number of types of people benefited by the arrest of a highwayman. The last

[8] "Thus the Merchant, that sends Corn or Cloth into foreign Parts to purchase Wines and Brandies, encourages the Growth or Manufactury of his own Country; he is a Benefactor to Navigation, increases the Customs, and is many ways beneficial to the Publick."

[9] "Envy, as it is very common among Painters, so it is of great Use for their Improvement: I don't mean, that little Dawbers envy great Masters, but most of them are tainted with this Vice against those immediately above them."

remark concerning locksmiths which appealed to Voltaire's sense of humour is also in Remark G. As we shall see, Mme du Châtelet was exasperated by this particular bit of paradoxical flippancy.

As an exposition of Mandeville's ideas, Voltaire's outline, it must be admitted, was very sketchy. We may conclude that in addition to the general idea of the *Fable* he had retained only a few vague examples upon which he used his own fertile imagination. His conclusion, however, shows him far from enthusiastic about the general thesis of the work: "Il est très vrai que la société bien gouvernée tire parti de tous les vices; mais il n'est pas vrai que ces vices soient nécessaires au bonheur du monde. On fait de très bons remèdes avec des poisons, mais ce ne sont pas les poisons qui nous font vivre. En réduisant ainsi la Fable des Abeilles à sa juste valeur, elle pourrait devenir un ouvrage de morale utile."[10]

One year later, 1771, Voltaire made a final reference to Mandeville in the article "envie" of the *Questions sur l'Encyclopédie*. Here, he credits the English author, though in unwarranted fashion, with being the first to maintain that envy is a good thing, "une passion très utile." He then proceeds to summarize Remark N to the effect that envy is ever-present in children, horses, dogs, and painters. As regards painters, Voltaire injects the gratuitous remark that Raphael would never have been a great painter had he not been jealous of Michelangelo. But that the whole question rather bored him is evident from the concluding line: "Mandeville a peut-être pris l'émulation pour l'envie, peut-être aussi l'émulation n'est-elle qu'une envie qui se tient dans les bornes de la décence."[11]

An examination of Voltaire's references to Mandeville between 1768 and 1771 would easily lead to the belief that he was but mildly interested in the English author, that he misrepresented his ideas or contradicted those which he presented correctly. Indeed, he fails to cite Mandeville in his writings where the Englishman should have had a place, for instance in the *Lettres à S. A. Monseigneur le Prince de ****, sur Rabelais, et sur d'autres auteurs qui ont mal parlé de la religion chrétienne* of 1767. Again, he

[10] *Œuvres de Voltaire*, ed. Moland (Paris, 1882 ff.), XVII, 30.
[11] Moland XVIII, 557.

ignores him completely in the article "luxe" of the *Dictionnaire philosophique*. It may easily be inferred from these facts that Voltaire was not at all impressed by the *Fable*, and saw no way in which he could make open use of it. It is probably no exaggeration to believe that he was frankly puzzled by the paradoxical way in which Mandeville presented his ideas and since he had little patience with paradoxes he gave scant consideration to their originator.

This conclusion is contradicted by other facts. We have just shown how one of Mandeville's remarks furnished the initial inspiration for the *Ingénu*, and we have seen Voltaire freely admit that another is the source of *Le Marseillois et le lion*. These two facts taken in conjunction with his references to the *Fable* in the *Questions sur l'Encyclopédie* indicate that between 1767 and 1771 he gave some thought to the *Fable of the Bees*. A possible explanation for this interest can be found in the atmosphere surrounding the *Homme aux quarante écus*. Having taken a sudden dislike to one of the leading physiocratic theories of taxation, he seems to have consulted Mandeville among other authors in the hope of finding arguments against these economic theories. In this, he apparently failed, since I find no specific connection between the *Homme aux quarante écus* and the *Fable*. He did, however, utilize Mandeville, as we have seen, in other ways.

The period 1767-1771 does not represent Voltaire's first acquaintance with the English author. There are indications of an acquaintance as far back as the years 1735-1738. Just how it began can only be surmised. Mr. Patterson assumes that it was brought about through Pope's writings, while Mr. Morize conjectures that the *Fable*, then widely discussed, could not have failed to attract Voltaire's attention during his stay in England, and, since the copy in his possession was the edition of 1724-1729,[12] he may have procured it during his sojourn. He does not seem to have been greatly impressed by it at that time, however, for when he was looking for some English work of importance which Thieriot

[12] G. Havens and N. Torrey, "Voltaire's Books: A Selected List" in *MP*, XXVII, No. 1 (Aug. 1929), 14.

might translate, it did not occur to him to suggest the *Fable of the Bees*. On the other hand, there is the very slight possibility that he drew some profit from it at the time. Mandeville found occasion to refer to Charles XII in his remarks: "There has not these many Ages been a Prince less inclin'd to Pomp and Luxury than the present King of Sweden, who enamour'd with the Title of Hero, has not only sacrific'd the Lives of his subjects, and Welfare of his Dominions, but (what is more uncommon in Sovereigns) his own Ease, and all the Comforts of Life, to an implacable Spirit of Revenge; yet he is obey'd to the Ruin of his people, in obstinately maintaining a War that has almost utterly destroy'd his Kingdom" (ed. 1725, p. 179).

Mandeville's characterization of the Swedish King is not unlike Voltaire's in the *Histoire de Charles XII*. Of course, the similarity may be pure coincidence, since there must have been many in England who shared both writers' opinion of Charles. However that may be, there can be no doubt that Voltaire by 1735 was fully acquainted with Mandeville, for Mme du Châtelet was then translating the *Fable of the Bees*. What part Voltaire himself had in the translation is a matter of pure speculation. It is to be presumed that he both suggested and encouraged it. At all events he was certainly aware that it was being done. Yet between 1735 and 1767 he never makes mention of Mandeville's name nor does he refer to his work.

Mme du Châtelet was less discreet. She informed Algarotti[13] that she was translating the *Fable* and showed this translation to Mme de Graffigny[14] during the latter's visit to Cirey in 1738-39. In her dated preface of 1735, she spoke of Mandeville as the English Montaigne, and praised the *Fable* as the best treatise upon morality that she knew. The style, she admitted, was crude, the ideas, daring and sometimes even paradoxically absurd. She was none the less enthusiastic over her new preoccupation, although she did not hesitate to contradict some of the ideas of the English author, and even upon certain occasions inserted lengthy passages

[13] May 20, 1736. E. Asse, *Lettres de Mme du Châtelet* (Paris, 1882), p. 90.
[14] Graffigny, *Vie privée de Voltaire et Mme du Châtelet* (Paris, 1820).

which did not occur in the original. All that remains of her translation is her Preface, Mandeville's two prefaces, his *Essay on the Origin of Moral Virtue*, and the Remarks from A through L. Her translation thus stops significantly enough in the midst of Mandeville's discussion about luxury. Whether this represents the extent of her work is not known. In my *Voltaire and Mme du Châtelet*, I suggested that she must have translated the full *Fable* since she had written and dated a Preface to it. It now seems more reasonable to assume that she did not proceed beyond the chapter on luxury, since she left in her papers two copies of her work, and they both stop at the same place. It would appear that the task was begun under a sudden enthusiasm and abandoned as the infatuation gradually wore off. However, her interest extended from 1735, the date of the preface, to 1738 or 1739, date in which she showed her translation to Mme de Graffigny. This period of her interest coincides precisely with the period in which Voltaire's works are said to bear a decided imprint of Mandeville's influence.

The first of these works said to show a strong influence of Mandeville is *Le Mondain*. Anyone familiar with Professor Morize's *Le Mondain et l'apologie du luxe au XVIII^e^ siècle* will recall the vivid way in which Voltaire's "badinage" is fitted into a current of ideas extending from Saint-Evremond to the French Revolution. Mandeville, of course, also fits into that current and since Professor Morize assigns him as well as Voltaire an important rôle in it, the impression might be given that the two are not only major contributors to the idea of luxury, but that the *Mondain* actually derives from the *Fable*. That this was certainly not the idea which Professor Morize wished to convey in his excellent essay is apparent from a careful reading. He says literally nothing of the genesis of the *Mondain* save to connect it with the recent Cirey experience. When he approaches the question of Mandeville as a source, he dodges the issue completely by affirming that Voltaire does not mention the *Fable*,[15] and in summary of the same question, merely states: "Si donc de la *Fable* au *Mondain* il n'y a pas filiation directe, il est fort croyable que *le Mondain* nous ap-

[15] Morize, *op. cit.*, p. 75.

porte comme l'écho de ces discussions et de ces polémiques dont Mandeville a été la cause ou le héros."[16] The conclusion is rather forced upon us that Mr. Morize did not wish to convey the impression of any definite relationship between the *Mondain* and the *Fable* and that those who so interpret his essay are really doing him a disservice.

There is, however, one passage in Mr. Morize's treatise which would lead to this misinterpretation, and it should be examined with particular care. "Enfin," wrote Mr. Morize, "comme le fera Voltaire, Mandeville donne une forme concrète à ses idées en décrivant 'le train des jours' d'un *Mondain*,—le terme même est dans Mandeville; et le choix des détails est fort analogue des deux côtés."[17] Thereupon he quotes a passage from Remark O (not Q as he says in the note) with selected lines from the *Mondain* (lines 60-111) alongside. The passage from Mandeville, though somewhat lengthy, should be quoted at least as far as it is supposed to have been a model for Voltaire's lines. However, instead of using the French translation of Mandeville which was subsequent to the *Mondain*, as Mr. Morize has done, I shall quote from the English text of 1725:

The worldly-minded, voluptuous and ambitious Man, notwithstanding he is void of Merit, covets Precedence everywhere, and desires to be dignify'd above his Betters: He aims at spacious Palaces (1), and delicious Gardens (2); his chief Delight is in excelling others in stately Horses (3), magnificent Coaches (4), a numerous Attendance, and dear-bought Furniture (5). To gratify his Lust, he wishes for genteel,

1. De mille mains l'éclatante industrie
   De ces dehors orna la symétrie.
2. . . . je vois par la fenêtre
   Dans *des jardins*, des myrtes en berceaux.
3. Par deux *chevaux* rapidement traîné.
4. Un *char commode* avec grâces orné
   Paraît aux yeux une maison roulante,
   Moitié dorée et moitié transparente.
5. L'or d'une bordure—cet ar-

[16] *Ibid.*, p. 77.

[17] *Ibid.*, p. 109. The term "mondain" occurs in the translation of 1740, but not in Mandeville.

young, beautiful Women (6) of different Charms (7) and Complexions that shall adore his Greatness, and be really in love with his Person: His Cellars he would have stored with the Flower of every Country that produces excellent Wines (8): his Table he desires may be serv'd with many Courses (9), and each of them contain a choice Variety of Dainties not easily purchas'd, and ample Evidences of elaborate and judicious Cookery (10); whilst harmonious Musick and well-couch'd Flattery entertain his Hearing by Turns. He employs, even in the meanest trifles, none but the ablest and most ingenious Workmen (11) .............................

gent—les gobelins, etc.—des trumeaux brillants.

6. Le plaisir presse: il court au rendez-vous
   Il est comblé d'amour et de faveurs.
7. Chez Camargo, chez Gaussin, chez Julie.
   [Une danseuse, une chanteuse, et sans doute une courtisane]
8. *Un vin d'Aï,* dont la mousse pressée. . . .
9. . . . Que ces brillants *services*
   Que ces ragoûts ont pour moi de délices.
10. Qu'un *cuisinier* est un mortel divin
11. De mille mains, l'éclatante industrie.

   ..........................................................
   La foule des beaux-arts, enfants du goût.

It should be noted that whereas Mandeville endeavored to describe the character and surroundings of the "worldly-minded, voluptuous and ambitious man," Voltaire was preoccupied with describing the "train des jours d'un honnête homme." And while the former condemned the "worldly-minded, voluptuous and ambitious man," the latter approved very much of the "honnête homme" and the way he spent his time. The two writers are really talking about two quite different types of men, and Mandeville's "worldly-minded, voluptuous and ambitious man" is not Voltaire's "mondain" although the reverse might easily be true.

Moreover, a careful examination of the two passages will show that Voltaire made no use of Mandeville's passage for his description of the "honnête homme." Mandeville attributed to his "worldly-minded" man "spacious palaces," "delicious gardens," "stately horses," "magnificent coaches," "dear-bought furniture," "beautiful women of different charms," "excellent wines," "many courses," "judicious cookery," and "ingenious workmen." The emphasis throughout the whole passage is upon the "worldly-minded" man's possession of these things. Voltaire's "mondain" naturally has a château; the château naturally has artistic appointments and a garden. He also has a carriage, and the carriage naturally needs horses to pull it. He pays homage to three women who are naturally beautiful but their charms are not necessarily different. He naturally likes champagne, and when he dines he likes a beautiful service, and well-cooked food. Voltaire could scarcely describe the "train du jour d'un honnête homme" without attributing to him these necessaries. His point is not that the "mondain" *possesses* these things, but that he *enjoys* them. To stress his point, he did not have to know Mandeville, it was sufficient for him to know Paris and Cirey. The "rencontres" of the two passages, which Mr. Morize notes, were natural "rencontres." It can be affirmed with a fair degree of assurance that Voltaire's poem is in no respect Mandevillian in origin. It does not contain a single verse which can be traced to the *Fable*.

One reason for this is simply that Voltaire's intention in writing the *Mondain* differed from Mandeville's in writing the *Fable*. Mandeville declared his purpose in his *Preface* (1725): "For the main Design of the Fable, (as it is briefly explain'd in the Moral) is to shew the Impossibility of enjoying all the most elegant Comforts of Life that are to be met with in an industrious, wealthy, and powerful Nation, and at the same time be bless'd with all the Virtue and Innocence that can be wish'd for in a Golden Age." His succinct, little statement carried within it the three major premises of his book. The first of these is explicitly presented. A state cannot have at one and the same time the comforts which come from luxury and the virtue which comes from innocence. A choice must therefore be made between comforts and luxury on the one hand and virtue and innocence on the other. This, of course, is regarded as a moral choice. The second premise is half explicit, half implicit. A state which has comforts and luxury is wealthy, industrious, and powerful. There is the implication that a state which has virtue and innocence is neither wealthy, industrious, nor powerful. Therefore a choice must be made between becoming a powerful or a weak nation. This, to be sure, is a political choice. The third premise is derived implicitly from the first and second. Comforts and luxury are "politically" sound, though "morally" unsound; virtue and innocence are "politically" unsound, though "morally" sound. Therefore a choice must be made between the political and the moral. Now if one followed in a strictly rational way the implications of these premises, it would appear that the choices would be free and the consequences inevitable. Mandeville, however, in his *Essay on the Origin of Moral Virtue* shows that man by nature has long since made his choices. He wishes now to avoid the natural consequences. Therein lies the divergence between the moral and the political views, and between the rigorist and the expedient views. It is thus that Mandeville's treatise, though founded upon a certain conception of "la morale," is really political, and his intention becomes clearly political, or rather, economic.

There is no such intention evident in the *Mondain*. When the "maître cafard" of the *Défense du Mondain* attacked the work, he characterized it:

> Vous avancez, dans votre folle yvresse,
> Prêchant le Luxe et vantant la Mollesse,
> Qu'il vaut bien mieux, ô blasphêmes maudits!
> Vivre à présent qu'avoir vécu jamais.[18]

If this statement is accepted as accurate, there are two implications to be derived from it: (1) luxury is a source of enjoyment, and therefore a good; (2) with the passing of time, luxury increases and therefore the present life is more enjoyable than the past. Voltaire is decidedly speaking as a mundane moralist on the one hand and as a moral historian on the other, but more as a mundane moralist.

There is confirmation of this fact in the meagre statements made by Voltaire to his correspondents on sending them the *Mondain*. To Cideville he wrote: "Voici ce *Mondain* qu'Emilie

[18] Morize, *op. cit.*, 153-54.

croyait vous avoir envoyé. . . . Cette vie de Paris, dont vous verrez la description dans *le Mondain*, est assez selon le goût de votre philosophie."[19] In a letter to the Comte de Tressan, he strikes a similar note: "Je vous envoie *le Mondain*. C'était à vous à le faire. J'y décris une petite vie assez jolie; mais que celle qu'on mène avec vous est au-dessus."[20] There is also some indication from the correspondence that the poem was read in the same spirit in which he claimed to have written it. When he sent it to Frederick, the latter characterized it an "aimable pièce qui ne respire que la joie, est, si j'ose m'exprimer ainsi, un vrai cours de morale."[21] It was doubtless in this spirit also that Voltaire in the edition of 1739 changed the title of the poem to *L'Homme du monde ou Défense du mondain*. One can only conclude with Mr. Morize that the "badinage" of Voltaire is indeed "une apologie de la vie épicurienne, légère, optimiste, élégante et heureuse; une sorte d'hymne à la vie de Paris, parmi les choses délicates signées d'artistes connus, de fins dîners, de joyeux soupers, et de jolies femmes. . . ."[22] Needless to say, this intention has nothing in common with Mandeville's in the *Fable*.

But to what extent is *Le Mondain* also an economic treatise? The "cafard," it will be remembered, accused Voltaire not only of "vantant la mollesse" but of "prêchant le luxe." I think that Mr. Morize has overstressed this economic aspect of the *Mondain*. Nevertheless, lines 13-30 of the poem undoubtedly praise the effects of commerce upon luxury. The idea seems to be that commerce produces abundance, abundance produces the arts, the arts satisfy new needs, and new needs encourage more arts, more abundance, more commerce.[23] The whole point for Voltaire in the *Mondain*, however, is that commerce is a means of increasing the enjoyment of the individual, not a means of increasing the

19 Moland XXXIV, 137.
20 *Ibid.*, pp. 152-53.
21 *Ibid.*, p. 182.
22 *Op. cit.*, p. 25.
23 This is precisely the analysis of luxury which Rousseau gave, except that he traced it not to commerce, but to inequality. See *Œuvres*, ed. Hachette, I, 41: "La première source du mal est l'inégalité; de l'inégalité sont venues les richesses; car ces mots de pauvre et de riche sont relatifs, et partout où les hommes seront égaux, il n'y aura ni riches ni pauvres. Des richesses sont nés le luxe et l'oisiveté, du luxe sont venus les beaux-arts, et de l'oisiveté les sciences." Rousseau evaluated the evolution differently.

power of the state. He does not stress a new economic theory, but rather the pleasures which accrue from an economic situation. This is certainly not the theory of Mandeville in the *Fable*. It does, however, in its eulogy of commerce show some resemblance to Melon's theory. We shall try to evaluate this resemblance later.

If the *Mondain* shows no relationship with Mandeville, the *Défense du mondain* on the other hand is definitely connected with the *Fable*. In his second work, Voltaire discards the purely hedonistic justification for luxury, and offers boldly an economic apology for it. He takes it for granted that every man seeks his pleasure, even the "maître cafard." This search for pleasure he, still in imitation of Mandeville, combines with Melon's theory of commerce, and the result is an economic justification for luxury. He develops his argument thus: every man seeks his pleasure; the gratification of pleasure encourages commerce; commerce offers new means of gratification; production thus increases riches, distributes riches, encourages even in the working classes a search for riches; the combined riches of all become a source of power in the State; therefore the powerful state should encourage and increase all these operations of its citizens. Much of this argument, of course, is explicitly or implicitly implied in the *Fable*. However, Voltaire differed in his general thesis from Mandeville in two rather important respects. In the first place, he argues that the state should consciously strive to derive benefits from these economic operations, while Mandeville assumed that the State could not help deriving benefits from luxury. Secondly, Mandeville complicated the economic argument by paradoxical considerations upon the virtuousness and viciousness of the gratification of pleasure. Hence while Mandeville remained an economist heavily encumbered by moralistic rigorism, Voltaire, abandoning the moral aspect entirely, became strictly economic. In this one respect, he is more modern than Mandeville.[24] None the less, his

[24] Voltaire, however, still confuses the terms, although not his ideas. See letter to Frederick, Jan., 1737 (Moland XXXIV, 200): "En attendant, si Votre Altesse royale veut s'amuser par une petite suite du *Mondain*, j'aurai l'honneur de l'envoyer incessamment. C'est un petit essai de morale mondaine, où je tâche de prouver, avec quelque gaieté, que le luxe, la magnificence, les arts, tout ce qui

arguments can all be traced to Mandeville. These arguments have all been detailed by Professor Morize in his analysis and there is no need to digress further upon them. Suffice it to say that they occur between lines 49 and 98 of the *Défense*. They comprise four major ideas: (1) luxury enriches a large state, although it may be dangerous for a small one; (2) the luxury of the rich furnishes work for the poor; (3) the expenditures of the wealthy provide for the circulation of riches and prevent an excessive inequality; and (4) wealth and prodigality are natural concomitant economic factors, just as poverty and frugality.[25] It should not, however, be forgotten that lines 25-49 of the *Défense* still develop the idea that luxury is dependent upon foreign trade. That, of course, is Melon's thesis, though rather inadequately expressed. In summary, then, it can be stated that Voltaire in the *Défense* grafted upon Melon's neo-mercantilism the arguments of Mandeville. The *Défense* is thus the real economic apology of luxury, while the *Mondain* is the moral apology.

The absence of the *Fable* in the *Mondain* and its use in the *Défense* might suggest that Voltaire made his real acquaintance with Mandeville in the space of time between the two works, that is to say, between August 5, 1736, when he first mentions (Moland XXXIV, 100) the *Mondain*, and January, 1737, when he first speaks of (Moland XXXIV, 200) the *Défense*. Such may have been the case, although the first fifteen lines of the *Défense* suggest that it could not have been written until after the tempest raised by the circulation of the *Mondain*, that is to say, around the 24th or 26th of November, 1736. Of course, Voltaire could have become acquainted with Mandeville and utilized him in the *Défense*, in the course of December and the beginning of January. The translation of Mme du Châtelet, however, dated 1735, and her statement in a letter of May 20, 1736, to the effect that she was translating Mandeville indicate rather that Voltaire was ac-

fait la splendeur d'un Etat en fait la richesse; et que ceux qui crient contre ce qu'on appelle *le luxe* ne sont guère que *des pauvres* de mauvaise humeur. Je crois qu'on peut enrichir un Etat en donnant beaucoup de plaisir à ses sujets."

25 For a comparison of these ideas in Voltaire and Mandeville, see Morize, *op. cit.*, notes 11, 12, 14, 15, 19; pp. 161-66.

quainted with the English author and his arguments for luxury long before writing the *Défense*.

Whether he knew Mandeville before the writing of the *Mondain* is a question for careful consideration. In a letter to Mlle Quinault, [November] 26, 1736 (Moland XXXIV, 174), he claims to have written it two years before, although later he mentions 1736 as its date. In a letter to Thieriot on the following day, November 27, he mentions that the *Mondain* was written "il y a longtemps" (Moland XXXIV, 175). It has been customary to discredit the statement to Mlle Quinault[26] and to ignore the one to Thieriot. Indeed, there are no conceivable arguments to justify placing the date of composition as early as November 1734. But the implied assumption that it must have been composed just prior to its circulation is not warranted either. Some case can be made for his statement to Mlle Quinault and to Thieriot concerning the date.

The poem was first mentioned in Voltaire's correspondence on August 5, [1736]: "Mon cher ami, on vous a envoyé *le Mondain*"[27] certainly refers to a date preceding August sufficiently to warrant Voltaire's mistake. For it turns out from the letter to Cideville, September 25, [1736], (Moland XXXIV, 137), that Mme du Châtelet who had been asked by Voltaire to send the *Mondain* to Cideville had not done so. Evidently she was averse to having the poem circulate. However, between September 25, 1736, and November 3, when the death of the Bishop of Luçon gave the President Dupuy the opportunity to circulate the poem widely, Voltaire had sent it to Cideville, Berger, Tressan, and Thieriot. It should be noted that this group was not only small but discreet. Or rather Voltaire thought them discreet. In the case of Tressan, he was mistaken. There is certainly no indication whatever in the correspondence that he wanted the *Mondain* to circulate. The impression given is quite the contrary. We know how jealously he guarded the *Traité de métaphysique*, and how terribly alarmed he was at the end of 1735 when he heard a rumor to the effect

[26] Both Professors Morize and Ascoli reject the statement as a prevarication.
[27] Letter to Cideville, Moland XXXIV, 100.

that the *Pucelle* was on the point of appearing. We know now that he was composing, and laying aside, some works to which the correspondence of the period never makes reference. We know that he made ludicrous efforts in 1735-36 to keep from being identified with his plays *La Mort de César*, *L'Enfant prodigue*, *Samson*, and even *Alzire*. In 1735-36, he undoubtedly preferred not to publish his writings. Moreover, we know that it was a fixed policy with him, for we have the letter of April 19, 1735, to M. de Caumont in which he states (Moland XXXIII, 491): "Il est vrai que je me suis amusé dans ma retraite à plus d'un genre de littérature; mais il n'y a pas d'apparence que j'en laisse rien transpirer dans le public. Je m'aperçois tous les jours qu'il faut vivre et penser pour soi, et que la chimère de la réputation ne console point des chagrins qu'elle traîne après soi. Il y a des pays où il est permis de communiquer ses idées aux hommes; il y en a d'autres dans lesquels à peine est-il permis d'avoir des idées."

There are thus both logical and historical reasons to warrant the assumption that *Le Mondain* was not circulated immediately after its composition. The real reason for Voltaire's prudence goes back to the tempest raised by the *Lettres philosophiques* in 1734. How long the *Mondain* was held over after being composed can only be conjectured. However, there are vague echoes of it in the correspondence. Voltaire's enthusiasm for Rameau is surely as strong in 1735 as in 1736.[28] In his letter of January sixth to the Abbé D'Olivet (XXXIV, 1) his opinion of Fénelon's style coincides with that expressed in the *Mondain*. Finally, in his letter of November 3, [1735], to Thieriot he details "le train du jour" at Cirey (XXXIII, 546) and though this "train du jour" is much more intellectual it is not unlike that of the *Mondain*: "De là nous revenons à Newton et à Locke, non sans vin de Champagne et sans excellente chère, car nous sommes des philosophes très-voluptueux, et sans cela nous serions bien indignes de vous et de votre aimable Pollion." As a matter of fact, the correspondence for 1735 reveals a naïve happiness which after December 28, 1735,

[28] *Cf.* letter to Thieriot, September 11, [1735]. Moland XXXIII, 528.

and during 1736 is never so enthusiastic. During 1735, Voltaire often repeats "je suis heureux." In 1736, the note is less pure.

These meagre facts offer possible grounds for a few suppositions. The *Mondain* could have been written any time after January 26, 1735, date when Voltaire disclosed to Formont his intention of getting acquainted with Melon's *Essai sur le commerce* (Moland XXXIII, 476). The most likely period of 1735 seems to be between September 11 and the end of the year. The most likely date is somewhere around November 3, 1735, when the château has been remodeled, when Algarotti is paying a visit to Cirey, when Voltaire is at the maximum of his happiness and when the earthly Paradise is really where he is. Finally, I should place its composition just ahead of Mme du Châtelet's interest in Mandeville. This interest must have awakened after Algarotti's departure from Cirey, otherwise there would have been no sense in her announcing it to him on May 20, 1736. Finally, she must have been interested in Mandeville before the end of the year 1735, or there would be no sense to the 1735 with which she dated the preface to her translation.

These suppositions concerning the date of composition of the *Mondain* offer the only reasonable explanation as to why *Le Mondain* shows an influence of Melon and none of Mandeville, while *La Défense* shows an influence of both writers. Events would seem to have followed this sequence: after January 26, 1735, Voltaire became acquainted with Melon; before November 3, 1735, Melon and Cirey furnished the inspiration for *Le Mondain*; Melon and *Le Mondain* led to an acquaintance with Mandeville; between November 3, 1735, and November 3, 1736, Mme du Châtelet busied herself with her translation and she and Voltaire tried to fuse Melon and Mandeville; after November 3, 1736, and before January 1737, Mandeville furnished Voltaire with arguments which he utilized in the *Défense*.

After the publication of the *Défense*, Voltaire's references to the economic aspects of luxury were limited to a small section in the *Observations sur Mm. Jean Lass, Melon et Dutot, sur le commerce, le luxe, etc.* (1738), a few scattered and rather inconsequential remarks in the *Monde comme il va* and two rather important sections upon "luxe" in the *Dictionnaire philosophique* (1764, Section II) and the *Questions sur l'Encyclopédie* (Section I, 1771). To these articles should be added certain specific cases of luxury discussed in the *Essai sur les mœurs* and the *Siècle de Louis XIV*.[29]

The page devoted to the discussion of luxury in the *Observations* is intended as a compte-rendu of Melon's "sage apologie du luxe" (Beuchot XXXVII, 533-34). Voltaire essays a definition of luxury as the "dépense d'un homme opulent," stresses that it is a "mot sans idée précise," finds that "il n'y en a point, ou il est partout," marks its relativity, notes its effects, namely, the production of labor for the poor, and the fostering of the arts, affirms that it is the only test of the power of the state, and distinguishes four periods when it was the most prevalent. An examination of Chapter IX of Melon's *Essai sur le commerce* will show that Voltaire's succinct little page differs somewhat from the economist's treatise. Melon, too, stresses the vagueness of the term luxury and defines it as a "somptuosité extraordinaire que donnent les richesses et la sécurité d'un gouvernement." He finds it in all ranks of society and relative in nature, and notes its effects, the production of labor for the poor, and the abolition of idleness. But he maintains that it does not "amollir les mœurs," and he argues that it is always restricted to a small number of citizens. Thus Voltaire differed from Melon in his definition and, indeed, in his conception of luxury. For Melon, luxury was coffee, sugar, tobacco, rich cloths, and diamonds; for Voltaire, it meant an increase in the comforts of life and in the arts. Melon based his conception upon commerce; Voltaire now seems to base his upon manufactures. Moreover, the latter emphasizes the universal rather than the relative character of luxury. Finally, he connects its increase with the growing power of the state and shows a historian's interest in its growth from Charlemagne to the present. Differing thus from Melon, Voltaire would seem to approach more closely Mandeville's ideas upon luxury. His notion of its

[29] *Cf.* R. Charbonnaud, *Les Idées économiques de Voltaire*. Poitiers, 1907.

universality is distinctly similar to Mandeville's as is also his idea that it is connected with the power of the State. Indeed, as Mr. Morize has pointed out,[30] the only specific example of luxurious practice cited by Voltaire in this page, namely, the use of starch to bleach shirts, is taken from Mandeville's Remark P (ed. 1725, p. 183). It should be noted, however, that Mandeville discusses the starching of ladies' dresses. Mme du Châtelet added the extra touch of the shirt to her translation of Remark L. After translating the paragraph of Mandeville where he stated that everything is luxury, she added:

> Des chemises étaient un luxe pour nos très grossiers ayeux. La première paire de bas de soye fut acheptée 500 par Henry 2nd et c'eût esté dans ce temps là un luxe excessif dans un prince du sang que des bas de soye.[31]

The article "luxe" of the *Dictionnaire philosophique* (1764) takes up a problem previously discussed by both Melon and Mandeville—the assertion that luxury causes decay in the state. Those opposed to luxury in the state cite the case of Rome, frugal in her early days of power and prodigal in the later days of the Empire. They seem to approve, says Voltaire, the pillaging of the earlier period but at the same time they condemn the Romans for enjoying its fruits. He suggests that the reverse attitude would be more logical.

Voltaire notes that these same critics commend the frugality of Sparta. But Sparta, he affirms, contributed nothing to the glory of Greece, while pleasure-loving Athens was renowned for its great men. Poverty naturally produces frugality while riches produce luxury. In any event we must die, whether we live frugally or in luxury. Why not enjoy while we can, the agreeable things of life? However, he makes two reservations. The poor, small state cannot afford luxury and should make sumptuary laws; the large wealthy state cannot afford frugality and should encourage luxury. He recalls the two famous lines of the *Défense*:

[30] *Op. cit.*, p. 76.

[31] The latter part of the statement is from Melon (see ed. Daire, p. 742: "Des bas de soie étaient luxe du temps de Henri II.")

Sachez surtout que le luxe enrichit
Un grand état, s'il en perd un petit.

The second is a mere counsel of prudence. Excess is harmful, moderation is good in all things, even in the agreeable. The peasant does not dress in the costume of the fop in preparation for tilling his ground, nor should the fop dress as a peasant.

Voltaire then cites three specific examples to prove his point that articles which are considered luxuries when they first appear become necessary to common comfort with usage. Those who initiated the custom of trimming their hair and nails with scissors were considered vain, irreligious creatures. Again, when shirts and shoes were first invented, the reactionaries decried their use declaring it a fatal luxury.

Voltaire's arguments in the *Dictionnaire philosophique* are no more advanced than those proposed in the *Défense*. It is impossible to trace them to one source, since similar ones can be found in Saint-Evremond and Bayle, as well as in Mandeville and Melon. They were, as Mr. Morize has shown, the common property of all who dealt with the subject. The specific examples are, however, either Voltaire's or Mme du Châtelet's.

The short article of the *Questions* is but an extension of the previous article of the *Dictionnaire philosophique*. Voltaire again stresses the point that usage makes so-called luxuries necessities citing as examples shoes, shirts, and starch. He then cites Cato's warning against luxury to the Romans and Lucullus's reply. According to Voltaire, Cato, who was rich but a frugal stoic, exemplifies perfectly the absurdity of possessing comforts without enjoying them, while the life of Lucullus proves that if the wealthy spend their money in superfluities, they will be unable to corrupt the State. He tries to make his argument more forceful by modernizing it in a short dialogue between a Norwegian and a rich Hollander and concludes in characteristic style: "Depuis cette conversation on a écrit vingt volumes sur le luxe, et ces livres ne l'ont ni diminué, ni augmenté."

Thus an evaluation of Voltaire's ideas about luxury necessitates certain revisions in the prevailing opinion regarding his sources. The point of view which attributes a predominant rôle in the formulation of those ideas to Mandeville is decidedly one-sided. Mandeville's influence should be weighed against Melon's. Indeed, as we have seen, in point of time, Melon's preceded Mandeville's. To be sure, this prior claim of Melon's influence loses something of its significance when we consider that he himself was undoubtedly influenced by the English writer. As a matter of fact, the similarities of arguments in the *Fable* and the *Essai* are often so close that it is impossible to state with any conviction which is the source for Voltaire. Certain it is, however, that he found the compact little chapter IX of the *Essai* more readily usable than the rambling paradoxes of the *Fable*.

Still it would be an error to assume that Voltaire was repelled by Mandeville's paradoxes to the point of not giving the treatise the attention it merited. He undoubtedly ignored it and even he may not have been acquainted with it when he wrote the *Mondain*. But he sought confirmatory material in it for the *Défense* and thereafter fused the arguments of Mandeville and Melon, though in many respects he remained closer in his ideas to the English author than to his own compatriot. If we follow Mr. Gaffiot's analysis[32] of Voltaire's ideas upon luxury, it is possible to clearly establish his relative position to Mandeville and to Melon. For instance, defining what constitutes luxury, Voltaire follows Remark L of the *Fable*. In dealing with its two causes —a favorable social organization and an appropriate economic activity—Melon stressed the former, Mandeville the latter, while Voltaire laid equal stress upon both. In discussing the three effects of luxury—the personal well-being of the one who enjoys it, the improvement of the social conditions in a country where it is developed, and a national economic prosperity—Voltaire was inclined in the *Mondain* to stress only the first. Thereafter he willingly added the second, which received considerable emphasis from Melon, and the third, which was more stressed by Mandeville. In the specific examples which Voltaire chose to

[32] M. Gaffiot, "La Théorie du luxe dans l'œuvre de Voltaire," *Revue d'histoire économique et sociale* (1926), XIV, No. 3, pp. 320-343.

illustrate his ideas, he picked indiscriminately from either author. The luxury of the first shirt or the first pair of shoes is from Melon; the use of starch is from Mandeville.

It should not be assumed that Voltaire utilized the *Fable* and the *Essai* to such an extent that he himself added nothing to the argument. His attitude to sumptuary laws is neither Melon's nor Mandeville's. His conviction that the historical growth of luxury is a proof of the validity of the doctrine of progress and is a perfectly natural consequence of the inherent nature of man is shared by neither writer. He alone makes a distinction between this natural desire for enjoying the comforts of life and the luxury which is the "dépense d'un homme opulent" and the result of property rights. Of the two reservations he made—that a small state must avoid luxury while a large state must beware of frugality, and that luxury like everything else must be enjoyed in moderation or else it becomes ridiculous—the second is distinctly his own. And there is present in neither of his two models his final idea that if luxury is excessive, the blame must be laid upon those legislators who encourage economic inequalities by bad laws.

Voltaire utilized Mandeville's *Fable* not only in presenting his argument in favor of luxury; he found also in the English author a stimulant for his ideas upon the origin and nature of moral virtue. Mandeville's opinions upon this subject were basic to the whole conception of his paradox, for if what the rigorist affirmed to be good was not recognized any longer by the public as good and what the rigorist affirmed to be evil was actually considered good by the public then obviously some explanations were necessary. Thus he was led to redefine the notion of vice and virtue and to trace its origin.

According to Mandeville's underlying principle, man of all the animals is endowed with the highest understanding and the largest number of appetites. He should be the most unsocial of creatures, but by a curious paradox he is the most social. Hence means had to be devised to curb his appetites and circumscribe his cunning. Force was unable to bring this about. Therefore lawgivers devoted their efforts toward persuading man that it was better to conquer than to indulge his appetites, and to turn his attention to the cultivation of the public rather than the private interest. Moralists and philosophers lent their support. But the success of the lawgivers would have been questionable had they not offered a suitable reward for the violence which they exhorted mankind to exercise over his true nature. Real rewards were impossible, so they presented an imaginary one. Having examined human nature, they discovered that everyone is susceptible to flattery, and impatient of contempt. Thus they concluded that flattery was their most powerful argument. They extolled the superiority of man over the other animals in rationality and understanding and thereby they inculcated in him the notions of honor and shame. Little by little, they insinuated how glorious it was to conquer the appetites, how shameful it was to yield to them.

To instill emulation among men, they divided mankind into two groups, the abject, low-minded people "wholly incapable of self-denial," and the lofty high-spirited creatures, "free from sordid selfishness." Those belonging to the second group were called the true representatives of humanity and they were most susceptible to the appeal of pride, one of man's chiefest ingredients. For even the fiercest and most resolute among the first class endured the worst hardships to be numbered among those of the second; and those who lacked the powers of self-conquest did not dare question the value of such a struggle. Thus was founded the political state and upon it the basic notion of the moral state. Vice, it was agreed, was any action which might be injurious to any member of the social group; virtue, "any performance by which man, contrary to the impulse of nature, should endeavour the benefit of others, or the conquest of his own passions out of a rational ambition of being good."

Mandeville thus proceeded by psychological means to lay the foundations of lay morality which he himself considered absolutely political in its origin, the work of wary politicians. "Moral virtues are the political offspring which flattery begot upon pride." Religion had no part in the establishment of this morality. For an examination of the Egyptian, Greek or Roman religions will reveal nothing moral in their conception of the divine. Only man's desire to be esteemed by his fellow men is the basis of moral action, and that desire is the direct result of pride. Indeed, pride is not only a primary characteristic, it may be fostered by education. Moral action is political, not religious. And let no one say that moral action may sometimes be altruistic. Pity, the most altruistic of the passions, produces as much evil as good. And he who is compassionate is not free from pride.

To this exposition there is an implicit conclusion. If virtue and vice are established by the State, and not by religion, then moral actions consist in doing what is politically sound and not what is religiously sound. Obviously, it would be better if man had a religious moral code divinely given. But, alas, this he has not. Human morality is neither rigorous, nor absolute, nor divine; it is wavering, relative, merely human, that is to say, social.

Voltaire, busily engaged, as he stated to Frederick (Moland 781) in October, 1737, in reducing metaphysics to "la morale," found Mandeville's *Essay on the Origin of Moral Virtue* more than of passing interest. In Chapters VIII and IX of the *Traité de métaphysique*, where Voltaire discusses man as a sociable creature and the nature of moral virtue, a surprising number of his ideas are taken from Mandeville's essay.

In Chapter VIII, he, like Mandeville, declares that man cannot live outside society. The basic elements of this society are the family founded on love, that is the "amour-propre nécessaire pour sa conservation," and a natural kindliness toward one's fellow man. But these two instincts would have been insufficient for the conservation of society, if man had not had great passions. "Ces passions . . . sont en effet la principale cause de l'ordre que nous voyons aujourd'hui sur la terre" (Patterson, p. 53). Pride is the principal instrument with which society has been built. For scarcely had a few men come together when the most skillful perceived that man was endowed with an unconquerable pride and an invincible leaning to self-indulgence. Hence these skillful men persuaded the others that their pride would be rewarded for the violence which they did to their desires.

The lawgivers divided mankind into two groups: the first "des hommes divins qui sacrifient leur amour-propre au bien public"; the second, "des misérables qui n'aiment qu'eux-mêmes." Everybody wished to belong to the first class, "quoique tout le monde soit dans le fond du cœur de la seconde." The most reprehensible shouted even more loudly than the others that "il fallait tout immoler au bien public." Envy, a branch of pride, "excita encore puissamment l'industrie humaine." At first the lawgivers gave material rewards, thus appealing to avarice. But "on ne pouvait leur donner beaucoup sans avoir beaucoup." Thus they invented an imaginary reward and appealed to each man's envy, which is a passion "très-naturelle que les hommes déguisent toujours sous le nom d'émulation." Thus the passions alone "réunirent les hommes et tirèrent du sein de la terre tous les arts et tous les plaisirs."

In Chapter IX, Voltaire is led to the consideration of moral virtue. Laws, he finds, vary with manners and customs, interests, climate, passions and opinions. But everywhere the virtuous is "ce qui est conforme aux lois . . . établies"; criminal "ce qui leur est contraire." Hence the definition of vice and virtue: "la vertu et le vice, le bien et le mal moral, est donc en tout pays ce qui est utile ou nuisible à la société" (Patterson, p. 57). And in all countries he who sacrifices the most to the public good will be judged the most virtuous. "Il est si vrai que le bien de la société est la seule mesure du bien et du mal moral, que nous sommes forcés de changer, selon le besoin, toutes les idées que nous nous sommes formées du juste et de l'injuste." It is useless to seek therefore a "bien en soi et indépendant de l'homme." God has not given us an absolute immutable set of rules for action. Therefore virtue is relative, wavering, political, that is to say, social. It would have been better if man had been given divine laws for action. "Mais nous sommes si loin d'avoir des règles du bien et du mal, que de tous ceux qui ont osé donner des lois aux hommes de la part de Dieu, il n'y en a pas un qui ait donné la dix-millième partie des règles dont nous avons besoin dans la conduite de la vie." Thus Voltaire, like Mandeville, rejects the religious foundation of morality and affirms only its political bases.

A glance at this brief summary of Chapters VIII and IX of the *Traité de métaphysique* and a comparison with a similar summary of Mandeville's *Essay on the Origin of Moral Virtue* are sufficient to ascertain the dependency of Voltaire's treatise upon Mandeville's. Both men regard vice and virtue as a social matter, both stress its relative character, both reject the idea of a religious, absolute, God-given code of conduct. Finally, both affirm its political origin, and stress how the passions, particularly pride and envy, were utilized to secure its origin. It would be futile to quote parallel passages to show how closely Voltaire followed the English moralist.

It would be unwise to assume, though, that Voltaire accepted without qualification Mandeville's treatment of moral virtue. In three respects he differed radically. The social instinct he traced to the formation of the family, probably following Lucretius. Mandeville completely ignored the factor of the family in the formation of society. Then, too, though Voltaire attributed to "amour-propre" the rôle it played in the development of the social instinct, he felt that there was a second important factor—the "bienveillance naturelle": "Non-seulement il a cet amour-propre nécessaire pour sa conservation, mais il a aussi pour son espèce une bienveillance naturelle, qui ne se remarque point dans les bêtes."

To prove this "bienveillance" Voltaire chose the same example which Mandeville had selected in order to prove that there was no altruism in man. "If one should see an infant being destroyed, he would endeavor to save it," wrote Mandeville, "not through any altruism, however, but to prevent his own amour-propre from being revolted." In this case, Voltaire as well as Mme du Châtelet parted company with Mandeville. To them, the action was an altruistic deed, due to the inherent "bienveillance" of mankind. Both of them admit that God has instilled in man this instinct. Both admit that love of one's fellow man is often stifled by love of one's self. But they none the less insisted that pity is a

God-given instinct. It was the basis of the Natural Law which was their one positive moral creed. Lastly, Voltaire differed from Mandeville in recognizing a quality of altruism in the great men of antiquity, as well as in La Mothe le Vayer, Bayle, Locke, Spinoza, Shaftesbury, and Collins, all of them "hommes d'une vertu rigide; et ce n'est pas seulement la crainte du mépris des hommes qui a fait leurs vertus, c'était le goût de la vertu même."

We are now in a position to draw some conclusions in summary concerning the influence which Mandeville exercised upon Voltaire. In a literary way we have seen how Mandeville by a chance discussion gave Voltaire the initial inspiration as well as the basic setting for his *Ingénu*. Similarly, *Le Marseillais et le lion* is but a poetic version in French of one of Mandeville's remarks. On the other hand, there seems to be no justification for the widespread assumption that Mandeville offered not only the initial impulse but the ideas for the *Mondain*. There is, in fact, nothing in the *Mondain* which can be traced back to the English *Fable*. Such ideas of an economic nature as do occur come from the reading of Chapter IX in Melon's *Essai sur le commerce*, which, to be sure, does owe something to Mandeville's *Fable*, and thus Melon's influence may be regarded as a secondary Mandeville influence. This manner of stretching Mandeville's influence does not appear to be very fruitful. It is perhaps wiser to see here two very distinct influences: that of Melon upon the *Mondain*, and that of Melon and Mandeville upon the *Défense du mondain*. For the major rôle of the English author in the confection of the *Défense* is undeniable. In the *Défense*, Voltaire's ideas upon luxury were completely crystallized. Though expressed in the *Observations*, and again in the *Dictionnaire philosophique* and the *Questions sur l'Encyclopédie*, they are scarcely more than repetitions in prose of the *Défense* with a few more illustrations added. They do show, however, upon analysis, the way in which Melon's treatment of luxury has been merged with Mandeville's views upon the same subject. And they disclose not only how basic these two views are to Voltaire, but in what way they were modified by him. As far as the theory of luxury is concerned, it may be concluded that Voltaire's debt to Mandeville is fully as great as we have been led to believe. But we have attempted to show that it was not contracted, as we have thought previously, in the *Mondain*, but rather in the *Défense*. Nor was it a simple debt due to Mandeville, but it was due also to Melon. Nor indeed was it a total debt, for Voltaire also modified the ideas he received and added reservations of his own. Lastly, as regards Voltaire's basic ideas of morality in Chapters VIII and IX of the *Traité de métaphysique*, they, too, show a very considerable analogy with those of Mandeville in the *Essay on the Origin of Moral Virtue*. Here, also, though many of the ideas are Mandeville's, the presentation and the modifications are Voltaire's.

The English writer's influence is thus an important one, though it is perhaps an exaggeration to regard it as of capital importance. The reason for this can be ascribed to one fact: Mandeville easily fitted into a traditional French current of libertinism from Montaigne through Saint-Evremond to Bayle. Voltaire also by nature and training fitted into that current. Consequently when he came into contact with Mandeville's ideas, he was less impressed than amused, and less startled than stimulated. That is why he adopted some of his ideas, though not without modifications, and some of his daring, though without the paradoxes, and a few of his themes. As for the English moralist's major premise, Voltaire showed no interest whatever in it. In a short time, probably between 1735 and 1739, the sudden enthusiasm of Voltaire and Mme du Châtelet for the English writer had waned. Even in the *Observations* of 1738, Mandeville did not appear, though some of his ideas did. Thereafter, those ideas had become so intimately Voltaire's own that he himself forgot in all probability their source.

## 3. A NOTE ON THE GENESIS OF "LE MONDAIN"

CRITICS familiar with Voltaire bibliography already know how deeply *Le Mondain* is rooted in the poet's own experiences at

Paris and at Cirey. Professor Morize[1] has depicted in condensed and vivid fashion the elements of Voltaire's life which furnished, so to speak, the background of the poem—the brilliant, carefree, epicurean life at the Temple; the active, somewhat unbridled and immoral life of the Regency, and the solid, comfortable, but opulent living in England. Upon this background was superimposed the Cirey experience and all it meant to Voltaire in joy, pleasures, refinements, luxuries. In the midst of this attractive life are heard the echoes of a discussion upon its value exemplified by the controversy over Mandeville's *Fable of the Bees* in England and the resultant theories of Melon's *Essai sur le commerce* in France. Voltaire thus found reasons of a psychological order, and additional reasons of an economic order, for prizing the mundane life at Paris, London, and Cirey. Professor Morize sums up concisely the relationship between his life and *Le Mondain*: "Mais d'où viennent ces idées-là? A dire vrai, pour le découvrir, il suffit presque de regarder vivre Voltaire aux alentours de 1735."[2]

There can be but little fault to find with the accuracy of this background. It is patent that the events in Voltaire's life from 1715 to 1735, and, indeed, the life of his time, point to an increasingly epicurean attitude toward life. It is true that we are none too sure that Voltaire was acquainted with, or had any specific reaction to the Mandeville controversy before the end of 1735. He could have known about it, of course, since he was in England during the time, but we have no documentary proof that he did. On the other hand, there can be no doubt that he did know Melon and his economic theories on luxury at the beginning of 1735. There is certainly basis for concluding that Voltaire's poem grew out of his experiences and that many of those experiences tended toward a more epicurean mode of living.

There appears upon close examination, however, to be some misinterpretation of how those experiences affected Voltaire's moral nature. It is fair to assume that each experience from 1715 to 1735 increased his love of pleasure in a general way. But we should

[1] A. Morize, *L'Apologie du luxe au XVIII^e siècle* (Paris, 1909), pp. 26-34.
[2] *Op. cit.*, p. 26.

not forget that Voltaire is a complex personality; he not only acts in consequence of, he also reacts to the stimulus. Hence with each experience, or at any rate with each block of experiences, we should expect him to stop and evaluate. Now, his evaluations are never uncritical or arbitrary. Nothing is all good or all bad. In only this one case does he seem to have lost, even momentarily, for the *Discours en vers sur l'homme* offers a speedy and healthy corrective, his sense of critical balance.

But has he really lost it? Is it not ourselves who, by giving either an exaggerated or false interpretation to *Le Mondain*, have upset that balance? Have we not really twisted things in our own minds to the extent that what actually was reaction on Voltaire's part, we call action; what, in his intention, was defense, we call attack; what to him was not especially serious, we treat with excessive gravity? It is impossible to give absolutely accurate answers to these questions. It can be affirmed, however, with some degree of truth that when we make the *Mondain* the expression of an economic theory, we are treating rather seriously what Voltaire insisted was a "badinage." When we look upon the *Mondain* as the active positive expression of the epicurean way of life, we forget that Voltaire was led to call his poem "L'Homme du Monde ou Défense du Mondain." Forgetting this title, we tend thus to interpret the poem as an "attack," when in reality much can be said for the work as a "defense"—a defense against those who had been mercilessly attacking the mundane way of life. Those who have always delivered these attacks are, to be sure, the "maîtres cafards," that is to say, the theologians. For them is inserted the description of Adam and Eve in the Garden of Eden. But it is not exclusively the theologians who attack the pleasant way of life. At some points, they join with the moralists—with Pascal, with La Bruyère, doubly so with Fénelon—and with Voltaire.

For it should not be forgotten that Voltaire, although aware of the "train du jour d'un honnête homme" which many find so enjoyable, and which he himself certainly does not find distasteful, is not swept away by this life. His first recorded reaction in fact is one of hesitation, of balancing rather the life of the "mondain" against the more moderate and less hectic life of the writer. In a letter to Cideville, October 2, 1733, he wrote: "Je ne suis pas comme la plupart de nos Parisiens; j'aime mieux avoir des amis que du superflu; et je préfère un homme de lettres à un bon cuisinier, et à deux chevaux de carrosse. On en a toujours assez pour les autres quand on sait se borner pour soi. Rien n'est si aisé que d'avoir du superflu."[3] Evidently, the historian has recorded the dominant note in the civilization surrounding him; the moralist, however, is not satisfied. The "cuisinier" is not yet a "mortel divin"; the "char commode . . . par deux chevaux rapidement traîné" is not supremely important, and the "superflu" is hardly "nécessaire." But the problem has been posed.

Fortunately, the scales do not always lean in this direction, or Voltaire would never have written his poem. The moralists are too insistent upon painting a gloomy picture of man's lot. One of the most exaggerated among them, in Voltaire's opinion, is Pascal who looks upon the "aveuglement et la misère de l'homme" and wonders how "on n'entre pas en désespoir d'un si misérable état?"[4] The picture is too black, Pascal has overweighted one side of the scales. Voltaire replies: "Pour moi quand je regarde Paris ou Londres, je ne vois aucune raison pour entrer dans ce désespoir dont parle Mr. Pascal; je vois une ville qui ne ressemble en rien à une isle déserte; mais peuplée, opulente, policée, et où les hommes sont heureux autant que la nature humaine le comporte."[5] After all, life is not so unhappy as Pascal would have us think. To regard the universe as a prison, and mankind as criminals awaiting execution is a fanatic's idea. But the opposite is but a sybaritic dream: "croire que le monde est un lieu de délices où l'on ne doit avoir que du plaisir, c'est la rêverie d'un Sibarite." And Voltaire prudently readjusts the scales.

Pascal is not the only seventeenth century moralist who overweighted the scales on the side of pessimism. There was also "l'amer, le satirique La Bruyère, . . . ce misanthrope forcé" who

[3] Moland XXXIII, 384.
[4] Braunswicg edition, no. 646.
[5] *Lettres philosophiques,* Lanson edition, II, 193.

in his chapter VII of the *Caractères* scores his contemporaries for their luxury and praises his ancestors for their moderation and frugality:

Les empereurs n'ont jamais triomphé à Rome si mollement, si commodément, ni si sûrement même, contre le vent, la pluie, la poudre et le soleil que le bourgeois sait à Paris se faire mener par toute la ville: quelle distance de cet usage à la mule de leurs ancêtres! Ils ne savaient point encore se priver du nécessaire pour avoir le superflu, ni préférer le faste aux choses utiles. On ne les voyait point s'éclairer avec des bougies, et se chauffer à un petit feu: la cire était pour l'autel et pour le Louvre. Ils ne sortaient point d'un mauvais dîner pour monter dans leur carrosse; ils se persuadaient que l'homme avait des jambes pour marcher, et ils marchaient. . . . L'étain, dans ce temps, brillait sur les tables et sur les buffets, comme le fer et le cuivre dans les foyers; l'argent et l'or étaient dans les coffres. . . . Leur dépense était proportionnée à leur recette; leur livrées, leurs équipages, leurs meubles, leur table, leurs maisons de la ville et de la campagne, tout était mesuré sur leurs rentes et sur leur condition. . . . Enfin l'on était alors pénétré de cette maxime que ce qui est dans les grands splendeur, somptuosité, magnificence est dissipation, folie, ineptie, dans le particulier.[6]

Voltaire, in the *Observations* of 1738, declaims against this passage of La Bruyère. He disapproves of praising the defects of the past, in return for the mere pleasure of decrying present achievements. He finds extraordinary indeed the praise lavished upon our forefathers for possessing neither "abondance," nor "industrie," nor "goût," nor "propreté"—the four things which he extols in his *Mondain*. And he asks why we keep silver in strongboxes when it is made to circulate, to promote the arts, to purchase man's skill?

Did Voltaire know his La Bruyère before the composition of *Le Mondain*? Had he been impressed disagreeably by chapter VII *De la Ville*? To the first question the answer is affirmative. Voltaire had already in 1733 placed La Bruyère at the entrance to the inner shrine of the *Temple du goût*. It would have indeed been amazing, had he not known him. To the second question, the answer is not so readily forthcoming. It is not easy to affirm that

[6] Beuchot XXXVII, 534.

a particular passage of an author has attracted the attention of another author unless the latter comments upon that particular passage. It cannot be shown that Voltaire commented upon La Bruyère's chapter VII before writing *Le Mondain*. It should be noted, however, that La Bruyère in the *Temple du goût* "adoucissait dans son stile nerveux et singulier, des tours durs et forcés qui s'y rencontrent."[7] Obviously, in Voltaire's opinion of 1733, the author of the *Caractères* is "amer, satirique et forcé." It is particularly significant that in the later editions of the *Temple*, La Bruyère is excluded not only from the inner shrine, but from the temple itself. Most significant of all is the manner in which Voltaire in the *Observations* replies to La Bruyère's passage. No great imagination is required to see that the whole paragraph is irrelevant to Voltaire's discussion in the *Observations* and could have been omitted without detriment to his argument. Indeed, he admits that he has deviated from his intentions and opposed "déclamation à déclamation."[8] The terms in which the "déclamation" is couched should be noted, for they are all reminiscent of the *Mondain*. And well they might be, for if *Le Mondain* is not a corrective to La Bruyère's passage, La Bruyère's passage is the best corrective imaginable to *Le Mondain*.

Finally there is Fénelon; Fénelon who receives a place of honor in the conclusion of the poem; Fénelon who believes that voluptuousness is "lâche et infâme," that it is the greatest of ills from Pandora's box, that it weakens all courage and permits of no virtue.[9] In his moral novel, as Voltaire calls the *Télémaque*, the Archbishop of Cambrai contrasts the voluptuousness of the Cyprians (Book IV) with the simple, frugal existence of the Cretans (Book V). These latter are industrious, devoid of ambition and avarice. They permit no "meubles précieux, ni habits magnifiques, ni festins délicieux, ni palais dorés." Their clothes are without adornment; their repasts, frugal. They drink but little wine, and nourish themselves chiefly upon the fruits of the land,

[7] See E. Carcassonne, *Le Temple du goût* (Paris, 1938), p. 92.
[8] See Beuchot XXXVII, 535, n. 2.
[9] Fénelon, *Télémaque*, edition Cahen (Paris, 1920), I, 164-65.

milk, and bread. "Tout au plus on y mange un peu de grosse viande sans ragoût." Their houses are comfortable, clean, attractive, but unadorned: "Les grands biens des Crétois sont la santé, la force, le courage, la paix et l'union des familles, la liberté de tous les citoyens, l'abondance des choses nécessaires, le mépris des superflues, l'habitude du travail et l'horreur de l'oisiveté, l'émulation pour la vertu, la soumission aux lois, et la crainte des justes dieux."[10]

Fénelon draws a moral from the simple life of the Cretans. Because of their frugal, industrious life, they have an abundance of necessary things, the wherewithal to satisfy their real needs. Like the inhabitants of La Bétique, they hate vain display. They believe that men wish to have everything and that misfortunes come from the "désir du superflu."

Obviously, to achieve his moral purpose, Fénelon has overweighted the frugal, simple, and primitive against the elegant, voluptuous, and civilized. Does he not have Aristodème present Hazaël with a history of Crete, "depuis Saturne et l'âge d'or?" Does he not stress that the inhabitants of La Bétique, who also possess all the simple virtues of the Cretans, still live in a golden age? "Il semble qu'Astrée, qui est retirée dans le ciel, est encore ici-bas cachée parmi ces hommes." Does he not overemphasize the "abondance du nécessaire?"

Voltaire even in 1733 read his Fénelon assiduously, and as has been shown by Chérel,[11] showed for *Télémaque* a mixture of coolness and sympathy. He placed the Archbishop in the *Temple du Goût*, within the inner shrine, in fact, side by side with La Bruyère. But whereas the bitter La Bruyère was eventually evicted, the gentle Archbishop was allowed to retain his position in spite of his "prose traînante." And well might Voltaire show him gratitude, for the King of England depicted in the *Lettres philosophiques* as "tout puissant pour faire du bien," with "les mains liées pour faire le mal" is the counterpart of the Cretan King who "a une puissance absolue pour faire le bien, et les

[10] *Ibid.*, 188-90. The quotation is from p. 190.
[11] A. Chérel, *Fénelon au XVIII^e siècle en France* (Paris, 1917), pp. 329-34.

mains liées dès qu'il veut faire le mal." There is in fact considerable similarity between Fénelon's thought and Voltaire's.[12] Nevertheless, Fénelon in his depiction of the simple life has gone too far, particularly after the attacks of Pascal and La Bruyère. He must be answered.

Voltaire no longer hesitates as he did on October 2, 1733. All these attacks against the "mondain" are not only exaggerated, they run counter to his experience and that of his time. The "homme du monde" must be defended. On November 3, 1735, in a letter to Thieriot, he records that he has made his choice: "Nous lisons quelques chants de Jeanne *la Pucelle*, ou une tragédie de ma façon, ou un chapitre du *Siècle de Louis XIV*. De là nous revenons à Newton et à Locke, non sans vin de Champagne et sans excellente chère, car nous sommes des philosophes très-voluptueux, et sans cela nous serions bien indignes de vous et de votre aimable Pollion." Obviously, now the "superflu" is "très nécessaire." The historian and the moralist are in agreement. Upon the personal cause which brought about the change, there is no need to expatiate further. Cirey has now been furnished, the Lady of the Château is there, Algarotti is visiting the two lovers. The earthly paradise has finally been located.

## 4. THE "TRAITÉ DE MÉTAPHYSIQUE"

THE *Traité de métaphysique* has until recently remained one of Voltaire's least known works. Unpublished during his lifetime, it appeared first in the Kehl edition with an almost unbelievable story of how Longchamp retrieved the only surviving copy from the fire after the death of Mme du Châtelet. Importance has been alternately accorded and denied the *Traité*. J. F. Stephen utilized it considerably in his article on "Voltaire as a Theologian, Moralist and Metaphysician."[1] Pellissier gave it more than passing notice in his *Voltaire philosophe*.[2] Lanson analyzed it as the one

[12] Fénelon, *op. cit.*, I, 191. See also Voltaire, *Lettres philosophiques*, ed. Lanson, I, 95.

[1] *Horae Sabbaticae*, II (London, 1892), 211-279. Stephen, however, thought it was written after the *Eléments de la philosophie de Newton*.

[2] Paris, 1908.

document giving Voltaire's views during the middle period of his life.[3] On the other hand, Sonet[4] hardly notes it, actually believing it published in 1734 (p. 96), while Professor Torrey dismisses it as a "sort of introduction to Voltaire's *Eléments de la philosophie de Newton*."[5] Explanation for its being ignored may lie in the nature of its contents. Philosophers do not consider it sufficiently significant to warrant attention, and literary historians are discouraged by its arid, somewhat abstruse reasonings. Students of Voltaire with the exception of Lanson have been inclined to feel that his philosophy is more aptly expressed in other more important works such as the *Dictionnaire philosophique* or the *Philosophe ignorant*.

However, in 1937, Professor Patterson brought out an excellent little edition of the *Traité*,[6] and the following year he published a supplementary article upon "Voltaire's Traité de Métaphysique" in the *Modern Language Review*.[7] Despite the general excellence of these two works by Professor Patterson, there is still question concerning the genesis of the treatise, the date of its composition, and its relationship to other later works of Voltaire. Professor Patterson had no space in his compact edition to give more than the absolutely essential documents and even these he sometimes accepted rather uncritically. The result has been that although his little volume is of inestimable value as an introductory study to the *Traité*, it falls short as a definitive evaluation either of the work or of Voltaire's metaphysical position. It is with the desire of furthering this evaluation that we add the following remarks.

### THE GENESIS

It has been generally thought that Voltaire composed his treatise at the instigation of Mme du Châtelet.[8] The Kehl editors

[3] G. Lanson, *Voltaire*, Paris, 1910.

[4] E. Sonet, *Voltaire et l'influence anglaise*, Rennes, 1926.

[5] N. L. Torrey, *Voltaire and the English Deists* (New Haven, 1930), p. 32.

[6] H. T. Patterson, *Traité de métaphysique* (1734), reproduced from the Kehl text, with preface, notes and variants. Manchester University Press, 1937.

[7] XXXIII (1938), 261-266.

[8] Patterson, *MLR*, XXXIII (1938), 262: "It is as much to her [Mme du Châtelet's] stimulus as to the circumstances of this fresh exile [because of the

in their "Avertissement" were the first to make this statement,[9] which has since been frequently repeated, but there is really no documentary material to support it. It is true that Madame du Châtelet was on her own admission interested in problems of metaphysics. It is true likewise that the treatise was presented to her with a famous "quatrain."[10] It is true, also, that Voltaire complained humorously in another "quatrain" that he was forced to talk metaphysics with the lady.[11] But neither quatrain furnishes evidence to warrant any assumption concerning the origin of the *Traité*.

As a matter of fact, in what is generally considered Voltaire's first reference to the *Traité*, evidence can be produced to show that it was not the encouragement of Mme du Châtelet, but the rereading of Locke, which led him to undertake the investigation. In a letter to Formont, 27 . . . [1734], he wrote:

> J'ai relu M. Locke, depuis que je ne vous ai vu. Si cet homme-là avait eu le malheur d'être en France, nous n'aurions peut-être pas ce chef-d'œuvre de raison et de sagesse. C'est bien dommage, qu'il n'ait pas encore pris plus de liberté, et que sa modération ait étranglé des vérités qui ne demandaient qu'à sortir de sa plume. J'ai osé m'amuser à travailler après lui. J'ai voulu me rendre compte à moi-même de mon existence, et voir si je pouvais me faire quelques principes certains. Il serait bien doux, mon cher Formont, de marcher dans ces terres inconnues, avec un aussi bon guide que vous. . . .[12]

Thus it would seem that the initial impulse came, on Voltaire's own admission, not from Mme du Châtelet, but from Locke.

publication of the *Lettres philosophiques*] that we owe his *Traité*." *Cf.* also: "Voltaire had composed this treatise, not for publication . . . but to please a woman." See also Lanson, *op. cit.*, p. 63, and I. Wade, *Voltaire and Mme du Châtelet*, p. 17.

[9] *Cf.*: ". . . il avait été composé pour Mme la Marquise du Châtelet."

[10]
L'auteur de la métaphysique
Que l'on apporte à vos genoux
Mérita d'être cuit dans la place publique
Mais il ne brûla que pour vous.

[11] Letter to Abbé de Sade, August, 1733:
J'avouerai qu'elle est tyrannique
Il faut, pour lui faire sa cour
Lui parler de métaphysique,
Quand on voudrait parler d'amour.

[12] Moland XXXIII, 439. Unless otherwise noted, references to Voltaire will be quoted from this edition.

However, there are indications that even before this rereading of Locke, Voltaire had become interested in metaphysical problems. The thirteenth of the *Lettres philosophiques* by overemphasizing what to Locke had been a minor point, had already skirted three of those problems. His contention that matter may be endowed with thought by God had implied his denial of the immateriality of the Soul, and its immortality, and had forced him to a more accurate consideration of the properties of matter. There is some evidence also that Voltaire became acquainted while in England with Dr. Clarke and his *Discourse concerning the Being and Attributes of God*. A short sketch of the English divine and his works was inserted in the seventh of the *Lettres philosophiques*. When Voltaire was retouching his *Lettres* in 1732, he asked Thieriot to send him (July 9, 1732) a pamphlet "newly come out on the person and the works of Dr. Clarke" (XXXIII, 276).

Several letters of 1732-33 disclose that Voltaire was already preoccupied with metaphysical problems. Writing to Mlle de Launai (December, 1732), he complimented her on "les raisonnements les plus solides sur le libre arbitre" which she had incorporated in a letter to Formont (XXXIII, 317). But apparently it was Formont rather than any other of his acquaintances who played a major rôle in this growing interest in metaphysics. In a letter of July 26, 1733, Voltaire calls him "Mon cher métaphysicien" and rehashes with him the problem of thinking matter (XXXIII, 366 ff). In an undated letter of the same year (XXXIII, 372) to his "philosophe aimable," he returns to the same problem. Indeed, it becomes a virtual obsession with him. He has already reread Locke, Clarke, and Malebranche, and has become convinced, as he says to Formont, that Clarke is "le meilleur sophiste"; Malebranche, "le romancier le plus subtil"; and Locke, "l'homme le plus sage." He objects to Malebranche because he cannot accept the two assumptions upon which that writer builds his metaphysics: original sin and the error of our senses. He objects to Clarke's view that matter does not exist of necessity. But he agrees wholeheartedly with Locke that God can communicate thought to matter. Finally, in the same year 1733 (XXXIII, 405), to Maupertuis, he complains that the persecutions visited upon him because of the *Lettres philosophiques* leave hardly any time to put in writing his "songes métaphysiques." It is evident that he has now, though perhaps not intensively, begun the composition of his work.

Thus it becomes apparent that the primary inception of the *Traité* came not from Mme du Châtelet, but from the composition of the thirteenth *Lettre philosophique* and the rereading of Locke. This rereading of Locke led to the rereading of Clarke and Malebranche, which in turn prompted a third reading of Locke. At the same time Voltaire needed someone to whom he could confide his views. It appears that this confidant in the initial stages was not Mme du Châtelet, but his friend Formont. As a matter of fact, a letter of 1731 (XXXIII, 224) reveals that he for some time had been accustomed to discuss with Formont his views on philosophy. It is further significant that it was this same friend who first received from Voltaire the announcement that he was composing a *Traité*. And when the *Traité de métaphysique* was thought by Voltaire to be complete, he sent word to that effect through Cideville to Formont. Evidently, in the discussion stage of the *Traité*, Formont played a major rôle. However, it should be noted that Voltaire made no announcement to his friend that he was contemplating writing a metaphysical work. That secret he confided toward the end of 1733 to Maupertuis, and in the vaguest of terms.

## DATE OF COMPOSITION

Mr. Patterson places the composition of the *Traité* in June 1734, and on the strength of the letter to Formont which we have quoted above in part, he assumes that "it was probably written in the few days between June 22nd and 27th." While it is quite possible that Voltaire could have written his work in five days, there is no indication that he did so. In the light of his letter to Maupertuis of 1733 in which he indicates that he is already writing his "songes métaphysiques," it would seem more reasonable to assume that he had been using his spare time during the first half of 1734 to organize and write his *Traité*.

However, there is a more serious difficulty in fixing the date. The letter to Formont (No. 418, XXXIII, 439) is undated except for an enigmatic "ce 27. . . ." In the Moland correspondence it is classified as June 1734. But a reading of the letter does not reveal that it was written in June of that year. Voltaire refers to the (1) *Alzire*, (2) the *Pucelle*, (3) his persecution, (4) the rereading of Locke and writing of the *Traité*, (5) the *Epître à Emilie* of which he sends a good copy to Formont, and (6) a query concerning the quarrel of Moncrif with the Prince de Clermont. None of these items indicate that the letter was written in June.

Item five, on the contrary, points to a date later in the year 1734. For the *Epître à Emilie* which is presumably *Epître* XLIX of the Beuchot edition (XIII, 115), is dated by Clogenson around the beginning of 1735.[13] Moreover, in a letter of December, 1734 (No. 451, XXXIII, 464), Voltaire offered to send this *Epître à Emilie* to Cideville.

Item six, however, the query concerning Moncrif is the most revealing: "Mandez-moi, je vous prie, si vous avez rencontré Moncrif, et pourquoi il s'est brouillé avec son prince." Voltaire refers again to Moncrif's quarrel with the Prince de Clermont in a letter to Berger, also undated (No. 449, XXXIII, 461): ". . . il faut s'affliger avec l'auteur de *Tithon et l'Aurore*. Si je savais où le prendre, je lui écrirais pour lui faire mon compliment de condoléance de n'être plus avec un prince et pour le féliciter d'avoir retrouvé sa liberté." And later in the letter he inquires: "Est-il vrai que l'auteur de *Tithon* ait été disgracié pour avoir vieilli, en un jour, de quelques années, auprès de la Camargo?" Evidently, the incident referred to in the letter to Formont (No. 418) is the same as that mentioned in the letter to Berger (No. 449). But the letter to Berger, though undated, can be placed after December 9, 1734, for Voltaire refers to Houtteville's

[13] *Cf.* Beuchot XIII, 117: "Cette épître sur les poètes latins est dans le recueil publié par M. Jacobsen, en 1820; mais elle est aussi dans un recueil manuscrit terminé au commencement de 1735 par Céran, à Cirey, ce qui en fixe à peu près la date."

lengthy discourse on that date at the French Academy: "Est-il vrai que l'abbé Houtteville ait fait une longue harangue, et le duc de Villars un compliment fort joli?" Since it is hardly conceivable that Moncrif's misfortune was already six months old, it would seem that the letter to Formont (No. 418) was also written in December and not in June. It probably preceded by only a few days the letter of December, 1734 (No. 451), to Cideville in which Voltaire asked him to announce to Formont that he had a "petit *Traité de métaphysique* tout prêt." This conclusion is confirmed by Barbier's mention of the Moncrif quarrel under the date of December, 1734.[14]

At all events, it is certain that Voltaire had a *Traité* finished at the end of 1734. The presumption is that he had been writing it at intervals ever since his letter to Maupertuis of 1733. And in all probability he used the month of December, 1734, when he was alone at Cirey, to put it in some final shape.

## FURTHER DEVELOPMENT: THE PROBLEM OF THINKING MATTER

One has only to scrutinize the correspondence to realize that Voltaire did not stop with his "petit *Traité de métaphysique* tout prêt." Throughout the year, he announces to his friends that he is occupied with philosophy or metaphysics. To Desforges-Maillard, in February, 1735, he states: "Un peu de philosophie, l'histoire, la conversation, partagent mes jours" (XXXIII, 481). Five months later, June 26, 1735, he writes to Cideville: "La métaphysique, un peu de géométrie et de physique, ont aussi leurs temps réglés chez moi, mais je les cultive sans aucune vue marquée, et par conséquent, avec assez d'indifférence" (XXXIII, 502). The latter part of the statement is in accord with the letter of April 19, 1735, to Caumont where he states that he is occupied with more than one sort of literature, but that he does not expect to publish any of it (XXXIII, 491). To Thieriot later on in the year he still affirms: "La poésie

[14] Barbier, *Journal* (Paris, 1858), II, 522; *cf.*: "Il vient tout récemment d'être chassé de la maison."

et la philosophie m'amusent dans les intervalles" (XXXIII, 512). Obviously, metaphysics was one of the subjects with which he was preoccupied, but he was not at all deeply engrossed in it. As a matter of fact, in a letter to Thieriot, written probably in January, 1735 (XXXIII, 470), he speaks in the most casual way possible of his philosophical works: "We must read together your friend's plays, his operas, his epic poems, his philosophical follies, all that he has scribbled in your absence."

Only in one respect do we glimpse the nature of this philosophical investigation during 1735. The *Journal de Trévoux* published in January and February of that year two articles devoted to the *Lettres philosophiques*, of which the second was largely concerned with the thirteenth letter on Locke. Voltaire was taken to task for affirming that God could give to matter the attribute of thought. Doubtless the tempest following the publication of the *Lettres* was still too violent for him to risk a reply. However, as soon as he dared, probably in the early fall, he sent a letter (Moland 502) to his former Jesuit teacher Tournemine, restating his case for thinking matter, and rather ingeniously tying it to the Newtonian principle of attraction. His argument was that since matter had been discovered by Newton to have that attribute of attraction, why could it not also possess the attribute of thought?

Tournemine argued in reply that "la répugnance de la pensée à la matière est manifeste." In his opinion, thought is an "être sans parties," matter is divisible, an "être divisible composé de parties ne peut penser, ne peut juger d'aucun objet." How then can a divisible, multiple being become indivisible and one? This reasoning he adds is a "sentiment intime" rather than a demonstration. Then, too, if the soul is material, how can it ever conceive of an immaterial being?

Tournemine's reply elicited from Voltaire a second letter (Moland 503) reaffirming his belief that God can give to matter the attribute of thought. Whereupon the Jesuit priest published in the October number of the *Journal de Trévoux* (pp. 1913-1935) his letter to Voltaire. The published letter apparently escaped Voltaire's attention for some time, for on November 15, 1735, he wrote to Formont that he would attempt to get it. At all events, before the end of the year, he wrote a third and very lengthy letter to Tournemine (Moland 530) upon the same subject. This letter has all the appearances of having been prepared for the public, for it recapitulates to a large extent the ideas of his second one. However, it takes up point by point the arguments of Tournemine and attempts to answer them. Voltaire argued that matter cannot possess the attribute of thought because it is divisible. He maintains that we possess the idea of immateriality without being immaterial in the same way that we are endowed with the idea of infinity without being infinite. And he concludes that since God gave sensations to animals, He could give thought to man.

It is to be presumed that Voltaire's discussion with Tournemine produced two results: it kept alive his interest in the subject of metaphysics and clarified his views upon the nature of matter. One would hardly call Voltaire's third letter to Tournemine profound. However, if we compare the thirteenth *Lettre philosophique* with it, we readily perceive a progression from a superficial point of view to a more serious consideration of the subject. Chapter V of the *Traité* appears more serious still, since it does not contain the irrelevant concessions which Voltaire incorporated in his letters to the orthodox Jesuit priest. The analogy between man and animal which is the core of the argument in Chapter V of the *Traité* is less strongly advanced in the third letter to Tournemine. And it is scarcely advanced as an argument in the thirteenth *Lettre*. It is clear that if the three items—the thirteenth *Lettre*, the letters to Tournemine, and Chapter V of the *Traité* were arranged according to the maturity of their presentations the letters to Tournemine would occupy the middle position between the *Lettres philosophiques* and the *Traité*. It would seem an error, however, to assume that Chapter V of the *Traité* because of its greater maturity was written after the letters of Tournemine. I should be more inclined to believe that it already had its place in the "petit *Traité de métaphysique* tout prêt" announced in December, 1734, but that it was revised toward the close of 1735 in the light of Tournemine's arguments. The following passage from Chapter V gives a distinct echo of the Voltaire-Tournemine discussion:

> Des philosophes me disent: Ne vous y trompez pas, l'homme est entièrement différent des autres animaux; il a une ame spirituelle et immortelle: car (remarquez bien ceci) si la pensée est un composé de la matière, elle doit être nécessairement cela même dont elle est composée; elle doit être divisible, capable de mouvement etc.; or la pensée ne peut point se diviser, donc elle n'est point un composé de la matière; elle n'a point de parties, elle est simple, elle est immortelle, elle est l'ouvrage et l'image d'un Dieu. J'écoute ces maîtres, et je leur réponds toujours avec défiance de moi-même, mais non avec confiance en eux. . . .[15]

As a matter of fact, there is more than a suspicion that the discussion with Tournemine is one of the factors which caused Voltaire to return to the "petit *Traité de métaphysique* tout prêt." In the ten months between the first announcement of its composition to Formont and Cideville in December, 1734, and the beginning of November, 1735, he makes no direct mention of his work. However, on November 3, 1735, he confesses to Thieriot (XXXIII, 546): ". . . moi qui vous parle, j'ai fait aussi mon petit cours de métaphysique, car il faut bien se rendre compte à soi-même des choses de ce monde." This letter was followed on November 30th by another to Thieriot (XXXIII, 555) offering to send him portions of the *Traité*: "Si j'avais auprès de moi un domestique qui sût écrire, je ferais copier quelques chapitres d'une *Métaphysique* que j'ai composée, pour me rendre compte de mes idées: cela vous divertirait peut-être, de voir quelle espèce de philosophe c'est que l'auteur de *la Henriade* et de *Jeanne la Pucelle*." Evidently, Voltaire upon returning to the *Traité* had been seized with his customary desire to share his production with someone. But on closer consideration, he became aware of the danger inherent in such a step, for on March 10, 1736, he has not yet sent the *Traité* to Thieriot and he now declares that he has not any intention of doing so

[15] Patterson, *op. cit.*, p. 33.

(XXXIV, 47): "Pour ma *Métaphysique*, il n'y a pas moyen de la faire voyager; j'y ai trop cherché la vérité."

Meanwhile, he returns to his original confidant Formont. Letters 545 and 547 give a sort of résumé of his whole position. He confesses now that a complete demonstration of his thesis is impossible. In such a case, one must choose the most probable. In physics, the most probable axiom is: "les mêmes effets doivent être attribués à la même cause." The same effects are seen in animals and in man. They think and feel up to a certain point. Since no one argues for an animal soul, it appears unreasonable to argue for a human soul. Since animal feelings and ideas are the attributes of matter, it is probable also that man's feelings and ideas are similarly the attributes of matter. To be sure, thought is not essential to matter, but neither is attraction nor movement. Voltaire confesses that he does not know how matter thinks; none the less he is convinced that it does not think by itself.

The problem, however, is not how matter thinks, but whether in the term "thinking matter" there is an implied contradiction. To the spiritualists who affirm this contradiction, Voltaire opposes a strong negative. If it is impossible for God to add the attribute of thought to matter, as the spiritualists affirm, then it appears equally impossible for Him to add spiritual substance to a material being for the same reasons which they adduce. However, to reject both propositions is a manifest absurdity, for man thinks. In a dilemma of this sort, the only course is to compare the positions of the opposing groups and adopt the most probable. The spiritualists object that if matter thinks, thought is a composite of matter. But this argument begs the question. Voltaire denies that he regards thought as a composite of matter, or that it possesses movement and extent; he merely claims that God has given to matter the attribute of thought. The spiritualists also argue that matter is divisible, thought indivisible. Therefore if thought becomes an attribute of matter, it too must be divisible. And what happens to thought, ask the spiritualists, when matter is divided as it constantly is? Voltaire replies that the parts of an external object do not strike parts of the mind to create thought. Thought is a gift of God to man, in accordance with laws arbitrarily established by Him. To the objection that the division of matter would entail the division of thought, he replies that God can preserve an immutable portion of the brain from the continual change which takes place in the rest of the body, particularly since it is proved that in matter there are indivisible, solid particles. And he concludes: "Il est impossible de prouver qu'il y ait de la contradiction, de l'incompatibilité entre la matière et la pensée. Pour savoir s'il est impossible que la matière pense, il faudrait connaître la matière, et nous ne savons ce que c'est: donc, voyant que nous sommes cet être que nous appelons matière, et que nous pensons, nous devons juger qu'il est très possible à Dieu d'ajouter la pensée à la matière. . . ."

The discussion upon thinking matter which occupied Voltaire during the end of 1735 and the beginning of 1736 kept uppermost in his mind the general problems of metaphysics. To Cideville he states on January 19, 1736 (XXXIV, 10), that he is preoccupied with the problem of immortality. Several days later, on January 22 (XXXIV, 15), he confesses to Thieriot that he has spent the whole day "à éplucher de la métaphysique" with time taken out, however, to correct the verses of *Alzire*. Remembering Tournemine's allegation in the *Journal de Trévoux* that he had taken up the problems of philosophy without adequate knowledge of past literature upon the subject, he apparently read at this time some of the ancients. In a letter to D'Olivet of February 12, 1736 (XXXIV, 29), he condemns Cicero, and Plato too, for their faulty metaphysics as well as their ignorance in physics. And on March 16 (XXXIV, 69), he sends to Formont along with his *Alzire* a package of his "rêveries métaphysiques." Just what they were can only be conjectured. It is very unlikely that the package contained the "petit *Traité de métaphysique* tout prêt," for only the month previous (XXXIV, 47) he had written to Thieriot that it could not be released, because he had "trop cherché la vérité." Presumably the "rêveries" comprised supplementary material to the *Traité*. At all events, Voltaire, without publishing a single work on metaphysics, if one omits the rather superficial thirteenth *Lettre philosophique*, had now the reputation with Mme du Châtelet of being, as she said in her preface to the translation of Mandeville, a "grand métaphysicien."

## THE PRESENTATION OF THE "TRAITÉ" TO MME DU CHÂTELET

The only valid justification for Mme du Châtelet's opinion concerning the metaphysical ability of Voltaire must rest upon the *Traité de métaphysique*. In order to characterize him a "grand métaphysicien" she must have been fully acquainted with his clandestine as well as his published work. In the past when it was assumed that Voltaire had composed his *Traité* at her instigation, her complete knowledge of the work was taken for granted. If, however, as I have just shown, Voltaire neither undertook the work at her suggestion, nor even intended it for her during the early period of its composition, the question naturally arises as to when she became acquainted with its contents. Two unsubstantiated assumptions have been made regarding the question. We have taken for granted that Mme du Châtelet was familiar not only with the initial stage of the *Traité*, but that she also followed its development until it was completed. We have further concluded that when the work was completed, it was immediately presented to her with the now famous quatrain quoted above. Since Voltaire announced to Cideville in December, 1734, that he had a "petit *Traité de métaphysique* tout prêt," we have been led to regard 1734 as the date of its completion and to jump to the rather hasty conclusion that the presentation of the copy to Mme du Châtelet must have taken place at that time.

In these conclusions, however, logical as they seem, there are two unknown quantities. We do not know just what was the content of the "petit *Traité de métaphysique* tout prêt," nor have we ever stopped to consider whether it might have differed from the copy presented to Mme du Châtelet. Until we receive some enlightenment upon those two points there is a possibility of error in assuming that the announcement of the work to Cideville and the presentation to Mme du Châtelet of the *Traité* with the quatrain took place more or less contemporaneously in December, 1734. We do not know yet when Mme du Châtelet received her copy. Her first reference to the *Traité* was in January, 1737, on the occasion of Voltaire's offering to send the work to Frederick (December, 1736): "Je connais ce manuscrit, c'est une *Métaphysique* d'autant plus raisonnable qu'elle ferait brûler son homme, et c'est un livre mille fois plus dangereux et assurément plus punissable que *La Pucelle*."[16] Our only valid conclusion is that Mme du Châtelet received her copy sometime between December 1734 and December 1736. We have no external evidence which would lead us to settle upon any particular date in this two-year span as the time of presentation. We do know after reviewing the correspondence of 1735 that the *Traité* was not so complete in December, 1734, as Voltaire stated it to be. Certainly he would not have presented a work which in his judgment was not in its finished form.

An internal examination of the *Traité* will produce some evidence that Voltaire gave Mme du Châtelet her copy at the beginning of 1736 rather than at the beginning of 1735. This evidence comes from two particular sections of the *Traité*. The passage concerning thinking matter in Chapter V seems as we have shown above[17] to have been revised after the discussion which Voltaire had with Tournemine in the last quarter of 1735. The particular section suggesting that such was the case occurs on p. 33, ll. 24-33 of Professor Patterson's text. The argument analyzed here by Voltaire was Tournemine's. The parenthetical "(remarquez bien ceci)" which has now found its way into the text itself is obviously a note written by Voltaire in the margin of his manuscript and marking a point to which he intended returning. The "j'écoute ces maîtres" refers not to "Des philosophes me disent" of the text, but to Voltaire's own Jesuit teachers, of whom Tournemine was one. This passage therefore seems to

16 See E. Asse, *Lettres de la Marquise du Châtelet*, Paris, s.d., p. 137.
17 See *supra*, p. 65. I there quote the passage to which I refer here.

date from the end of 1735. Since it was apparently in the text of Mme du Châtelet's copy, it seems reasonable to conclude that he had not presented her copy to her until after 1735.

A second passage which by and large confirms this conclusion concerns Voltaire's treatment of the origins of moral virtue in Chapters VIII and IX of the *Traité*. This treatment, as I have shown elsewhere,[18] is similar not only to Mandeville but to the passages which Mme du Châtelet added to her translation of Mandeville. There are sixteen sentences in Voltaire's Chapters VIII and IX which are strikingly like corresponding sentences in Mme du Châtelet's translation:

1. Patterson 52, ll. 17-22.

   Il suffit pour que l'univers soit ce qu'il est aujourd'hui, qu'un homme ait été amoureux d'une femme. Le soin mutuel qu'ils auront eu l'un de l'autre, et leur amour naturel pour leurs enfans, aura bientôt éveillé leur industrie, et donné naissance au commencement grossier des arts.

   Mme du Châtelet, pp. 27-28.

   L'amour paroit avoir dû estre le commencement de toute société. L'homme comme tous les autres animaux a un penchant invincible a la propagation de son espèce.// Un homme étant devenu amoureux d'une femme, en aura eü des enfans. Le soin de leur famille aura fait subsister leur union au dela de leur goût.

2. Patterson 52, ll. 22-24.

   Deux familles auront eu besoin l'une de l'autre sitôt qu'elles auront été formées, et de ces besoins seront nées de nouvelles commodités.

   Mme du Châtelet, p. 28.

   deux familles auront eu besoin l'une de l'autre des quelles auront esté formées, et ces besoins mutuels auront donné naissance a la société.

3. Patterson 52, ll. 27-30.

   . . . non-seulement il a cet amour-propre nécessaire pour sa conservation, mais il a aussi pour son espèce une bienveillance naturelle qui ne se remarque point dans les bêtes.

   Mme du Châtelet, p. 44.

   l'homme paroit estre le seul animal qui ait cette bienveillance pour son espèce.

[18] *Cf. Voltaire and Mme du Châtelet*, Chapter I, *passim*, and "Voltaire and Mandeville," *supra*, pp. 46-47.

4. Patterson 52, ll. 25-27.
   L'homme n'est pas comme les autres animaux qui n'ont que l'instinct de l'amour-propre et celui de l'accouplement.
   Mme du Châtelet, p. 44.
   les autres animaux ont receu de l'être suprême l'amour de leur conservation, le désir de la propagation, plusieurs connaissent l'orgueil et l'émulation, mais aucun ne marque cet amour pour son espèce, qui est imprimé dans le cœur de l'homme et qui paroit un de ces traits distinctifs qui séparent les différents êtres.
5. Patterson 52, ll. 31-34.
   Qu'une chienne voie en passant un chien de la même mère déchiré en mille pièces et tout sanglant, elle en prendra un morceau sans concevoir la moindre pitié, et continuera son chemin.
   Mme du Châtelet, p. 44.
   Quun chien rencontre un chien expirant, il lechera son sang et continuera son chemin.
6. Patterson 52, ll. 37 to 53, l. 3.
   Au contraire, que l'homme le plus sauvage voie un joli enfant près d'être dévoré par quelque animal, il sentira malgré lui une inquiétude, une anxiété que la pitié fait naître, et un désir d'aller à son secours.
   Mme du Châtelet, p. 44.
   mais si l'homme rencontre un autre homme son premier mouvement sera de le secourir, et il le secourera sûrement. Il na rien a craindre des marques de sa compassion.
7. Patterson 53, ll. 3-5.
   Il est vrai que ce sentiment de pitié et de bienveillance est souvent étouffé par la fureur de l'amour-propre.
   Mme du Châtelet, p. 44.
   On étouffe ce dictamen de la nature. Les hommes malgré cette bienveillance mutuelle, ne laissent pas de s'egorger en bataille rangée, et de s'assassiner mutuellement.
8. Patterson 53, ll. 5-7.
   . . . aussi la nature sage ne devait pas nous donner plus d'amour pour les autres que pour nous-mêmes.
   Mme du Châtelet, p. 34.
   . . . car l'amour-propre est avec raison plus fort que la bienveillance pour nostre espèce.
9. Patterson 53, ll. 16 ff.
   L'orgueil est surtout le principal instrument avec lequel on a bâti ce bel édifice de la société. A peine les besoins eurent

rassemblé quelques hommes, que les plus adroits d'entre eux s'aperçurent que tous ces hommes étaient nés avec un orgueil indomptable aussi-bien qu'avec un penchant invincible pour le bien-être.

Mme du Châtelet, p. 28.

Les besoins mutuels ayant rassemblé les hommes les plus adroits d'entre eux, s'aperçurent que l'homme était né avec un orgueil indomptable et c'est de l'empire que cette passion a sur luy que les premiers législateurs ont tiré les plus grands secours pour parvenir a civiliser les hommes.

10. Patterson 53, ll. 32-34.

. . . et les hommes les plus lâches et les plus abandonnés à leurs propres désirs crièrent plus haut que les autres, qu'il fallait tout immoler au bien public.

Mme du Châtelet, p. 31.

Car ceux même dont le cœur estoit le plus corrompu, contraignoient leurs désirs, et crioient même plus haut que les autres, quil falloit tout immoler au bien public.

11. Patterson 53, ll. 29-31.

. . . tout le monde voulut et veut être encore de la première classe, quoique tout le monde soit dans le fond du cœur de la seconde . . .

Mme du Châtelet, p. 31.

ainsi tous voulurent, et veullent encor estre de la première classe, quoyque dans le fond du cœur, ils soient tous de la seconde . . .

12. Patterson 57, ll. 5-8.

Mais tous ces peuples qui se conduisent si différemment, se réunissent tous en ce point, qu'ils appellent *vertueux* ce qui est conforme aux lois qu'ils ont établies, et *criminel* ce qui leur est contraire.

Mme du Châtelet, p. 32.

Mais dans tous les pays on appelle *vertu* ce qui est conforme aux lois établies et *vice* ce qui leur est opposé . . .

13. Patterson 58, ll. 3-6.

. . . cependant il me paraît certain qu'il y a des lois naturelles dont les hommes sont obligés de convenir par tout l'univers malgré qu'ils en aient.

Mme du Châtelet, p. 32.

Il y a une loy universelle pour tous les hommes que Dieu a luy mesme gravée dans leur cœur . . .

14. Patterson 57, ll. 17-21.

Ainsi il n'est d'aucune conséquence qu'il y ait telles ou telles règles pour les jeux de dés et de cartes; mais on ne pourra jouer un seul moment si l'on ne suit pas à la rigueur ces règles arbitraires dont on sera convenu. *Cf.* Patterson 56, ll. 2-3: Pour qu'une société subsistât, il fallait des lois, comme il faut des règles à chaque jeu.

Mme du Châtelet, p. 32.

. . . car aucune société n'a pû subsister sans avoir des loix, de mesme qu'on ne peut ioüer, sil ny a des regles du ieu. Mais de mesme que ce qui est une faute au piquet, n'en est pas une au reversi aussi ce qui est vice a Paris, est vertu a Constantinople.

15. Patterson 59, ll. 5-6.

. . . mais vous n'en trouverez (de nations) aucune dans laquelle il soit permis de manquer à sa parole.

Mme du Châtelet, p. 33.

il ny a point de peuple, quelque barbare qu'il soit, chés qui des quil y aura une apparence de société, il soit permis de manquer a sa parolle.

16. Patterson 59, ll. 16-17.

Il est si vrai que le bien de la société est la seule mesure du bien et du mal moral . . .

Mme du Châtelet, p. 33.

le bien de la société est à la vérité, le seul *criterium* du vice et de la vertu.

The striking similarity between Voltaire and Mme du Châtelet in these sixteen passages gives rise to the suspicion that one writer is copying the other. Since we have always assumed that the *Traité de métaphysique* as we now have it dates from 1734, and since, as I attempted to show in the article upon *Voltaire and Mandeville*, Mme du Châtelet's translation of Mandeville dates from 1735, and in all probability from the visit of Algarotti to Cirey in November, 1735, it appears to be very likely that it was Mme du Châtelet who was copying Voltaire. Thus it would appear that Voltaire's Chapters VIII and IX of the *Traité* are an intermediary source between Mandeville and Mme du Châtelet's additional passages. This conclusion is valid, however, only if the *Traité* as we now have it dates from 1734. If the *Traité* in the version which we now possess dates from 1735, there is the further possibility that Mme du Châtelet's additional passages may have served as an intermediary source between Mandeville and Voltaire. Or there may be the final possibility that Voltaire and Mme du Châtelet were revising Mandeville's ideas simultaneously and that consequently there is no question of intermediary source but rather of two people working together over a certain problem, talking over its difficulties and adopting similar views concerning it and even similar expressions to enunciate those views.

There is one case in the sixteen items where the last possibility seems to be the most plausible of the three, namely, in item eleven. Mandeville had stated that early legislators divided mankind into two groups: abject, low-minded individuals and high-spirited, self-sacrificing citizens. Mme du Châtelet, following Mandeville, also has humanity divided into two groups: "des gens grossiers" and "ceux qui connoissant la dignité de nostre nature, savent mettre un frein a leurs passions." Voltaire in the *Traité* also has two groups, but he has reversed the order: "hommes divins" and "des misérables." Mandeville then makes a comment upon the way this division influenced men to want to be of the second class, that is to say, high-spirited, self-sacrificing citizens (Kaye, I, 45):

> Which, if we consider, it is hardly to be doubted but Lessons and Remonstrances, so skilfully adapted to the good opinion Man has of himself, as those I have mentioned, must, if scatter'd amongst a multitude not only gain the assent of most of them, as to the speculative part, but likewise induce several, especially the fiercest, most resolute, and best among them, to endure a thousand Inconveniences, and undergo as many Hardships, that they may have the pleasure of counting themselves men of the *Second* class, and consequently, appropriating to themselves all the Excellences they have heard of it.

Mandeville's idea here is not extraordinarily clear. He probably means that legislators by appealing to men's pride not only induced most of them to accept their theoretical division of humanity into two classes, but actually persuaded some of them to exercise self-denial and self-sacrifice merely to be counted among the second group. Mme du Châtelet interpreted this idea fairly correctly:

Ainsi les legislateurs ayant mis par cette division des deux classes l'orgueil des hommes dans leur interest, il n'est pas etonnant, que leurs leçons ayent tant fait d'impression sur eux. Car ceux mesme dont le cœur etoit le plus corrompu contraignoient leurs desirs, et crioient mesme plus haut que les autres, quil falloit tout immoller au bien public.

Voltaire, on the other hand, only adopted the last part of the statement:

. . . et les hommes les plus lâches et les plus abandonnés à leurs propres désirs crièrent plus haut que les autres, qu'il fallait tout immoler au bien public.

Mandeville concluded his argument on this point with a fairly long paragraph showing how everyone was placed in a position where he dared not oppose the excellencies of the high-minded, public-spirited citizens:

From what has been said, we ought to expect in the first Place that the Heroes who took such extraordinary Pains to master some of their natural Appetites, and preferr'd the good of others to any visible Interest of their own, would not recede an Inch from the fine Notions they had receiv'd concerning the Dignity of Rational Creatures; and having ever the Authority of the Government on their side, with all imaginable Vigour assert the esteem that was due to those of the second Class, as well as their Superiority over the rest of their kind. In the second, that those who wanted a sufficient Stock of either Pride or Resolution to buoy them up in mortifying of what was dearest to them, follow'd the sensual dictates of Nature, would yet be asham'd of confessing themselves to be those despicable Wretches that belong'd to the inferior Class, and were generally reckon'd to be so little remov'd from Brutes; and that therefore in their own Defence they would say, as others did, and hiding their own Imperfections as well as they could, cry up Self-denial and Publick-spiritedness as much as any: For it is highly probable, that some of them, convinced by the real Proofs of Fortitude and Self-conquest they had seen, would admire in others what they found wanting in themselves; others be afraid of the Resolution and Prowess of those of the second Class, and that all of them were kept in aw by the Power of their Rulers; wherefore it is reasonable to think, that none of them (whatever they thought in themselves) would dare openly contradict, what by every body else was thought Criminel to doubt of.

Mme du Châtelet made no effort to translate this paragraph. Instead, she added the sentence which we have quoted in item eleven: "Ainsi tous voulurent, et veullent encor estre de la première classe, quoyque dans le fond du cœur, ils soient tous de la seconde." In the light of the statements which had gone before, this remark makes no sense, for Mme du Châtelet has all men wanting to be "low, abject-minded individuals," although deep down in their hearts they are "high-spirited, self-sacrificing citizens." Whatever one may think of her idea, it was certainly not the thought which Mandeville wished to convey. For he undertook precisely to show the very opposite. How she came to make the mistake, however, can be easily explained. She merely confused the order of the two classes as she had originally done on the preceding page of her manuscript (p. 30). But she corrected her error on p. 30, on page 31 it escaped her. Voltaire's remark, which was, as we have seen, exactly the same as Mme du Châtelet's, is more consistent with Mandeville's former statement, due to the fact that he had already reversed the order of the two classes: ". . . tout le monde voulut et veut être encore de la première classe, quoique tout le monde soit dans le fond du cœur de la seconde." That is to say, all men wanted to be "hommes divins," although they are really "des misérables."

This situation is so peculiar that it demands a most rigorous analysis. Did Mme du Châtelet copy the sentence from Voltaire overlooking the fact that it did not make sense unless Mandeville's order of the classes was changed? But she was translating Mandeville, presumably she had the *Fable* in plain view, and at this point she was not adding any remarks of her own. Under those conditions, it seems incredible that she would have copied a sentence from Voltaire which nullified the intention of Mandeville's text. A much more plausible explanation is that she confused momentarily the order (as she did on the preceding page) and failed to catch the error.

Did Voltaire deliberately change Mandeville's order so that he could compose a succinct little sentence or did he appropriate Mme du Châtelet's phraseology and realizing her error reverse

Mandeville's order to make the sentence consistent with the latter's intentions? Why did he not keep Mandeville's order and change the statement to conform with it? An analysis of Voltaire's full statement will furnish an answer to this last question:

> On distingua donc de bonne heure les hommes en deux classes; la première, des hommes divins qui sacrifient leur amour-propre au bien public; la seconde, des misérables qui n'aiment qu'eux-mêmes: tout le monde voulut et veut être encore de la première classe, quoique tout le monde soit dans le fond du cœur de la seconde; et les hommes les plus lâches et les plus abandonnés à leurs propres désirs crièrent plus haut que les autres, qu'il fallait tout immoler au bien public.

The statement is beautifully balanced: men are divided into two classes: everybody wished and still wishes to belong to the first; everybody really belongs to the second; the very lowest of the second class demanded more loudly than the others that everything should be sacrificed to the public interest. If Voltaire had changed the statement he would have destroyed the balance of his sentence. That is, he would have spoken of the second class first, the first class, second, and then he would have been forced to return to the second. It was far easier for him merely to reverse the order of classes. He was not translating Mandeville and therefore was not restrained by a rigid pattern. But that means that he had his pattern in mind before writing the sentence. The second ironical part must have been a part of the pattern. It did not come from Mandeville. It was only Voltaire's succinct way of expressing Mandeville's intentions, and was used (though erroneously) by Mme du Châtelet to express those intentions. Did he then take it from Mme du Châtelet, did he formulate it himself, or did he and Mme du Châtelet formulate it together? I do not see how he could have taken it from Mme du Châtelet's translation as distinct from Mandeville or he would have fallen into her error. Nor do I see how he could have formulated it himself as distinct from Mme du Châtelet, for, in that case, Mme du Châtelet would have reversed her order and not fallen into error. There remains only the explanation that he and Mme du Châtelet were formulating it together. And if this collaboration of the two explains the resemblance of item eleven, there is a strong presumption that it is the explanation for the similarity of all the other fifteen items which we have detailed above. If this is the case, then Chapters VIII and IX of the *Traité* must have been composed while or after the translation of Mandeville was being made. I would be inclined to the view that they were being composed while the translation was being made, that is to say, after November 3, 1735.

Thus we can conclude from these rather involved reasonings (1) that the announcement of the "petit *Traité de métaphysique* tout prêt" occurred a year or more before Voltaire made his presentation of the work to Mme du Châtelet; (2) that this presentation was made after November 3, 1735, and, in all probability in the early part of 1736; and (3) that Mme du Châtelet's copy differed from the "petit traité" in several respects. The exact differences between the two drafts cannot be detailed of course. But we can prove that between December, 1734, and the date of presentation in 1736, Voltaire had made some important revisions in his chapter on the soul, and he had added two new chapters upon "La Morale." Far from being the hastily constructed work which Professor Patterson believes it to be, the *Traité* was developed rather slowly and over a relatively long period of time. And far from being the finished work which Voltaire believed it to be in December, 1734, and again, after considerable revisions and additions, in the early part of 1736, it was in reality never completed.

This final point requires further consideration and we shall return to it later. There is, however, one aspect of it which concerns the presentation copy of Mme du Châtelet. Since the publication of the *Traité* in the Kehl edition, it has always seemed reasonable to assume that the printed text did not differ in content from the text in Mme du Châtelet's copy. This assumption appears to be still valid in view of Longchamp's testimony. But it should not be forgotten that when Voltaire made his hurried departure from Cirey subsequent to the circulation of *Le Mondain* in December, 1736, he carried with him to Holland, as Professor

Patterson has already noted,[19] a copy of the *Traité*. This fact is proved by his offering Frederick to send him a copy, Mme du Châtelet's alarm and her tacit admission to D'Argental that she was incapable of preventing Voltaire from carrying out his promise. The question naturally arises as to whether this copy was the presentation copy, or a similar one, or a third redaction? Indeed, it is a pertinent question, for if the copy which he carried with him was Mme du Châtelet's, there remains the possibility that further revisions were made and that therefore what we have assumed to have been the second draft at the time of the presentation was really a later draft. For Voltaire, as we shall see, was still preoccupied in 1736 with problems of metaphysics, particularly with Wolff. If on the other hand, it was not Mme du Châtelet's copy, but a third redaction, we have clear evidence (1) that Voltaire became dissatisfied with the second redaction and during 1736 he made a third, (2) that this third should represent a further development in revisions and additions over the second, and (3) that the printed text which we possess is in reality the second redaction of Mme du Châtelet's presentation copy, and consequently less perfect and less complete than we have assumed it to be.

## THE DISCUSSIONS WITH FREDERICK
## ÊTRE SIMPLE AND LIBERTÉ

It was in August of 1736 that Voltaire found another correspondent with whom he could discuss problems of metaphysics. Although Frederick in the opinion of Mme du Châtelet was only an "assez bon métaphysicien," he was deeply interested in the subject and his early correspondence with Voltaire shows him to be an interested admirer and defender of Wolff. In fact, in his first letter (XXXIV, 102), he sends a copy of the accusation and defense of the German philosopher, justifying the sending of this treatise by a compliment which must have found a ready welcome in the French poet: "Jamais poète ne cadença des pensées métaphysiques; l'honneur vous en était réservé le premier.

[19] See Patterson in *MLR*, XXXIII (1938), 263.

C'est ce goût que vous marquez dans vos écrits pour la philosophie, qui m'engage à vous envoyer la traduction que j'ai fait faire de l'accusation et de la justification du sieur Wolff. . . ." In addition, he promised to send him Wolff's *Pensées sur Dieu, le monde, l'âme humaine*, which were then being translated by Suhm.

Voltaire in his reply (XXXIV, 108) acknowledged the "petit traité concernant M. Wolff" and urged his new correspondent to send him upon completion the Suhm translation of the *Pensées*. But for a metaphysician he is singularly skeptical in his remarks. He regards Wolff's metaphysical ideas "comme des choses qui font honneur à l'esprit humain." They are "des éclairs au milieu d'une nuit profonde," the same judgment, incidentally, he had formed concerning Shakespeare in the *Lettres philosophiques*. He feels that first principles will never be known to mortals. Lapsing into a metaphor which will reappear in *Candide*, he avers that mice who inhabit a vast building never know whether it is eternal, who is its architect, or why it was built. "Nous sommes les souris, et le divin architecte qui a bâti cet univers n'a pas encore, que je sache, dit son secret à aucun de nous." He slyly adds that Wolff may have guessed this secret of the universe and concludes that one has to respect him for his opinions even if one does not agree with him.

The promised *Pensées* were not, however, immediately forthcoming. In the meantime, Frederick sent (September 9, 1736) the *Logique*, translated by Deschamps, and promised the "métaphysique" in installments. These installments were duly sent, the first in December, 1736; the second, at some time before July, 1737; and the third before October of the same year. From the first installment until the end of the following year Wolff furnished a nucleus for Voltaire's metaphysical discussion. In the main this discussion concerned none of the three divisions of Wolff's treatise but merely the "être simple," requiring no space, and possessing neither extent, nor duration, but which none the less was the element of matter. To Voltaire's mind, it was contrary to all the properties of matter, for matter is always divisible and the "être simple," source of all matter, is "inétendu," matter requires space, and the "être simple" requires none. Voltaire reiterated his inability to comprehend the elusive "monade." In his opinion matter is divisible, it is formed by God, it does not form itself of necessity.

This whole discussion of Wolff's "monade" added but little to Voltaire's fund of metaphysics, since he rejected it *in extenso* in his letter of October, 1737 (XXXIV, 318):

> Je vous dirai sur cette *Métaphysique*, un peu longue, un peu trop pleine de choses communes, mais d'ailleurs admirable, très bien liée, et souvent très-profonde; je vous dirai, Monseigneur, que je n'entends goutte à l'être simple de Wolff. Je me vois transporté tout d'un coup dans un climat dont je ne puis respirer l'air, sur un terrain où je ne puis mettre le pied, chez des gens dont je n'entends point la langue. Si je me flattais d'entendre cette langue, je serais peut-être assez hardi pour disputer contre M. Wolff, en le respectant, s'entend. Je nierais par exemple, tout net la définition de l'étendue, qui est, selon ce philosophe, la continuité des êtres. L'espace pur est étendu, et n'a pas besoin d'autres êtres pour cela. Si M. Wolff nie l'espace pur, en ce cas nous sommes de deux religions différentes; qu'il reste dans la sienne, et moi dans la mienne.

Even Frederick admitted on November 19, 1737 (XXXIV, 348), "qu'on me saurait réfuter M. Wolff plus poliment que vous le faites." But Wolff led Voltaire to examine more carefully the nature of matter. And the discussion probably was instrumental in turning him more and more from metaphysics to physics, a tendency already pronounced in his interest in Newton.

From another point of view, though, the discussion served to keep alive what must have been a waning interest in metaphysics. Frederick had been drawn to Voltaire partly by the latter's reputation as a metaphysician. Therefore it was perfectly natural for Voltaire to wish to preserve that reputation. It was doubtless this natural desire on his part which prompted him in December, 1736, to offer to send his own *Traité de métaphysique* to Frederick. Whereupon Mme du Châtelet, hearing of the promise, protested vigorously against such an indiscretion and urged D'Argental to counsel against it. Voltaire apparently realized the danger, and in February, 1737, offered excuses for not having sent the *Traité* (XXXIV, 222), although the general tone of his letter indicates that he still intended doing so: "Cela dit, j'enverrai à Vesel le paquet que j'ose adresser à Votre Altesse Royale; mais permettez encore que je vous répète, comme Lucrèce à Memmius:

Tantum relligio potuit suadere malorum!

Ce vers doit être la devise de l'ouvrage. Vous êtes le seul prince sur la terre à qui j'osasse l'envoyer." But, in Frederick's letter of March 6, 1737, the Royal Prince still is awaiting the treatise, and on September 27, of the same year, since no treatise has been forthcoming and since apparently Kaiserlingk has been told that none will be sent, Frederick suggests that Voltaire transmit to him from time to time portions of it in his letters. Voltaire replied with a letter explaining his general treatment of the subject of metaphysics in his *Traité*, and including "un extrait d'un chapitre *sur la liberté*" (XXXIV, 320). This letter and extract mark the high point of Voltaire's metaphysical discussion with Frederick, for the latter wrote on December 27, 1737 (XXXIV, 368): "J'ai reçu votre chapitre de métaphysique sur la *liberté*, et je suis mortifié de vous dire que je ne suis entièrement de votre sentiment." This disagreement led to an exchange of ideas on free-will which extended to June, 1738.

Voltaire had made two positive points in his article to Frederick. Man has the feeling of being free and it would have been a deception on the part of God to have given him this feeling, but no freedom. Man's free-will is not incompatible with God's prescience, because if it were, God's freedom of action would also be incompatible with His prescience. Frederick replies (XXXIV, 368) that in his opinion, God, being all-wise and all-powerful, must have had an ultimate objective in creating this universe. Therefore, all events should contribute to this end in view, and man's actions should conform to the unchanging laws of His design. It is more natural to conceive of a God who does everything, with man the instrument of His will, than to imagine

Him a Being who creates and populates the world, then sits back, submitting His will and His power to the whims of the human mind. This idea of the active participation of God in His universe is the first premise upon which Frederick builds his system. Everything is determined in a precise way: man's character, ideas, and actions. Otherwise, how could he determine upon a choice of action, if events did not furnish the occasion. And who but God arranges events? Frederick concludes by adopting the system of absolute necessity.

Voltaire (XXXIV, 394) saw immediately that the basis of this argument lay in the Leibnitzian doctrine of sufficient reason, which, according to his interpretation, means that every effect has a cause. He admits the doctrine, but denies that it is incompatible with man's freedom. For what after all is freedom but the power to think and to act in consequence of that thought? Who has this power? Man or the Deity? If the individual has it, he is free, but if the Deity possesses it, the individual is deceived in believing himself free. If he is deceived, it is by God or matter. The idea of deception by God is absurd, since it is contrary to His nature to deceive; deception by matter is equally so, since matter is devoid of intelligence. Voltaire still clings to the "sentiment intérieur" of freedom. It remains his strongest argument. He maintains that the only way of disproving freedom in the face of this strong supposition is to prove the impossibility of free-will. This can be done in one of two ways: one must prove either that there is an implied contradiction in the idea of free-will (which Voltaire denies) or that there is no power which can grant it. Voltaire concludes that God being free can grant a portion of His freedom to man. But the question arises as to why He has not done so? Some reply that if man were free, he would be to that extent independent of God. Voltaire argues on the contrary that the granting of some freedom to man is the expression of God's infinite power. Others state that it is obvious that man does not have freedom, because he is often carried away by his emotions. Voltaire replies that sickness is proof of the existence of health. To those who claim that action arises from desire which in turn is served by the will and therefore action is determined, Voltaire makes answer that man desires of necessity, but that will and desire are two different things and so opposed at times that will combats desire. To those who assert that if man were free there would be no God, Voltaire replies that precisely the gift of freedom proves the existence of God. He admits finally that there is some validity to the argument that free-will is incompatible with divine foresight. Here he is no longer so positive as in his *Extrait* and he willingly rejects the argument which defends personal liberty of action at the expense of God's prescience. Although he admits that it is difficult to reconcile the idea of this prescience with that of free-will, he suggests in explanation Clarke's definition of God's foreknowledge: that God has the power to predict just as a well-informed man may predict, the only difference being that God always predicts correctly being all-wise, and man being limited predicts "à tort et à travers." Voltaire concludes his letter with an appeal to Frederick to believe that man has freedom, since this appears to him more essential than that man is actually free. This note will become much stronger later.

Frederick's reply takes up Voltaire's eleven items point by point. He wishes to make clear first that he is arguing not *a posteriori* as Voltaire but *a priori* from the principle of all-wise Providence. This established, it becomes evident that God cannot grant freedom to man since it is a contradiction to say that God can dispose of His essence to man. Hence Voltaire's free-will would not have a sufficient reason. Frederick grants man's capacity to think and act, but always within the inviolable laws of fate. He is ignorant of doing so, for he lacks the necessary foresight; still, all his actions tend to carry out the decrees of Providence. Frederick denies that God has deceived men in making them believe themselves free. He has merely concealed "les ressorts qui les font agir." It is true that man's actions are guided by his self-interest, hence his diversity, but this principle of happiness as well as the diverse temperaments of mankind are not free. They are all subservient to the divine will. Furthermore the immutable laws of the physical world should offer an argument for absolute necessity. God cannot dispose of his attributes to man. And let no one say that He would find it impossible to enter into the smallest details of the universe. Such a remark is an attack against His immensity. Further, Frederick does not accept the idea that sickness proves the existence of health. The passions do not prove freedom. In this case, we are merely more cognizant of sickness, the springs of health are unknown to us. One cannot allege the triumph of will over desire as a proof of free-will. This triumph only proves man's egotism. Frederick concludes that since God created the world and since man cannot be free, there follows an absolute necessity to which man must submit. He protests against those who compare God's freedom with man's. Such comparisons are perforce false since we attribute to God human ideas unworthy of His majesty. Frederick admits that no matter what system one accepts, Divinity must be the source of evil. However, such an admission does not excuse man's departure from virtue, which is caused by various conceptions of happiness. He denies strenuously that his opinions serve to overthrow the principles of a "saine morale."

In his reply of March 8 (XXXIV, 432), Voltaire acknowledges the strength of Frederick's position. "J'avais déjà beaucoup de respect pour l'opinion de la fatalité, quoique ce ne soit pas la mienne." His own view still rests firmly upon the conviction that he is free and that even those who believe in the system of fatality conduct themselves as if they were free. All our other feelings are real and it is inconceivable that the feeling of freedom alone should be false. Then, too, whatever is said against free-will in man can be repeated when God's freedom of will is discussed. If He foresees all our actions, He must by necessity foresee His own and in consequence becomes the slave of destiny. He is no longer God. Even fatalists must confess Him free. And why can He not grant a portion of His freedom to man as He has granted him a portion of being, thought, movement and will? In order to prove that He has not communicated free-will to man, one must prove that He cannot do so, and to present this demonstration, one must know the attributes of God. And let no one say that this gift of liberty would make us gods. Either we are automata or free. The only proof of our automatism lies in God's prescience, of which we know nothing. Voltaire admits that he does not know how to reconcile prescience with free-will. Prescience, however, cannot be admitted as an *a priori* principle in a discussion upon free-will:

> Raisonner ce qu'on appelle *a priori* est une chose fort belle, mais elle n'est pas de la compétence des humains. Nous sommes tous sur les bords d'un grand fleuve; il faut le remonter avant d'oser parler de sa source. Ce serait assurément un grand bonheur si on pouvait, en métaphysique établir des principes claires, indubitables, et en grand nombre, d'où découlerait une infinité de conséquences, comme en mathématiques; Dieu n'a pas voulu que la chose fût ainsi. Il s'est réservé le patrimoine de la métaphysique: le règne des idées pures et des essences des choses est le sien (XXXIV, 434).

In his reply of April 19, 1738 (XXXIV, 452), Frederick makes several important concessions to Voltaire's point of view. He concedes willingly that important objections may be made to the system of absolute fatality. He even grants that irrespective of any system events will follow their natural course. He admits now that man has a feeling of being free, and possesses the power to direct his will and to act. He does not yield, however, on the principle of sufficient reason; that is, every effect has a determining, not a chance, cause. Thus while man is free to direct his will and to act, he is not free to govern the reasons which determine his will to act. These are fixed, such as, for example, the idea of happiness, which is the mainspring of man's action and bound up with his temperament. Hence though an action may appear to be free it is determined: "l'homme agit donc selon une loi, et en conséquence du ton que le Créateur lui a donné." Thus all man's actions may be traced back to God, who is the supreme sufficient reason. This manner of looking at the problem neither diminishes God's liberty and prescience, nor assesses His work as evil. It is not fair to judge the whole by its parts: "Cependant il faut se garder de juger du monde par parties; ce sont les membres d'un tout, où l'assortiment est nécessaire. Dire, parce qu'il y a quelques hommes malfaisants, que Dieu a tout mal fait, c'est perdre de vue la totalité, c'est considérer un point dans un ouvrage de miniature, et négliger l'effet de l'ensemble."

Voltaire's letter of May 20, 1738 (XXXIV, 479), sums up the discussion. In his opinion the question of freedom is certainly not fully demonstrated. Those who present God as the infinite master of all things seem committed perforce to the idea of an inevitable fatality in all the workings of nature. According to this conception, God is a creator of machines. But those who attribute to God a still greater power believe that He bestows upon man a portion of that power. In their conception He is the God of thinking beings. Each view has its strong and weak points. Frederick makes answer (XXXIV, 498) that he has exhausted the subject of metaphysics, and that it is impossible for him to continue the argument. All systems have difficulties, metaphysics may be compared to a charlatan promising much but effecting little. The net result is skepticism. Voltaire adopts a similar tone in his letter of June, 1738 (XXXIV, 511).

This tone may have been assumed merely through epistolary courtesy or it may have been the result of sheer weariness after a lengthy exhausting discussion. At all events it does not represent Voltaire's position at the conclusion of the discussion. He summarized this position when he wrote to Helvétius on September 11, 1738. His letter discloses that although he has been impressed by Frederick's "système de fatalité," and even admits the possibility of its being true, he has not shifted from his basic position that God can grant freedom of action to man. The letter, though lengthy, merits some consideration:

Vous avez raison assurément de trouver de grandes difficultés dans le chapitre de Locke *de la Puissance* ou *de la liberté*. Il avouait lui-même qu'il était là comme le diable de Milton pataugeant dans le chaos.

Au reste, je ne vois pas que son sage système qu'il n'y a point d'idées innées soit plus contraire qu'un autre à cette liberté si désirable, si contestée, et peut-être si incompréhensible. Il me semble que, dans tous les systèmes, Dieu peut avoir accordé à l'homme la faculté de choisir quelquefois entre des idées, de quelque nature que soient ces idées. Je vous avouerai enfin qu'après avoir erré bien longtemps dans ce labyrinthe, après avoir cassé mille fois mon fil, j'en suis revenu à dire que le bien de la société exige que l'homme se croie libre. Nous nous conduisons tous suivant ce principe, et il me paraît un peu étrange d'admettre dans la pratique ce que nous rejetterions dans la spéculation. Je commence mon cher ami, à faire plus de cas du bonheur de la vie que d'une vérité; et si malheureusement le fatalisme était vrai, je ne voudrais pas d'une vérité si cruelle. Pourquoi l'Etre Souverain, qui m'a donné un entendement qui ne peut se comprendre, ne m'aura-t-il pas donné aussi un peu de liberté? Nous nous sentons libres. Dieu nous aurait-il trompés tous? Voilà des arguments de bonne femme. Je suis revenu au sentiment, après m'être égaré dans le raisonnement.

## THE "EXTRAIT D'UN CHAPITRE SUR LA LIBERTÉ"

The "extrait d'un chapitre sur la liberté" sent by Voltaire to Frederick is important not only because of the discussion to which it gave rise but significant also for the light which it throws upon the further development of the "petit *Traité de métaphysique* tout prêt." For instance, a comparison of Chapter VII of the *Traité* with the "extrait" will reveal that the carelessness in arrangement and expression in the former has been eliminated in the latter.

The general outline of Chapter VII is difficult to grasp: after stating that the question of liberty is extremely simple but has been needlessly complicated by the injection of the relationship of man's freedom and God's pre-knowledge, Voltaire proceeds to define liberty as "le pouvoir d'agir." He finds that men and animals have this power and are in consequence free. To be sure, he admits, animals may be mere machines devoid of this power. But man, when he looks within himself, finds the feeling of being free. In answer to the possible objection that feeling may deceive just as vision may deceive, he explains that the cases are different, for the eyes are constructed physiologically to see objects near at hand, but not to judge size at a distance. When man misjudges size therefore, it is a defect of visual structure, not a deception of the Deity. But if man feels that he has freedom and is not free, he has been deceived by God or by matter. But this suggestion is absurd in the opinion of Voltaire who now gives a second definition of freedom: "vouloir et agir" and explains that God is free in this sense. He follows with a paragraph of "vérités fondamentales enchaînées les unes aux autres." Now comes a third series of definitions as to what constitutes freedom in God, in man, in children, and in animals. To the argument that man's temporary submission to his passions disproves his freedom of will, Voltaire answers that the occasional lack of freedom in man proves quite the contrary, and declares triumphantly that even the enemies of free-will are forced to admit that "nous avons une volonté qui est obéie quelquefois par nos sens." But they have another argument, says Voltaire. They assert that will is acted upon by understanding which is forced to judge the best course. Therefore, since judgment is not freely made, will cannot be free and man is not free. Voltaire proceeds to answer this argument, but speedily reverts to his own theory that if God is free, liberty for man is possible. He follows with a fourth definition of freedom: "faire ce qui fait plaisir, c'est être libre." The chapter concludes with remarks on prescience in which argument the enemies of free-will take refuge. Voltaire objects to it on the grounds that it would also destroy liberty in the Deity and states that he does not know what pre-knowledge in the Deity is, since he does not know any of the attributes of God.

It is difficult to give an idea of the structure and continuity of a work in an outline. Sufficient has been said, however, to illustrate the faulty structure of Voltaire's Chapter VII. He is apparently confused in what he is trying to do. At some points he seems desirous of obtaining a clear definition of what constitutes free-will. At others he strives to be affirmative and present arguments in favor of it. And yet throughout the chapter, he seems harassed by possible objections to the theory. Since the purpose of his chapter is not clear, its structure and ideas are necessarily confused. This is particularly evident in his reply to the last three arguments against free-will. Indeed, the last of the three is not treated with any seriousness whatever, and the conclusion is really irrelevant.

In the main, these defects disappear in the "extrait d'un chapitre sur la liberté," sent to Frederick. The opening sentence states the importance of the problem of free-will in connection with "la morale" and follows with the remark that the whole problem has been needlessly obscured. Voltaire then proceeds to a definition of liberty, finding the arguments commonly presented in objection to the theory may be reduced to four. The four main parts of the chapter are based upon these objections, each stated succinctly and followed by its answer. Where several answers are necessary as in the case of three and four, they are clearly marked and logically arranged. A short but effective conclusion completes the "extrait," a neatly and carefully arranged work in distinct contrast to the carelessly organized Chapter VII.

Not only is the general structure of the "extrait" rigidly organized, but its ideas are rearranged. It has already been noted by Beuchot that some sentences of the "extrait" (Beuchot LII, 527, n. 1) have been taken in entirety from the *Traité*. There are in fact no less than thirty-nine of them but their position in the "extrait" is considerably altered. I have noted them in the text which I present, and have attempted to locate them, as well as their sequence, in Professor Patterson's edition. They are used principally in connection with the first two objections and only sporadically in connection with the last two. But they have been rearranged, sentences being juxtaposed in the "extrait" which were as much as three pages apart in the *Traité*. On occasion an obscure portion has been clarified; on a few occasions, it has been deleted. Finally, the conclusion consisting of five sentences has been formed from three taken from one part of the *Traité* plus two from a portion a page or so farther on. All in all, Voltaire has preserved in the "extrait" those parts of Chapter VII which would serve his purpose, rearranging them in more logical and effective order, so that nothing important in the previous redaction has been lost. But he was not content to revise his earlier essay, he literally rewrote it, utilizing it for about one-fourth of the material in the "extrait."

It might be assumed that these changes were effected at the

time when Frederick suggested Voltaire's sending him from time to time portions of the *Traité*, that is on September 27, 1737. Indeed, an examination of the manuscript of the "extrait" which now exists in the papers of Mme du Châtelet at Leningrad[20] discloses that many, though relatively unimportant, changes were made at that time. In the main, however, they were modifications in style. The reorganizing and rewriting of the material had been done at some previous date.

There is evidence in the Leningrad manuscript to prove that the whole of the "petit *Traité de métaphysique* tout prêt" which had been announced to Cideville in December, 1734, had been revised, enlarged, and rewritten before September 27, 1737. Much of this evidence has been presented in my work on Voltaire and Mme du Châtelet.[21] For instance, the "extrait" was originally not a chapter (the "Chapitre V" which heads it and indeed the title "De la liberté" being a later addition) but merely four sections (sections 84, 85, 86, 87) of a treatise which was being composed in sections. The end of what must be section 83 is preserved in the manuscript and discloses that the previous portion dealt with problems of movement and its relationship to free-will. A note 1 to the end of this section 83 states that the relationship between kinetic energy and free-will will be treated in a "Chapitre 8." In the manuscript a note in the handwriting of Mme du Châtelet says that the "preceding chapter" dealt with the nature and existence of matter. Voltaire in the course of his "extrait" refers twice to section 15, n. 6, and includes it in the article sent to Frederick. An examination of this section indicates that a portion of the treatise dealt with the nature and existence of God. In the opening passage, Voltaire excuses himself for digressing from his subject: "Un aussi grand intérêt mérite bien que je m'éloigne un peu de mon sujet." The preceding statement indicates that in his opinion the whole question of "la morale" depended upon the right solution of the problem of free-will. Presumably a later portion of the treatise was to be devoted to the problem of

20 F. Caussy, *Inventaire des manuscrits de la bibliothèque de Voltaire*. Paris, 1914.

21 Princeton, 1941, pp. 20 ff.

"la morale." All of these subjects: the nature and existence of God, the nature and existence of matter, free-will, "la morale," are essentially topics of discussion in the *Traité*. There can be no doubt that between the beginning of 1736 and September, 1737, Voltaire had rewritten the *Traité*. This explains the "rêveries métaphysiques" which he sends to Formont, the "morceaux de philosophie" which he sends to Frederick, and the "toute la journée à éplucher de la métaphysique" about which he wrote to Thieriot.

61]

## THE CHAPTER "DE LA LIBERTÉ—" THIRD DRAFT*

[Liberté; et l'on voit aisément que les philosophes qui pretendent que la quantité de mouvement est invariable dans l'univers, nient à l'homme cette faculté soi-mouvante. (Note 1)

84. il est certain que la question de notre Liberté (si c'en est une) nous intéresse infiniment plus que toutes celles que l'on peut faire sur la nature du mouvement, et sur sa conservation, puisque de cette seule question depend toute la morale.]

## CHAPITRE 5.

de la liberté.

[Dieu a reellement donné a l'homme le pouvoir soi-mouvant.]

La question de la liberté est la plus [importante] intéressante que nous puissions examiner, puis que l'on peut dire que de cette seule question dépend toute la morale.

(note 1) je n'examine point ici si l'opinion
{ qui veut que la quantité de
{ de la conservation d'une égale quantité (substituted)
de force reste la meme dans l'univers est
aussi contraire a la liberté que celle d'une
égale quantité de mouvement.
Voyez sur cela ch. 8.

* Material deleted by Voltaire in the original manuscript is enclosed in brackets.

Un aussi grand interest merite bien que je m'eloigne un peu de mon sujet pour [entrer] entrer dans cette discussion, et pour mettre ici sous les yeux du lecteur les principales objections que l'on fait contre la liberté afin qu'il puisse juger lui-même de leur solidité.

Je sçai que la liberté a d'illustres adversaires, je sçai que l'on fait contrelle des raisonnemens qui peuvent d'abord séduire, mais ce sont [même] ces raisons même qui m'engagent a les raporter, et a les refuter.

On a tant obscurci cette matière, qu'il est absolument indispensable de commencer par définir ce que l'on entend par liberté quand on veut en parler, et se faire entendre.[1]

Définition de la liberté.

85. J'apelle *liberté le pouvoir de penser a une chose, ou de n'y pas penser, de se mouvoir, ou de ne se [pas se] mouvoir pas, conformément au choix de son propre esprit.*

86. Toutes les objections de ceux qui nient la liberté se réduizent a quatre principales que [j'examinerai] je vais examiner l'une apres l'autre.

1ere objection des fatalistes contre la liberté.

Leur première objection [porte sur le] tend a [detruire] infirmer le temoignage de notre conscience et du sentiment interieur que nous avons de notre liberté; ils pretendent que ce n'est que faute d'attention sur ce qui se passe en nous même que nous croyons avoir ce senti- 62] ment intime, et que lorsque nous faisons [au contraire] une attention réflechie sur les causes de nos actions, nous trouvons au contraire quelles sont toujours determinées necessairement.

De plus nous ne pouvons [disent-ils,] douter qu'il n'y ait des mouvemens dans notre corps qui ne dépendent point de notre volonté, comme la circulation du sang, le battement du cœur, etc. Souvent aussi la colere, ou quelque autre [mouvement] passion violente nous em-

[1] *Cf.* Patterson 43, ll. 16-18: Dépouillons d'abord la question de toutes les chimères dont on a coutume de l'embarrasser, et définissons ce que nous entendons par ce mot *liberté*.

porte loin de nous et nous fait faire des actions que notre raison desaprouve. Tant de chaines visibles dont nous sommes accablés prouvent selon eux que nous sommes liés de même dans tout le reste.[2]

*L'homme,* disent-ils, *est tantôt emporté avec une rapidité et des secousses dont il sent l'agitation et la violence; tantôt il est mené par un mouvement paisible dont il ne s'aperçoit pas, mais dont il n'est pas plus le maitre.*[3] *C'est un esclave qui ne [s'aperçoit] sent pas toûjours [du] le poids et [de la] la fletrissure de ses fers, mais qui n'en est pas moins [toûjours] esclave.*[4]

reponse] Ce raisonnement est tout semblable a celui cy: *Les hommes sont quelque fois malades, donc ils n'ont jamais de santé.*[5] Or qui ne voit au contraire que de sentir sa maladie et son esclavage est une preuve qu'on a eté sain et libre.[6]

Dans l'ivresse, dans l'emportement d'une passion violente, dans un dérangement d'organes, etc., notre volonté n'est plus obeïe par nos sens, et nous ne sommes pas plus libres alors d'user de notre liberté, que nous le serions de mouvoir un bras sur lequel nous aurions une paralisie.[7]

[2] *Cf.* Patterson 45, ll. 35-37: Tant de chaînes visibles dont nous sommes accablés presque toute notre vie, ont fait croire que nous sommes liés de même dans tout le reste;

[3] *Cf.* Patterson 45, ll. 37 to 46, l. 3: . . . et on a dit: L'homme est tantôt emporté avec une rapidité et des secousses violentes dont il sent l'agitation; tantôt il est mené par un mouvement paisible dont il n'est pas plus le maître;

[4] *Cf.* Patterson 46, ll. 4-5: . . . c'est un esclave qui ne sent pas toujours le poids et la flétrissure de ses fers, mais il est toujours esclave.

[5] *Cf.* Patterson 46, ll. 6-8: Ce raisonnement, qui n'est que la logique de la faiblesse humaine, est tout semblable à celui-ci: Les hommes sont malades, quelquefois, donc ils n'ont jamais de santé.

[6] *Cf.* Patterson 46, ll. 10-13: . . . qui ne voit au contraire que de sentir sa maladie est une preuve indubitable qu'on a eu de la santé, et que sentir son esclavage et son impuissance, prouve invinciblement qu'on a eu de la puissance et de la liberté.

[7] *Cf.* Patterson 46, ll. 14-17: Lorsque vous aviez cette passion furieuse, votre volonté n'était plus obéie par vos sens: alors vous n'étiez pas plus libre que lorsqu'une paralysie vous empêche de mouvoir ce bras que vous voulez remuer.

*La liberté dans l'homme est la santé de l'ame* [*l'ame*]. Peu de gens ont ceste santé entière et inalterable, notre liberté est faible et bornée comme toutes nos autres facultés, nous la fortifions[8] en nous accoûtumant à faire des reflexions, et a maitriser nos passions, et cet exercice de 63] l'ame la rend un peu plus vigoureuse. Mais quelques efforts que nous fassions, nous ne pouvons jamais parvenir a rendre notre raison souveraine de tous nos désirs, et il y aura toujours dans notre ame comme dans notre corps des mouvemens involontaires,[9] car nous ne sommes ny sages, ny libres, ny sains, etc., que dans un tres petit degré.[10]

Je sçai que l'on peut a toute force abuser de la raison pour contester la liberté aux animaux,[11] et les concevoir comme des machines qui n'ont ny sensations ny désirs, ny volonté, quoiqu'[elles] ils en aïent toutes les apparences;[12] je sçai qu'on peut forger des sistèmes, c'est-a-dire des erreurs, pour expliquer leur nature, mais enfin quand il faut s'interroger soi-même, il faut bien avoüer, si l'on est de bonne foi, que nous avons une volonté, que nous avons le pouvoir d'agir, de remuer notre corps, d'apliquer notre esprit a certaines pensées, de suspendre nos désirs etc.[13]

[8] *Cf.* Patterson 46, ll. 27-31: La liberté est la santé de l'ame; peu de gens ont cette santé entière et inaltérable. Notre liberté est faible et bornée, comme toutes nos autres facultés. Nous la fortifions en nous accoutumant à faire des réflexions, et cet exercice de l'ame la rend un peu plus vigoureuse.

[9] *Cf.* Patterson 46, ll. 31-35: Mais quelques efforts que nous fassions, nous ne pourrons jamais parvenir à rendre notre raison souveraine de tous nos désirs; il y aura toujours dans notre ame comme dans notre corps des mouvemens involontaires.

[10] *Cf.* Patterson 46, ll. 35-37: Nous ne sommes ni libres, ni sages, ni forts, ni sains, ni spirituels, que dans un très-petit degré.

[11] *Cf.* Patterson 43, ll. 21-22: Je puis à toute force contester cette faculté aux animaux;

[12] *Cf.* Patterson 43, ll. 25-27: Je puis les concevoir comme des machines qui n'ont ni sensations, ni désirs, ni volonté, quoiqu'elles en aient toutes les apparences.

[13] *Cf.* Patterson 43, ll. 27-32; Je forgerai des systèmes, c'est-à-dire des erreurs, pour expliquer leur nature; mais enfin, quand il s'agira

Il faut donc que les ennemis de la liberté avoûënt que [nous avons le] notre sentiment interieur [de] nous assure que nous sommes libres; et je ne crains point d'assurer qu'il n'y en a aucun qui doute de bonne foy de sa propre liberté, et dont la conscience ne s'éleve contre le sentiment artificiel par lequel ils veulent se persuader [que nous sommes] qu'ils sont necessités dans toutes leurs [nos] actions. Aussi ne se contentent-ils pas de nier ce sentiment intime [que nous] de liberté; mais ils vont encore plus loin.

2nde objection. Le sentiment intérieur que nous avons de notre liberté nous trompe.

*Quand on vous accorderait,* disent-ils, *que vous avés le sentiment interieur que vous estes libres, cela ne prouveroit rien encore, car votre sentiment [interieur] vous trompe sur votre liberté, de même que vos yeux vous trompent sur la grandeur du soleil lorsqu'ils vous font juger que le [son] disque de cet astre est environ large* 64] *de deux pieds,*[14] *quoique son diametre soit reellement a celui de la terre environ comme 100 est a 1.*

Voici [ce que] je crois ce qu'on peut répondre a cette objection.

reponse]

Les deux cas que vous comparés sont fort differens;[15] je ne puis et ne dois voir les objets qu'en raison directe de leur grosseur; et en raison renversée du quarré de leur éloignement. Telles sont les loix mathematiques de l'optique, et telle est la nature de mes organes, que si ma vûë pouvait apercevoir la grandeur reelle du soleil, je ne pourrois voir aucun objet sur terre,[16] et cette vûë

de m'interroger moi-même, il faudra bien que j'avoue que j'ai une volonté, et que j'ai en moi le pouvoir d'agir, de remuer mon corps, d'appliquer ma pensée à telle ou telle considération, etc.

[14] *Cf.* Patterson 43, ll. 34-37: . . . vous avez un sentiment qui vous trompe, comme vous croyez voir le soleil large de deux pieds, quoiqu'il soit en grosseur, par rapport à la terre, à-peu-près comme un million à l'unité;

[15] *Cf.* Patterson 44, l. 1: je répondrai à ce quelqu'un: le cas est différent:

[16] *Cf.* Patterson 44, ll. 4-9: . . . telles sont les lois mathématiques de l'optique, que je ne puis et ne dois apercevoir les objets qu'en raison directe de leur grosseur et de leur éloignement; et telle est la nature de mes organes que si ma vue pouvait apercevoir la grandeur réelle d'une étoile, je ne pourrais voir aucun objet sur la terre.

loin de m'etre utile me seroit nuisible. Il en est de même des sens de l'ouïe et de l'odorat;[17] je n'ay et ne puis avoir ces sensations plus ou moins fortes (toutes choses d'ailleurs egales) que suivant que les corps sonores ou odoriferans sont plus ou moins pres de moi.[18] Ainsi Dieu ne m'a point trompé en me faisant voir ce qui est eloigné de moi d'une grandeur proportionnée a sa distance;[19] mais si je croyois etre libre, et que je ne le fus point, il faudroit que Dieu m'eut crée expres pour me tromper,[20] car nos actions nous paroissent libres précisément de la même manière qu'elles nous le paroitroient si nous l'etions veritablement (note 4). Il ne reste donc a ceux qui soutiennent la negative qu'une simple possibilité que nous soyons faits de manière que nous soyons toûjours invinciblement trompés sur notre liberté; encore cette possibilité n'est elle fondée que sur une absurdité, puisqu'il ne resulteroit de cette illusion perpetuelle que Dieu nous feroit qu'une façon d'agir dans l'etre suprême indigne de sa sagesse infinie.[21]

Et qu'on ne dise pas qu'il est indigne d'un philosophe de

(note 4) La reponse a cette seconde objection est presque la meme que celle du 3e argument [du chapitre precedent]
contre lexistence des corps
mais cela ne peut etre autrement
puisque les personnes qui nient
la liberte font contrelle [a peu pres] [les memes] une partie des objections que ceux qui nient
lexistance des corps font contre cette existance. (Note of Mme du Châtelet)

[17] *Cf.* Patterson 44, ll. 9-10: Il en est de même du sens de l'ouïe, et de celui de l'odorat.

[18] *Cf.* Patterson 44, ll. 10-12: Je n'ai les sensations plus ou moins fortes, toutes choses égales, que selon que les corps sonores et odoriférans sont plus ou moins loin de moi.

[19] *Cf.* Patterson 44, ll. 1-3: Dieu ne m'a point trompé en me fesant voir ce qui est éloigné de moi d'une grosseur proportionnée à sa distance;

[20] *Cf.* Patterson 44, ll. 13: mais si je n'avais point de volonté, croyant en avoir une, Dieu m'aurait créé exprès pour me tromper;

[21] *Cf.* Patterson 44, ll. 17-19: . . . et il ne résulterait rien de cette tromperie, sinon une absurdité dans la manière d'agir d'un être suprême infiniment sage.

recourir ici a Dieu,[22] car ce Dieu etant une fois prouvé, il est certain qu'il est l'auteur de ma liberté, si je suis libre, et qu'il est l'auteur de mon erreur, si ayant fait de 65] moi un être purement passif, il m'a donné le sentiment irresistible d'une liberté qu'il m'a refusée.[23]

Ce sentiment interieur que nous avons de notre liberté est si fort, qu'il ne faudroit pas moins pour nous en faire douter qu'une démonstration qui nous prouvast qu'il implique contradiction que nous soyons libres. Or certainement il n'y a point de telle démonstration.

Joignés a toutes ces raisons [que les fatalistes] qui détruisent les objections des fatalistes, qu'ils sont euxmêmes [sont] obligés de démentir a tout moment leur opinion par leur conduite. Car on aura beau faire les raisonnemens les plus specieux contre notre liberté, nous nous conduirons toûjours comme si nous etions libres, tant le sentiment interieur de notre liberté est profondément gravé dans notre ame, et tant il a malgré [nous] nos préjugés d'influence sur nos actions.

[3ème objection. Notre entendemt suit toûjours ce qui lui paroit le meilleur et ce devoir de notre entendement détermine assurément notre volonté.]

Forcés dans ce retranchement, les personnes qui nient la liberté continûënt, et disent: *Tout ce dont ce sentiment interieur [vous assure], dont vous faites tant de bruit, vous assure, c'est que les mouvements de votre corps, et les pensées de votre esprit obeïssent a votre volonté. Mais cette volonté elle même est toûjours déterminée necessairement par les choses que votre entendement juge etre les meilleures, de même qu'une balance est toûjours emportée par le plus grand poids.*[24] *Voici*

[22] *Cf.* Patterson 44, ll. 20-21: Et qu'on ne dise pas qu'il est indigne d'un philosophe de recourir ici à Dieu.

[23] *Cf.* Patterson 44, ll. 21-26: Car, premièrement, ce Dieu étant prouvé, il est démontré que c'est lui qui est la cause de ma liberté en cas que je sois libre; et qu'il est l'auteur absurde de mon erreur, si m'ayant fait un être purement patient sans volonté, il me fait accroire que je suis agent et que je suis libre.

[24] *Cf.* Patterson 47, ll. 17-19: Mais cette volonté, disent-ils, est nécessairement déterminée comme une balance toujours emportée par le plus grand poids;

*la façon dont les chainons de votre chaine tiennent les uns aux autres.*

*Les idées, tant de sensation que de reflexion se presentent a vous soit que vous le vouliés, ou que vous ne le vouliés pas. Car vous ne formés pas vos idées vous même.* [*personne ne l'a jamais pretendu,*] *Or quand deux idées se presentent a votre entendement, comme, par exemple, l'idée* [*du repos*] *de vous coucher* [*et de la promenade*] *et lidée de vous promenèr, il faut absolument* [*ou*] *que vous vouliés* [*ou vous promener ou rester en repos,*] *lune de ces deux choses, ou que vous ne vouliés ni l'une ni l'autre. Vous n'estes donc pas libres quant a l'acte meme de vouloir.* [*de plus, il est certain que vous avés*] [*puisquil faut absolument que vous*] [*choisisiés une de ces deux choses*] *De plus il est certain que si vous choisissiés vous vous déciderés surement pour votre lit* [*le* 66] *repos*] *ou pour la promenade* [*mouvement,*] *selon que votre entendement jugera que lune ou l'autre de ces deux choses vous est utile ou convenable. Or votre entendement ne peut s'empêcher de juger bon, et convenable* [*etc.*] *ce qui lui parait tel. Il y a toûjours des differences dans les choses, et ces differences déterminent necessairement votre* [*son*] *jugement; car il nous seroit impossible de choisir entre deux choses indiscernables (s'il y en avoit). Donc toutes nos actions sont necessaires, puisque par votre aveu meme, vous agissés toûjours conformément a votre volonté, et que je viens de vous prouver 1° que votre volonté est necessairement déterminée par le jugement de votre entendement. 2° que ce jugement dépend de la nature de vos idées. 3° et enfin que vos idées ne dépendent point de vous.* Comme cet argument dans lequel les ennemis de la liberté mettent leur principale force a plusieurs branches, il y a aussi plusieurs réponses.

Premièrement, quand on dit que nous ne sommes pas **reponse]** libres quant a l'acte même de vouloir, cela ne fait rien a notre liberté; car la liberté consiste a agir ou ne pas agir, et non pas a vouloir ou a ne pas vouloir.

67] Secondement, ***notre entendement,*** dit-on ***ne peut s'empêcher de juger bon ce qui lui paroit tel, l'entendement determine*** [*donc*] ***la volonté,*** etc. Ce raisonnement n'est fondé que sur ce qu'on fait sans s'en apercevoir autant de petits êtres de l'entendement et de la volonté,[25] lesquels on supose agir l'un sur l'autre, et déterminer ensuite nos actions. Mais c'est une méprise qui n'a besoin que d'etre aperçûë pour etre rectifiée, car on sent aisément que vouloir, juger, etc., ne sont que differentes fonctions de notre entendement. De plus, avoir des perceptions, et juger qu'une chose est vraye et raisonnable lorsqu'on voit qu'elle l'est effectivement, ce n'est point une action, mais une simple passion, [et] car ce n'est en effet que sentir ce que nous sentons, et voir ce que nous voyons; [or] et il n'y a aucune [raison] liaison entre l'aprobation et l'action, entre ce qui est passif, et ce qui est actif.

68] Troisiemement *les differences des choses determinent* dit-on ***notre entendement.*** Mais on ne considere pas que [quatriemement] la liberté d'indifference avant le dictamen de l'entendement est une veritable contradiction dans les choses qui ont des differences reelles entr'elles. Car selon cette belle définition de la liberté, les idiots, les imbecilles, les animaux même seroient plus libres que nous, et nous le serions d'autant plus que nous aurions moins d'idées, que nous apercevions moins les differences des choses, c'est a-dire a-proportion que nous serions plus imbecilles, ce qui est absurde.

Si c'est la la liberté qui nous manque, je ne vois pas que nous ayons beaucoup a nous plaindre. La liberté d'indifference dans les choses discernables n'est donc pas reellement une liberté.

[25] *Cf.* Patterson 48, ll. 9-11: Ils disent une absurdité visible; car ils supposent qu'une pensée est un petit être réel qui agit réellement sur un autre être nommé la volonté;

A l'egard [pour ce qui est] du pouvoir de choisir entre des choses parfaitement semblables, comme nous n'en connaissons point, il est difficille que nous puissions dire ce qui nous arriveroit alors. Je ne sçai même si ce pouvoir seroit une perfection, mais ce qui est de bien certain, c'est que le pouvoir soi-mouvant, seule et veritable source de la liberté ne pouroit etre détruit par l'indiscernabilité de deux objets. Or tant que l'homme aura ce pouvoir soi-mouvant, l'homme [il] sera libre.

Quatriemement, *quant a ce que notre volonté est toûjours déterminée par ce que notre entendement juge le meilleur*, je répons: *La volonté, c'est a-dire la dernière perception ou aprobation de l'entendement* (car c'est là le sens de ce mot dans l'objection dont il s'agit) la volonté, dis-je, ne peut avoir aucune influence sur le pouvoir soi-mouvant en quoi consiste la liberté. Ainsi la volonté n'est jamais la cause de nos actions, quoiqu'elle en soit l'occasion, car une notion abstraite ne peut avoir aucune influence phisique sur le pouvoir phisique soi-mouvant qui reside dans l'homme, et ce pouvoir est exactement le même avant et apres le dernier jugement de l'entendement. 66]

Il est vrai qu'il y auroit une contradiction dans les termes moralement parlant, a suposer qu'un être sage fasse une folie, et que par consequent il preferera sûrement ce que son entendement jugera etre le meilleur. Mais il n'y auroit a cela nulle contradiction phisique, car la necessité phisique et la necessité morale sont deux choses qu'il faut distinguer avec soin. La l^ere^ est toûjours absolûë, mais la 2^de^ n'est jamais que contingente, et elle est tres compatible avec la liberté naturelle et phisique la plus parfaite. 67]

Le pouvoir [d'agir] phisique d'agir est donc ce qui fait de l'homme un être libre, quelque soit l'usage qu'il en fait et la privation de ce pouvoir suffiroit seule pour le rendre un être purement passif malgré son intelligence. Car une pierre que je jette n'en seroit pas moins un être. passif, quoiqu'elle eut le sentiment interieur du mouvement que je lui imprime.

68] Enfin etre determiné par ce qui nous paroit le meilleur, c'est au moins une aussi grande perfection que le pouvoir de faire ce que nous avons jugé tel.

Nous avons la faculté de suspendre nos désirs, et d'examiner ce qui nous semble le meilleur afin de pouvoir le choisir. Voila une partie de notre liberté. Le pouvoir d'agir ensuite conformément a notre choix, voila ce qui rend cette liberté pleine et entière, et c'est en faisant un mauvais usage de ce pouvoir que [cette partie de] [notre liberté,] nous avons de suspendre nos désirs et en se determinant trop promptement que l'on fait tant de fautes.

69] Plus nos déterminations sont fondées sur de bonnes raisons, plus nous aprochons de la perfection, et c'est cette perfection dans un degré plus eminent qui caracterise la liberté [de Dieu] [et] des êtres plus parfaits que nous et celle de Dieu même.

Car que l'on y prenne bien garde. Dieu [même] ne peut etre libre que de cette façon;[26] la necessité morale de faire toûjours le meilleur est même d'autant plus grande dans Dieu que son être infiniment parfait est au-dessus du notre. La veritable et la seule liberté est donc *le pouvoir de faire ce qu'on choisit de faire*, et toutes ces objections que l'on fait contre cette [liberté] espece de liberté détruisent egalement celle de Dieu, et celle de l'homme; et par conséquent s'il s'ensuivoit que l'homme ne fut pas libre, parce que sa volonté est toûjours determinée par les choses que son entendement juge etre les meilleures, il s'ensuivroit aussi que Dieu ne seroit point libre, et que tout seroit effet sans cause dans l'univers, ce qui est absurde. (§15) n. 6)

L'homme est donc par sa qualité d'être intelligent dans

[26] *Cf.* Patterson 48, l. 30: Dieu, encore une fois, ne peut être libre que de cette façon.

la necessité de vouloir ce que son jugement lui represente comme [etre] le meilleur:[27] S'il en etait autrement, il faudroit qu'il fut soumis a la détermination de quelque autre que lui-même, et il ne seroit plus libre, car vouloir ce qui ne feroit pas plaisir est une veritable contradiction, *et faire ce qu'on juge le meilleur, ce qui fait plaisir*, c'est etre libre.[28] A peine pourions nous concevoir un être plus libre qu'en tant qu'il est capable de faire ce qu'il lui plait; et tant que l'homme a cette liberté, il est aussi libre qu'il est possible a la liberté de le rendre libre, pour me servir des termes de Mr. Lock.

Enfin *l'Achille* des ennemis de la liberté est cet argument-cy. 70]

Dieu est omniscient; le passé, le present, et l'avenir sont egalement presents a ses yeux. Or si Dieu sçait tout ce que je dois faire, il faut absolument que je me détermine a agir de la façon dont il l'a prevû, donc nos actions ne sont pas libres. Car si quelques unes des choses futures etoient contingentes ou [etoient] incertaines, si elles dépendoient de la liberté de l'homme, en un mot si elles pouvoient arriver ou n'arriver pas, Dieu ne les pouvoit pas prévoir, il ne seroit donc pas omniscient.

4^e^ objection la prescience de Dieu

Il y a encor plusieurs réponses a cet argument qui paroit d'abord invincible.

1° La prescience de Dieu n'a aucune [ne donne] influence sur la manière de l'existence des choses. Cette prescience ne donne pas aux choses plus de certitude qu'elles n'en auroient s'il n'y avoit pas de prescience, et si l'on ne prouve pas par d'autres raisons l'impossibilité de la liberté humaine, la seule consideration de la certitude de sa prescience Divine ne seroit pas capable de détruire cette liberté. Car la prescience de Dieu n'est pas

reponse]

[27] *Cf.* Patterson 48, ll. 2-4: L'homme se détermine à ce qui lui semble le meilleur, et cela est incontestable;

[28] *Cf.* Patterson 48, ll. 28-29: puisque faire ce qui fait plaisir, c'est être libre.

la cause de l'existence des choses, mais elle est elle-même fondée sur leur existence. Tout ce qui existe aujourd'hui, ne peut pas ne point exister [necessairement] pendant qu'il existe, et il etoit hier et de toute eternité aussi certainement vrai que les choses qui existent aujourd'hui devoient exister, qu'il est maintenant certain que ces choses existent.

2° La simple prescience d'une action avant qu'elle soit faite ne differe en rien de la connoissance qu'on en a apres qu'elle est faite. Ainsi la prescience ne change rien a la certitude d'evenement, [a la certitude d'evenement qui seroit toute aussi grande, quand bien même il n'y auroit point de prescience. La prescience toute seule n'a]
71] [donc aucune influence sur l'existence des choses, et ne les rend point du tout necessaires,] car suposés pour un moment que l'homme [fut] soit libre, et que ses actions ne puissent etre prevûës, n'y [aura-t-il] aura-t-il pas malgré cela la même certitude d'evenement dans la nature des choses, et malgré la liberté, n'y a-t-il pas eu hier et de toute eternité une aussi grande certitude que je ferois une telle action [se feroit] aujourd'hui, qu'il y en a [qu'elle est] actuellement [faite;] que j'ai fait cette action ainsi quelque difficulté qu'il y eut a concevoir la manière dont la prescience de Dieu s'accorde avec notre liberté, comme cette prescience ne renferme qu'une certitude d'evenement qui se trouveroit toûjours dans les choses quand même elles ne seroient pas prevûës, il est evident qu'elle ne renferme aucune necessité, et qu'elle ne détruit point la possibilité de la liberté.

La prescience de Dieu est précisément la même chose que sa connoissance. Ainsi de même que sa connoissance n'inflûë en rien sur les choses qui sont actuellement, de même la prescience n'a aucune influence sur celles qui sont a venir, et si la liberté est possible d'ailleurs, le pouvoir qu'a Dieu de juger infailliblement des evenements libres ne peut les faire devenir necessaires, [car] puisquil faudroit pour cela qu'une action put etre libre et necessaire en même tems.

3° Il ne nous est pas possible a la verité de concevoir comment Dieu peut prevoir les choses futures a moins de suposer une chaine de causes necessaires, car de dire 73] avec les scolastiques que [Dieu] tout est present a Dieu non pas a la verité *in mensura propria sed in nensura aliena non dans sa propre mesure mais dans une autre mesure* ce seroit [vouloir] meler du comique a la question la plus importante que les hommes puissent agiter.

Il vaut beaucoup mieux avouer que les dificultés que 71] nous trouvons a concilier la prescience de Dieu avec [et] notre liberté viennent de l'ignorance ou nous sommes sur les attributs de Dieu et non pas de l'incompatibilité absolue qu'il y a entre la prescience et la liberté. [prouve seulement que nous ne comprenons pas ces attributs de Dieu, et non pas que la prescience est incompatible avec la liberté] Car l'accord de la prescience de Dieu avec notre liberté [La prescience de Dieu] n'est pas plus incomprehensible pour nous que son Ubiquité, sa durée infinie déjà ecoulée, sa durée infinie a venir, et tant de choses quil nous sera toujours egalement impossible de nier et de 72] connoitre que nous ne pouvons ny nier ny connoitre.[29] Les attributs infinis de l'etre supreme sont des abysmes[30] ou nos faibles lumières s'aneantissent. Nous ne sçavons, et nous ne pouvons sçavoir quel raport il y a entre la prescience du createur et la liberté de la creature, et comme dit le grand Newton *ut cœcus ideam non habet colorum, sic nos ideam non habemus modorum quibus Deus sapientissimus sentit et intelligit omnia*; ce qui veut dire en français *de même que les aveugles n'ont aucune*

[29] *Cf.* Patterson 49, ll. 11-15: . . . mais cette préscience et cette omniscience sont aussi incompréhensibles pour nous que son immensité, sa durée infinie déjà passée, sa durée infinie à venir, la création, la conservation de l'univers, et tant d'autres choses que nous ne pouvons ni nier, ni connaître.

[30] *Cf.* Patterson 49, ll. 7-8: . . . tous ses attributs sont pour nous des abymes impénétrables.

*idée des couleurs ainsi nous ne pouvons comprendre la façon dont l'etre infiniment sage voit et connoit toutes choses.*

4°. Mais je demanderai de plus a ceux qui sur la consideration de la prescience divine nient la liberté de l'homme, si Dieu a pû creer des creatures libres, il faut bien qu'ils repondent qu'il l'a pû, car Dieu peut tout, hors des contradictoires, et il n'y a que les attributs auxquels l'idée de l'existence necessaire et de l'independance absolûë est attachée dont la communication implique contradiction; or la liberté n'est certainement pas dans ce cas, car si cela etoit, il seroit impossible que nous nous crussions libres, comme il l'est que nous nous croyons infinis, tout puissants etc. Il faut donc avoûër [ou] que Dieu a pû creer des êtres libres, ou dire qu'il n'est pas tout puissant, ce que personne, je crois, ne dira. [et] Si donc Dieu a pû creer des êtres libres, on peut [donc] suposer qu'il l'a fait, et si creer des êtres libres, et prévoir leur déterminations etoit une contradiction, pourquoi Dieu en creant des êtres libres n'auroit-il pas pû ignorer l'usage qu'ils feraient de la liberté qu'il leur a donnée. Ce n'est pas limiter la puissance divine que de la borner aux seules [contradictions] contradictoires or creer des creatures libres, et gener de quelque façon que ce puisse etre leurs determinations, c'est une contradiction dans les termes. Car cest créer des creatures libres et non libres en meme tems. Ainsi il s'ensuit necessairement du pouvoir que Dieu a de creer des êtres libres, que s'il a créé 73] de tels êtres [ou que] que sa prescience ne détruit point leur liberté, ou bien [il] quil ne prevoit pas leurs actions, et celui qui sur cette suposition nieroit la prescience de Dieu, ne nieroit pas plus sa toute science que celui qui diroit que Dieu ne peut pas faire ce qui implique contradiction, ne nieroit sa toute puissance.

Mais nous ne sommes pas reduits a faire cette supposition. Car il n'est pas necessaire que je comprenne la façon dont la prescience et la liberté s'accordent pour admettre l'une et l'autre. Il me suffit [de m'etre] d'etre assuré que je suis libre, et que Dieu prevoit tout ce qui doit arriver, car alors je suis obligé de conclure que son omniscience et sa prescience ne genent point ma liberté, quoique je ne puisse pas concevoir comment cela se fait, de même que lorsque je me suis prouvé un Dieu, je suis obligé d'admettre la creation *ex nihilo* quoiqu'il me soit impossible de la concevoir.

5°. Cet argument de la prescience de Dieu, s'il avoit quelque force contre la liberté de l'homme, détruiroit encore egalement celle de Dieu. Car si Dieu prévoit tout ce qui arrivera, il n'est donc pas en son pouvoir de ne pas faire ce qu'il a prevû qu'il feroit; or il a eté demontré que Dieu est libre. (§15) n. 6°) La liberté est donc possible; Dieu a donc pû donner a ses creatures une petite portion de liberté, de même qu'il leur a donné une petite portion d'intelligence.

Quelle difference il y a entre la liberté de Dieu et celle de l'homme entre la liberté de l'homme, et celle des animaux.

87. La liberté dans Dieu est le pouvoir de penser toûjours tout ce qu'il lui plait, et de faire toûjours tout ce qu'il veut. La liberté donnée de Dieu a l'homme est le pouvoir faible et limité d'operer certains mouvements et de s'apliquer a quelques pensées.[31] La liberté des enfans·qui ne reflechissent point encore, et celles des especes d'animaux qui ne réflechissent jamais, consiste seulement a vouloir et a operer certains mouvements. Si nous etions toûjours libres, nous serions semblables a Dieu.[32] Contentons nous donc d'un partage convenable au rang que nous tenons dans la nature, mais parce que nous n'avons

[31] *Cf.* Patterson 45, ll. 18-25: La liberté dans Dieu est le pouvoir de penser toujours tout ce qu'il veut, et d'opérer toujours tout ce qu'il veut. La liberté donnée de Dieu à l'homme est le pouvoir faible, limité, et passager, de s'appliquer à quelques pensées, et d'opérer certains mouvemens. La liberté des enfans qui ne réfléchissent point encore, et des espèces d'animaux qui ne réfléchissent jamais, consiste à vouloir et à opérer des mouvemens seulement.

[32] *Cf.* Patterson 46, l. 37: Si nous étions toujours libres, nous serions ce que Dieu est.

pas les attributs d'un Dieu, ne renonçons pas aux facultés d'un homme.[33]

Certain conclusions may now be summarized not only concerning the origin of the *Traité de métaphysique*, but also concerning its development and the factors which contributed to that development. Begun in 1734, under the inspiration of Locke, Clarke, Malebranche, but more particularly Locke, it reached what Voltaire judged a state of completion in December of that year. In this state, it consisted of not more than seven of the nine chapters which we now have in the printed text. It is even conceivable that it comprised less than these seven chapters, but most certainly Chapter II upon the nature and existence of God, Chapter V on the nature of soul and thinking matter, and probably Chapter VII on free-will had a place in the *Traité* at this stage in its development. Locke and Clarke were its inspiration, and Formont was the confidant with whom Voltaire discussed his ideas.

However, Voltaire changed his mind and instead of considering the *Traité* a completed work, he set to work to revise it during 1735, making some changes in Chapter V on thinking matter and adding two chapters (VIII and IX) upon "la morale." The change in the chapter on thinking matter was occasioned by his discussion with Tournemine. The addition of the two chapters on "la morale" was occasioned by a careful study in company with Mme du Châtelet of Mandeville's *Essay on the Origin of Moral Virtue*. It is difficult to mark at what time in the year these revisions and additions were made, although from an examination of the Correspondence it seems plausible that they were undertaken in November and December of that year. At their conclusion, possibly in the opening months of 1736, Voltaire made a copy of his *Traité* and presented it to Mme du Châtelet along with his quatrain. At this stage in the develop-

[33] *Cf.* Patterson 47, ll. 1-6: Contentons-nous d'un partage convenable au rang que nous tenons dans la nature. Mais ne nous figurons pas que nous manquons des choses mêmes dont nous sentons la jouissance, et parce que nous n'avons pas ces attributs d'un Dieu, ne renonçons pas aux facultés d'un homme.

ment of the *Traité*, its literary sources were Mandeville and probably Shaftesbury. Formont is still Voltaire's confidant at the beginning of the year, but the latter shows signs of wishing to discuss also with Thieriot. However, as the year progresses, he abandons Formont as a confidant, renounces his intention of replacing him with Thieriot, and he and Mme du Châtelet become collaborators in metaphysical thought.

Voltaire, however, was not satisfied with the organization of his *Traité*. After the presentation of the copy to Mme du Châtelet around the beginning of 1736, he set to work to recast it, abandoning the division into chapters and adopting the method of sections. He seems, however, to have returned to the use of chapters at some later period. There is sufficient evidence to warrant the conclusion that he worked over the whole treatise, but the chapter which most concerned him now was that on free-will. There is also a noticeable, though slight, tendency to give greater consideration to the impact which physics has upon any discussion of metaphysics. New influences play upon his mind, chiefly Christian Wolff, but probably Collins also, and Frederick becomes his confidant. In fact, so great does Frederick's influence become that it even overshadows Mme du Châtelet's, at least temporarily during 1737 and the beginning of 1738.

Thus the *Traité* passed through three stages between 1734 and 1737. Each stage is conditioned by Voltaire's readings: Locke and Clarke in the first; Mandeville and probably Shaftesbury in the second; Newton and Wolff in the third. Each stage is further conditioned by discussions with contemporaries: Formont in the first; Tournemine and Mme du Châtelet in the second; Mme du Châtelet and Frederick in the third. Far from being the completed work which Voltaire judged it in December, 1734, and again when he made his presentation to Mme du Châtelet at the beginning of 1736, it seems never to have been finished.

Therein lies the explanation for the truncated appearance of the *Traité*, for its failure to interest philosophers, for its aridity which even admirers of Voltaire have been forced tacitly to admit, and the often expressed opinion that Voltaire's metaphysical thought is naive and inconclusive. We have his exposition neither in the initial nor final but in the intermediate state, where the immaturity of the early draft has not been eliminated and the complications of revisions have not been completely obliterated. It is true that it contains some very definite views upon the existence of God, the nature of thought, free-will, and ethics, and if we examine his treatment of any one of these subjects in the *Traité* we cannot fail to see either the pertinent points or connection of ideas. What precisely is not clear is why Voltaire concerns himself with these problems, what method he intends applying to them in addition to the argumentative which is somewhat unphilosophical, what general direction he intends giving to this thought, in short, what definite aim he has in mind.

This lack of definite aim is apparent in the structure and development of the *Traité*. There is properly speaking no introduction, the one so-called being a hodge-podge of views upon the nature of man. In treating these views, Voltaire is anything but serious. He is still less serious in his first chapter, merely establishing the fact that just as there are many species of trees, there are many species of man, and concluding that all cannot descend from one man. He really embarks upon his subject in Chapter II, sketching for the first time a plan of his intentions (Patterson, p. 6) at the beginning of this chapter: "Nous avons à examiner ce que c'est que la faculté de penser dans ces espèces d'hommes différentes; comment lui viennent ses idées, s'il a une ame distincte du corps, si cette ame est éternelle, si elle est libre, si elle a des vertus et des vices etc., mais la plupart de ces idées ont une dépendance de l'existence ou de la non-existence d'un Dieu. Il faut, je crois, commencer par sonder l'abyme de ce grand principe." Some of the subsequent parts of the *Traité* can be recognized in this plan. "Ce que c'est que la faculté de penser dans ces espèces différentes" can hardly be identified; "comment lui viennent ses idées" is however obviously Chapter III (Que Toutes les idées viennent par les sens); "s'il a une ame distincte du corps" is Chapter V (Si l'homme a une ame, et ce que ce peut être); "si cette ame est éternelle" is Chapter VI (Si ce qu'on appelle ame est immortelle); "si elle est libre" is Chapter VII; "si elle a des vertus et des vices" is Chapter IX (De la vertu et du vice); and the "existence ou la non-existence d'un Dieu" is Chapter II (S'il y a un Dieu). Two of the chapters (IV. Qu'il y a en effet des objets extérieurs and VIII. L'homme considéré comme un animal social) are not included in the plan.

At the end of Chapter II, Voltaire presents a second plan somewhat different from the above-mentioned (Patterson, p. 18):

Après nous être ainsi traînés de doute en doute, et de conclusion en conclusion, jusqu'à pouvoir regarder cette proposition *il y a un Dieu* comme la chose la plus vraisemblable que les hommes puissent penser, et après avoir vu que la proposition contraire est une des plus absurdes, il semble naturel de rechercher quelle relation il y a entre Dieu et nous, de voir si Dieu a établi des lois pour les êtres pensans, comme il y a des lois mécaniques pour les êtres matériels, d'examiner s'il y a une morale, et ce qu'elle peut être; s'il y a une religion établie par Dieu même. Ces questions sont sans doute d'une importance à qui tout cède, et les recherches dans lesquelles nous amusons notre vie sont bien frivoles en comparaison; mais ces questions seront plus à leur place quand nous considérons l'homme comme un animal sociable.

Examinons d'abord comment lui viennent ses idées, et comment il pense, avant de voir quel usage il fait ou doit faire de ses pensées.

In this plan it is difficult to identify the remaining chapters of the work. The "relation" between God and man as well as all the other considerations which he advances seems to refer only to Chapter IX.

A third plan is suggested at the beginning of Chapter V (Patterson, p. 31):

Nous sommes certains que nous sommes matière, que nous sentons et que nous pensons; nous sommes persuadés de l'existence d'un Dieu duquel nous sommes l'ouvrage, par des raisons contre lesquelles notre esprit ne peut se révolter. Nous nous sommes prouvé à nous-mêmes que ce Dieu a créé ce qui existe. Nous nous sommes convaincus qu'il nous est impossible, et qu'il doit nous être impossible de savoir comment il nous a donné l'être. Mais pouvons-nous savoir ce qui pense en nous? quelle est cette faculté que Dieu nous a donnée? est-ce la matière qui sent et qui pense? est-ce une substance immatérielle? en un mot, qu'est-ce qu'une ame?

This plan is so confused that only Chapters II and V can be identified. Thus of three outlines given in the *Traité* itself not one gives a clear idea of its structure, not one outlines the direction which the work is taking; not one shows the aim of the author. And there is no conclusion to mark this direction or this aim.

Voltaire, however, in his letter of October, 1737, to Frederick (Moland 781) which accompanied the "extrait" is fully aware of the intention of his "métaphysique morale" as he now calls it and of his purpose in writing the "extrait":

> Peut-être l'humanité, qui est le principe de toutes mes pensées, m'a séduit dans cet ouvrage; peut-être l'idée où je suis qu'il n'y aurait ni vice ni vertu; qu'il ne faudrait ni peine ni récompense; que la société serait, surtout chez les philosophes, un commerce de méchanceté et d'hypocrisie, si l'homme n'avait pas une liberté pleine et absolue, peut-être, dis-je, cette opinion m'a entraîné trop loin.
>
> Je ramène, toujours, autant que je peux, ma métaphysique à la morale.
>
> C'est l'homme que j'examine.

It is important to note that Voltaire's plan, this time remarkably clear, refers however not to the second, but to the third draft, of which we possess only the "extrait d'un chapitre sur la liberté." Two basic questions identical with those which formed the core of Bayle and the Abbé Prévôst's thought assume for him a position of prime importance: how do we think and how do we act? But any reasonable answer to these questions must depend upon five metaphysical principles: the existence of God, the nature of matter, thinking matter, free-will, the nature of vice and virtue. A knowledge of these principles is necessary to a clear understanding of man's moral nature. An actual explanation of them, however, is really not essential. In dealing with the problem of the existence of God, for instance, it is less important to know His being and attributes than the fact of His existence. And similarly for the other four principles. But how can we know?

Certainly one cannot explain a metaphysical principle by clear and distinct ideas. Voltaire has definitely chosen the method of analysis: analysis of the external world, of man, and especially of arguments presented by others. Wherever this analysis reveals an absurdity, the idea under investigation is to be rejected. For absurdity with Voltaire is the test for error, whereas probability is the test for metaphysical truth.

Thus we can now understand that the *Traité de métaphysique*, though truncated and rather formless in the draft now extant, was really fundamental in the development of Voltaire's thought, a fact already recognized by Professor Lanson. Strictly speaking, it is an inventory which he was taking of his basic ideas; but unfortunately, we have only at our disposal the somewhat disorganized notes of that inventory. With the finished product, a fuller and richer Voltaire would have long ago emerged. But a study of the *Traité*, incomplete as it is, together with the preserved Chapter V of the third draft, will reveal that other works of Voltaire stem from the fundamental position which he is assuming toward the five metaphysical problems. Undoubtedly the relationship would be clearer if we possessed the *Traité* in its finished form. Nevertheless, from the material which we now have at hand we can see that the "métaphysique morale" has in it the origins of the *Discours en vers sur l'homme* from which will evolve the whole series of *poèmes philosophiques*. It will give origin also to the *conte philosophique*. In a way these two literary media are extensions of the *Traité*, natural developments of Voltaire's philosophical thought. The real continuation of the *Traité* is in the *Métaphysique de Newton*, the *Dictionnaire philosophique* and the *Philosophe ignorant*, where Voltaire reviews his five (or rather six, for he was finally forced to add the problem of good and evil) basic metaphysical problems.

But if the *Traité* was of such fundamental importance why did Voltaire refrain from publishing it? The explanation that he did not dare to do so because of the censorship or that Mme du Châtelet kept the only existing copy along with *La Pucelle* "sous cent clefs," does not seem particularly convincing. We have proven the myth of the one copy absolutely false. The explanation concerning the censorship seems more plausible. In 1737 his position with respect to the police was certainly not an enviable one. He had already undergone two especially harassing experiences with them because of his works during a three-year period. His desire to live in peace at Cirey made him genuinely prudent at this time. But in spite of the police, Voltaire never failed except in this one instance to bring out sooner or later a work which he had written. There seem to have been only three reasons for his failure to do so in this particular case: either he persisted in believing that the *Traité* was his inventory and not destined for the public; or he desisted because he could never bring it to the state of completion; or finally he found a better form in which to cast the ideas contained in it. These three reasons are not mutually exclusive, and probably all three existed in his mind; the last, however, superseding the others in importance.

## 5. SOME ASPECTS OF NEWTONIAN STUDY AT CIREY

Numerous statements on the part of Voltaire concerning the contribution of Mme du Châtelet to the *Eléments* can be found in his work. In a letter to Frederick, written in February, 1737, from Amsterdam, where he was then preparing his edition of the *Eléments de la philosophie de Newton*, he stated: "J'avais esquissé les principes assez faciles de la philosophie de Newton; Mme du Châtelet avait sa part à l'ouvrage; Minerve dictait, et j'écrivais."[1] On December 23, 1737, in a letter to Cideville, he reiterated that Mme du Châtelet was his guide in physics: "Je m'amuse d'ailleurs à me faire un cabinet de physique assez complet. Mme du Châtelet est dans tout cela mon guide et mon oracle."[2] The following year, in the "Epître dédicatoire à Mme la Marquise du Châtelet" at the beginning of the first edition of the *Eléments*, he actually implied that the role of the Lady Newton in the confection of the work was not only considerable, but that

[1] *Œuvres de Voltaire*, ed. Moland (Paris, 1882 ff.), XXXIV, 219.
[2] Moland XXXIV, 364.

it was really the major one: "L'étude solide que vous avez faite de plusieurs nouvelles vérités, et le fruit d'un travail respectable, sont ce que j'offre au public pour votre gloire, pour celle de votre sexe, et pour l'utilité de quiconque voudra cultiver sa raison et jouir sans peine de vos recherches."[3] Later in the "Epître" Voltaire again spoke of the intimate connection which Mme du Châtelet had with the work: "Vous vous bornez dans cette étude, dont je rends compte. . . ."

Such statements clearly indicate that Voltaire admitted a virtual collaboration which existed between himself and Mme du Châtelet in the composition of the *Eléments*. And yet there are certain very definite obstacles to the acceptance of this interpretation. The first is the so-called Leibnitzian tendency of the lady and the well-known admiration of Voltaire for Newton. This obstacle has been, as we attempted elsewhere to show, exaggerated. Both Voltaire and Mme du Châtelet seem to be curious about Leibnitz as well as Newton, but both are predominantly "Newtonians."

A second obstacle is the fact that Voltaire's work always seems to precede that of Mme du Châtelet. The *Eléments*, as everyone knows, was written in 1738. Mme du Châtelet's *Institutions de physique* dates only from 1741. Moreover, it is well known that he decided to compete for the prize offered by the Académie des Sciences before Mme du Châtelet had any intention of doing so. Unless one can offer other than chronological reasons, a better case can be made for the thesis that Mme du Châtelet was being encouraged by Voltaire than that Voltaire was the pupil and Mme du Châtelet the teacher. Still, it is unwise to be too arbitrary with dates. An editor's note, for instance, to the *Institutions*, states that the work was ready for printing "dès le 18 septembre, 1738, comme il paraît par l'approbation." Hence, it is fair to assume that the *Institutions*, though not published until several years later, was being composed at the same time as the *Eléments* was being written.

A third obstacle is more important still. When the 1738 edi-

[3] Edition of 1738, pp. 9-10.

tion of the *Eléments* appeared, it discussed two subjects of physics: optics and the theory of attraction, the first fourteen chapters being devoted to optics. Up to the present we have had no treatise or any portion of a treatise by Mme du Châtelet upon optics.

Considerations of this sort have rendered imperative a review of the facts concerning the relationship of Mme du Châtelet to the *Eléments*. Briefly summarized, the facts are as follows: (1) Voltaire intimated that he owed the whole *Eléments* to the Lady Newton. (2) But the part I of the *Eléments* (not published until 1740) which shows some resemblance to Chapter I of the *Institutions de physique* (1741) shows also some resemblance to his own *Traité de métaphysique* begun in 1734. Hence no case for the primacy of Mme du Châtelet in metaphysical ideas can be made. (3) In the first edition of the *Eléments*, the first fourteen chapters (those upon optics) have no counterpart in any of Mme du Châtelet's known work. Moreover, in September, 1738, Mme du Châtelet inserted in the *Journal des savants* an *Extrait des Eléments de la philosophie de Newton*. The article is really a review of the book, but only of the second subject treated in the work. Mme du Châtelet discusses at length Newtonian attraction, but adds not a word about Newtonian optics, the subject of the first fourteen chapters in the *Eléments*. From these facts, we could conclude that she either did not know the field of optics or had no interest in it. (4) There is undoubtedly a parallel to be drawn between the latter part of the *Eléments* and Mme du Châtelet's translation of Newton's *Principia* with commentary, particularly with the commentary. These similarities I have noted elsewhere. But we know that Mme du Châtelet was preparing her work for the press in 1746 and 1747, and really did not complete it until 1749, over a decade after the appearance of Voltaire's work. We can conclude that of these four facts there is certainly a contradiction between the first one and the three others.

There remains, however, the possibility that our knowledge concerning Mme du Châtelet's studies in Newton is rather incomplete. At the present time, her known works in physics extend only to the review of Voltaire's *Eléments* in the *Journal des savants* (1738), the publication of the *Institutions de physique* (1741), the *Essai sur la nature du feu* (1739), and the translation of Newton's *Principia* with commentaries published in 1759, but written between 1746-49. We naturally assume that these works are spaced over the period 1733-49 in succession, and that they represent the full extent of her efforts. In the first assumption we are probably wrong. On page 294 of the *Institutions,* Mme du Châtelet indicates that she had already planned, if not written, the volume upon the *Système du monde planétaire* which was published as the second part of her commentary to the *Principia* only in 1759:

> Ce n'est pas ici le lieu de montrer, comment tous les corps célestes confirment cette découverte par la régularité de leur cours, et comment les comètes ne semblent venir étonner notre univers, que pour rendre un nouveau témoignage à ces vérités apperçues par M. Newton. Cet article appartient au livre où je vous parlerai de notre monde planétaire, et je ne vous indique même ici les découvertes que M. Newton a fait sur le cours des astres, que parce que ce sont ces découvertes qui l'ont conduit à connaître que la même cause qui les dirige dans leur cours, opère la chute des corps vers la terre.

In the second assumption, we are certainly in error. The editor's note to the *Institutions* to which we have referred above, speaks of "ce premier tome des *Institutions de physique*." Evidently, her work was broader than we have hitherto suspected.

A review of her correspondence also discloses a somewhat more sustained and wider interest than might be actually inferred from her published works. To an unidentified correspondent, she wrote on January 3, 1736: "Voltaire fait *L'Histoire de Louis XIV*; et moi, je *newtonise* tant bien que mal." To this rather small indication should be added the fact that she evinced much interest in Algarotti's Newtonian tendencies in the *Neutonismo per le dame,* so much interest, in fact, that she invited him to spend time at Cirey. Her correspondence with him as well as with Maupertuis (and it should be recalled that many of the letters collected by Asse are addressed to these two famous Newtonians) often turned upon Newtonian problems. Curiously enough, the letters disclose that the portion of Newton's physics which most attracted her was optics. To the unnamed correspondent mentioned above, she wrote announcing Algarotti's *Dialogues*: "Il a mis les sublimes discours de M. Newton sur la lumière. . . ." (p. 78) To Algarotti himself she wrote on May 20, 1736: "Vous nous aviez promis vos *Dialogues* sur la lumière, en manuscrit. Nous les attendions avec impatience, mais vous ne nous avez pas tenu parole, apportez-nous-les donc." In due time, the *Dialogues* arrived. On September 1, 1738, Mme du Châtelet wrote to Maupertuis: "Son livre est frivole. C'est un singe de Fontenelle qui a des grâces. Le sixième dialogue (Réfutation de quelques hypothèses nouvelles sur la nature des couleurs; confirmation du système de Newton) est assez bien fait, le reste est diffus et assez vide de choses." (pp. 229-30) Not only did she follow with interest and some disappointment the popularization of Newton's optics by others, she also plunged into experiments on the nature of light. In the letter of May 20, 1736, to Algarotti, she complains that her "chambre obscure" which she had sent to the Abbé Nollet to be repaired, was more obscure than ever. (p. 93) She likewise urges Algarotti to hasten back from England to Cirey: "J'attends votre retour d'Angleterre pour faire les expériences . . . des *Dialogues*." (p. 91) However, Mme du Châtelet's interest in light was limited neither to reading vulgarizations upon the subject nor to performing amateurish experiments. She knew thoroughly the work of the English master himself. When in December, 1738, Du Fay called into question Newton's theory of seven primary colors and his ideas upon refrangibility, Mme du Châtelet wrote to Maupertuis: "Je sais presque par cœur l'optique de M. Newton, et je vous avoue que je ne croyais pas qu'on pût révoquer en doute ses expériences sur la réfrangibilité. Ce sont celles qu'il a faites avec le plus de soin." (p. 246)

As a matter of fact, Mme du Châtelet also wrote her treatise on optics. At the public library in Leningrad there is among the

Voltaire papers a small number of Mme du Châtelet's papers collected in Vol. IX. F. Caussy in his *Inventaire des Mss de la bibliothèque de Voltaire* (Paris, 1913) lists one of the articles as follows:

Institutions de physique par Mme du Châtelet, chapitre IV: de la formation des couleurs. (Copie)

The article to which Caussy referred consists of thirty-four octavo pages of text plus one page of figures. It deals exclusively with the formation of colors and is divided into twenty-one sections. At the end of the twenty-first section is inscribed "fin de lessay sur loptique." It was, of course, an error on the part of Caussy to assume that this was the fourth chapter of the *Institutions de physique*. No part of the *Institutions de physique* as it is now printed treats of optics; the fourth chapter is devoted to the nature and utility of hypotheses. In reality, the article as we now have it is but the fourth chapter of a four-chapter *Essay sur l'optique*. Nothing positive can be presented as to its length. Assuming the three chapters which are now lost were as long as the one which we have, the *Essay* would comprise some 140 pages. Voltaire's chapters on light in the *Eléments* comprise about 178 pages in the first edition. In later editions they were shortened by some twenty pages. It seems fair to assume that Mme du Châtelet's work on optics was as extensive an undertaking as Voltaire's.

Some gleanings may be had concerning the nature of the other three chapters from references which Mme du Châtelet makes to them in the fourth. For instance, in paragraph 1 of Chapter 4, mention is made of Newton's verification of the seven primary colors of light. Mme du Châtelet here refers to her Chapter 1, section 4. It may be inferred that Chapter 1 thus dealt with the composite colors in the ray of light. In paragraph 3 of Chapter 4, Mme du Châtelet wrote: "Un prisme par ex. qui reçoit un trait de lumière solaire blanc lattire par sa masse, et la force, comme on a vu dans le chapitre second, à se fléchir en le traversant." Obviously, Chapter 2 of her treatise dealt with refraction. This assumption is confirmed by a "note 7" to paragraph 5 of Chapter 4: "J'ay desja parlé des corps transparents colorés, ch. 2, art. 12. Mais alors j'ay principalement considéré ces corps par raport aux rayons qu'ils transmettent, et je me propose de faire voir lanalogie qu'il y a entre ces corps et les particules des corps opaques, ainsi je les considerés icy plus particulièrement par raport aux rayons qu'ils réflechissent." In paragraph 8 of Chapter 4, Mme du Châtelet wrote: "Les couleurs de ces lames changent selon l'obliquité de l'œil qui les regarde, et cela ne peut être autrement, car les différents rayons se réflechissent à ces obliquités dincidence différentes comme je l'ay dit dans le chapitre 3." Presumably Chapter 3 dealt with reflection. Hence the broad outlines of the *Essay*, though certainly not the details, may be sketched: Chapter I, The Composition of Light; Chapter II, Refraction; Chapter III, Reflection; Chapter IV, Refrangibility and the formation of Colors.

This is neither the complicated pattern of Newton's *Optics*, nor the simplified pattern of Voltaire's *Eléments*. In a certain sense, it stands midway between Voltaire's naive enthusiasm and Newton's cold experimental method. That is precisely the position which one would reasonably expect her treatise to occupy. Nor is it the least surprising to find that Mme du Châtelet was thoroughly familiar with Newton's work. Statement after statement find their counterpart in the English work. And the digest of the same statement can be found in the more elementary *Eléments*. Mme du Châtelet, like Voltaire, was enthusiastically and completely Newtonian, though less naively so. It is, to be sure, inadvisable to trace here the fortune of each statement as it passed from Newton to Mme du Châtelet to Voltaire, or from Newton to Mme du Châtelet and from Newton to Voltaire. Since they both found their ideas in a common source, it is impossible to trace the line of transmission of the idea.

The method in which the ideas were transmitted is of less importance, in fact, than the consistency with which both Voltaire and Mme du Châtelet present common ideas. It will probably not be amiss to draw up a short table of impressive parallels in the two works:

| *Essay* | *Eléments* |
|---|---|
| p. 3. Cette origine des couleurs se trouve confirmée par toutes les experiences et les rayons les plus réfrangibles c'est à dire ceux qui se détournent le plus de leur chemin en traversant un corps transparent quelconque, sont toujours les plus réflexibles, c'est à dire ceux qui se réfléchissent à une moindre obliquité. | Ed. 1738, p. 135. Songeons que ces atomes les plus réfrangibles sont aussi les plus réflexibles et qu'enfin puisqu'ils sont réfrangibles à raison de leur attraction vers le milieu le plus agissant, il faut bien qu'ils réfléchissent aussi en raison de cette attraction.<br><br>Also p. 106. |
| p. 9. Il ne sera pas inutille de remarquer icy, que cette reflexion et cette transmission alternatives des rayons à travers les plaques minces suivant leurs différentes épaisseurs, sufiroit seulles pour prouver que ce ne sont point les parties solides qui réfléchissent la lumière.<br><br>Also p. 23, 7°. | p. 40. Voilà donc des preuves indubitables que ce n'est point une superficie solide qui nous renvoye la lumière; il y a bien d'autres preuves encore de cette nouvelle vérité; en voici une que nous expliquerons à sa place. Tout corps opaque réduit en lame mince, laisse passer à travers sa substance des rayons d'une certaine espèce, et refléchit les autres rayons: or si la lumière était renvoyée par les corps, tous les rayons qui tomberaient sur ces lames seroient réfléchis sur ces lames. |
| p. 8. Ce rapport admirable entre la reflexion et la refraction fait voir sensiblement, que ces deux effets dépendent d'une même cause, et que cette cause est l'attraction. . . . | p. 106. Il y a donc déjà bien de l'apparence, que ce sera la même loi qui fera réfléchir la lumière et qui la fera réfracter. |
| p. 1. Les meilleurs philosophes croyoient avant lui (Newton) que les couleurs étoient formées par les differentes modifications que les corps impriment à la lumière ou par le mélange inégal de la lumière et de l'ombre. | p. 115. D'autres philosophes sentant le faible de ces suppositions (of Descartes and Malebranche) vous disent au moins avec plus de vraisemblance; *Les couleurs viennent du plus ou du moins de rayons réflechis des corps colorés.* |

| | |
|---|---|
| p. 23. Les corps opaques minces transmettent une couleur, et en réfléchissent une autre comme les lames minces des corps transparents dont j'ay parlé. | p. 40. Tout corps opaque réduit en lame mince, laisse passer à travers sa substance des rayons d'une certaine espèce, et réflechit les autres rayons. |

There is finally one passage in Mme du Châtelet's treatise which merits a moment's attention, because of the similarity of her evaluation with that of Voltaire. She, like Voltaire, was impressed with Newton's measurements of refraction in soap bubbles. Her comment was as follows:

> Rien n'est petit dans la nature pour un philosophe. Mr. Newton a osé mesurer les épaisseurs auxquelles une boule de savon (dont la tenuité et les couleurs changent à tout moment) donne les différentes couleurs, et c'est à l'aide de ces mesures, qu'il a déterminé l'épaisseur nécessaire à une particule quelconque pour nous réflechir telle ou telle couleur. Ainsi ces découvertes si fines qui ne paroissoient pas faites pour l'humanité sont nées à ses yeux du sein d'un amusement méprisable, et on peut dire à Mr. Newton en cette occasion:
> ex jocis infantium et lactentium traxisti veritatem. (p. 5)

Voltaire in his *Eléments* makes the following comment upon the same subject:

> Un divertissement d'enfant, qui semble n'avoir rien en soi que de méprisable, donna à M. Newton la première idée de ces nouvelles vérités que nous allons expliquer. Tout doit être pour un philosophe un sujet de méditation, et rien n'est petit à ses yeux. Il s'aperçut que dans ces bouteilles de savon, que font les enfants, les couleurs changent de moment en moment, en comptant du haut de la boule à mesure que l'épaisseur de cette boule diminue, jusqu'à ce qu'enfin la pesanteur de l'eau et de savon qui tombe toujours au fond rompe l'équilibre de cette sphère légère, et la fasse évanouir. (Moland XXII, 497)

It would be interesting to know at least the approximate date of composition of Mme du Châtelet's *Essay*. There is no internal evidence concerning the date in the treatise. One may infer from the extracts which we have made above from Mme du Châtelet's correspondence of 1736-38, that her interest in optics at that time was sufficiently great to warrant her investigation. This fact is not conclusive. There is, however, one other point which may be mentioned. Around April 10, 1736, in a letter to Algarotti, Mme du Châtelet makes the remark: "Je vous ai envoyé, Monsieur, un manuscrit in-folio qui ne vaut pas les quatre feuilles imprimées que je vous envoye." (p. 86) To be sure, there is no certainty that this "manuscrit in-folio" is the article in question. If it is not the *Essay sur l'optique*, however, I know not what it can be.

Thus, in spite of the apparent contradictions which we noted above, it appears that Voltaire's statements of the rôle played by Mme du Châtelet in the confection of the *Eléments* are substantially accurate. While Voltaire is interested in optics and attraction, Mme du Châtelet is also examining these two subjects. While Voltaire repeats the Newtonian experiments, Mme du Châtelet is also verifying them. While Voltaire is scanning the vulgarizations upon the subject—Algarotti, Pemberton, Du Fay, —Mme du Châtelet is also controlling them. While Voltaire is attempting to understand Newton, Mme du Châtelet is making a similar effort. In a very true sense, they are working together. But there is this difference. While Voltaire is producing an elementary treatise "mis à la portée de tout le monde," Mme du Châtelet's work is more advanced "mis à la portée de Voltaire." Finally, in the composition of the *Eléments*, Mme du Châtelet now takes her place alongside Pemberton as an intermediary between Newton and Voltaire. This fact, to be sure, does not preclude the very real influence of Pemberton which had hitherto been thought paramount. It merely shifts the major influence from Pemberton to Mme du Châtelet, where, on the admission of Voltaire, it belongs.

# CHAPTER III · MME DU CHÂTELET'S STUDY ON GRAMMAR

WHEN, on November 10, 1749, Voltaire wrote to Frederick announcing his projected visit to Berlin, he promised to bring with him a *Grammaire raisonnée* written by Madame du Châtelet, and her translation of Vergil: "Je viendrai ensuite revoir nos comptes, disserter, parler grammaire et poésie; je vous apporterai la *Grammaire raisonnée* de Mme du Châtelet, et ce que je pourrai rassembler de son Virgile."[1] So far as is known, Frederick evinced no interest whatever in the *Grammaire raisonnée*, for, as has been pointed out in the *Briefwechsel Friedrichs des Grossen mit Voltaire*,[2] the work was never mentioned again. At least no further mention of it was made in the correspondence of either party. As for the translation of Vergil, it too failed to arouse Frederick's interest. None the less, despite this apathy, it is reasonably certain that Voltaire carried both works to Berlin, or at any rate those portions which he could locate. For a letter to G. C. Walther of March 27, 1752, presumably refers to the translation of the Vergil.[3] And the three chapters of the *Grammaire raisonnée* which we publish here have been preserved in the Voltaire papers at Leningrad.[4] As for the rest of the treatise, it appears to have been lost either at the time of Mme du Châtelet's death, or during Voltaire's peregrinations of the succeeding years.

If Frederick showed scant interest in the two works, Voltaire had considerable respect for them. When, in 1752, he wrote his *Eloge historique de Madame la Marquise du Châtelet*, he made

[1] *Œuvres de Voltaire*, ed. Moland (Paris, 1882 ff.), XXXVII, 80.

[2] Koser and Droysen (Leipzig, 1909), II, 280.

[3] Moland XXXVII, 393-394: "On m'a envoyé de Paris un manuscrit dont vous pourriez tirer un grand parti: c'est une traduction de Virgile avec des notes. C'est assurément la meilleure traduction qu'on ait jamais faite de cet auteur. Mais elle n'est pas achevée. Il y a des lacunes à remplir, des fautes à corriger, des notes à réformer et à ajouter. Je me chargerai encore de cet ouvrage laborieux. Envoyez-moi les quatre tomes du Virgile de l'abbé Desfontaines avec un Virgile *variorum*. Ce sera une édition d'un très-grand débit et un bon fonds de magasin pour vous: ce ne sont pas là des ouvrages à la mode."

[4] Caussy, F., *Inventaire des Mss de la Bibliothèque de Voltaire*. Paris, 1912.

reference to both:[5] "Elle avait commencé une traduction de l'*Enéide*, dont j'ai vu plusieurs morceaux remplis de l'âme de son auteur. . . ."

"L'étude de sa langue fut une de ses principales occupations. Il y a d'elle des remarques manuscrites dans lesquelles on découvre, au milieu de l'incertitude et de la bizarrerië de la grammaire, cet esprit philosophique qui doit dominer partout, et qui est le fil de tous les labyrinthes."

The portion of the *Grammaire raisonnée* now extant includes Chapters 6, 7, and 8, which fortunately deal with the exposition of formal grammar and form a unit. Not much can be done toward a reconstruction of the earlier or later parts of the manuscript. A chance reference at the beginning of Chapter 6 indicates that Chapter 2 dealt with the relationship between the operations of the mind and the phenomena of language: "On a vû dans le ch. 2 que notre âme fait trois opérations sur les objets: *apercevoir, juger*, et *raisoner*."

A reference at the beginning of Chapter 7 indicates that Chapter 3 was concerned with the relationship between language and the philosophical concepts of "mode" and "substance": "On a vû dans le chapitre 3 que les diférents êtres qui sont les objets de nos perceptions ont des déterminations permanentes, et des déterminations variables." The guess might be hazarded that the early part of the treatise (i.e. Chapters 1, 2, and 3) followed the lines of Book III of Locke's *Essay concerning human understanding*. What material intervened in Chapters 4 and 5 can in no way be divined.

Enough has been preserved to show the position of Mme du Châtelet in the evolution of grammatical thought in the eighteenth century.[6] In general she expresses the conviction of her time that grammar is but a subdivision of logic. The logic, however, which she accepts as the basis of her classifications is de-

[5] Beuchot XXXIX, 418-419.

[6] For the general outlines of this thought see L. Vernier, *Etude sur Voltaire grammairien et la grammaire au XVIII^e siècle*, Paris, 1888; and F. Brunot, *Histoire de la langue française*, VI, 2^nde partie, fascicule premier (Paris, 1932), 863-929.

cidedly Lockean in its origins, and depends more upon the two concepts of perception and judgment, than upon that of reason which prevailed in the *Grammaire générale et raisonnée de Port-Royal*. Hence there is visible in her treatment a less arbitrary tendency to the worship of rules. Rules for her are nothing but a collection of reflections upon the way language expresses the processes of thought. They are but the recorded laws which follow observed phenomena. Still, it must be admitted that she, as all the "grammairiens" of her time, was decidedly lacking in observed linguistic phenomena. Her one guiding principle was that all men pass through the same series of operations in the forming of language. And she considers that her rôle as grammarian consists in recording those operations, classifying words in accordance with them, and formulating rules.

In undertaking this task, however, she naturally ran upon difficulties. There is unfortunately a discrepancy between the logical theory and the observed practice in any language and between modes of expression in divers languages. That is to say, usage often contradicts laws and classifications; local custom often opposes universal theory. Mme du Châtelet appears to be more liberal than her contemporary grammarians when she meets with these difficulties. The "bizarreries" of French, that is, those cases where usage runs counter to theory, she presents merely as "bizarreries," sometimes even as marks of elegance. As a matter of fact, she appears modern in her opinion that to write with elegance and correctness "il faut joindre la connaissance des règles de la grammaire à l'usage qu'en font les personnes qui parlent avec élégance." It is true that her definition of usage, though it represents an advance over the thought of her contemporaries, is still limited and somewhat aristocratic. In a second respect, she is also advanced, that is in the use to which she puts comparative grammar. To be sure, there, too, she is limited in her linguistic knowledge, and her points of comparison are not profound or even very accurate. In an age, however, in which it was thought that linguistic phenomena in other languages than French had to follow the French because of its superiority, it is much to her credit that she attempted to broaden the basis of linguistic study and admit divergencies of other languages as modes of expression superior to French.

She thus stands on the middle ground between "philosophic" and "comparative" grammar, avoiding some of the excesses of the first type and foreshadowing in a small way some of the qualities of the second. For her time, her position was really surprisingly sound, and her control of her authorities rather complete. Chief among these authorities were Buffier's *Grammaire générale sur un plan nouveau*, and, of course, Arnauld and Lancelot's *Grammaire générale et raisonnée*. She also shows some acquaintance with Vaugelas.

It would be interesting to know the date of composition of her work. Here, however, only the slightest indication can be given. One of her examples was taken from Voltaire's *Enfant prodigue*, presented on October 10, 1736. Perhaps the best guess which can be made as to the date of the *Grammaire* is that it was composed after the beginning of 1736. The circumstances surrounding its confection are totally unknown. The only references which we possess concerning the work were the two quoted above made by Voltaire, one in 1749, the other in 1752, and they are meagre indeed. It would be interesting to know also what rôle he played in the confection of the work. But here again we can make but few positive assertions. We cannot even tell whether the ideas expressed by Mme du Châtelet represent Voltaire's views also. For, in spite of Vernier's book upon *Voltaire grammairien* and in spite of the fact that the whole first period of grammar study in the earlier half of the eighteenth century has been called by Professor François in the *Histoire de la langue française* "la grammaire voltairienne," we have a most imperfect idea of his grammatical theories. The chief difficulty, of course, arises from the fact that he never wrote a formal grammar, or if he did, it has not been preserved. His interest in grammar and grammarians, however, cannot be denied. Throughout his work, as Vernier has shown, he displays a ready acquaintance with former and contemporary grammarians. In many side remarks, he approaches the views of Mme du Châtelet on grammar. But on only a few occasions, such as a portion of the *Connaissance des beautés* (1749) and the article "langues" of the *Dictionnaire philosophique*, does he attempt any systematic approach to the study of language. In each of these cases, he barely touches the subject. Vernier concludes that Voltaire was interested in the art rather than the science of language. Mme du Châtelet on the contrary, if one may judge from the small portion of her treatise which now remains, was more interested in the science.

# PART TWO

## Unpublished Papers of Madame du Châtelet

# MME DU CHÂTELET'S TRANSLATION OF THE "FABLE OF THE BEES"

## PREFACE DU TRADUCTEUR, 1735

DEPUIS que i'ay commencé a vivre avec moy, et a faire attention au prix du tems, a la brieveté de la vie, a l'inutilité des choses auxquelles on la passe dans le monde, ie me suis étonnée d'avoir eu un soin extreme de mes dents, de mes cheveux, et d'avoir negligé mon esprit et mon entendement. J'ay senti que l'esprit se roüille plus aisément que le fer, mais quil est bien plus difficille de luy rendre son premier poli.

Des reflections si sensées, ne rendent pas a l'ame, cette flexibilité que le manque d'exercice lui otte quand on a passé la premiere ieunesse. Les fackirs des Indes perdent l'usage des muscles de leurs bras, a force de les laisser dans la mesme posture, et de ne s'en point servir. Aussi perd ton ses idées quand on neglige de les cultiver. Cest un feu qui meurt, si on n'y iette pas continuellement le bois qui sert a l'entretenir. Voulant donc reparer, s'il est pos-

2] sible une / si grande faute, et tacher de replier cet arbre desia trop avancé, et de luy faire porter les fruits qu'on peut encor s'en promettre, i'ay cherché quelque genre d'occupation qui pust en fixant mon esprit, luy donner cette consistance (si ie puis m'exprimer ainsi) qu'on n'acquiert iamais, en ne se proposant pas un but dans ses etudes. Il faut s'y conduire comme dans la vie civile, bien savoir, ce qu'on veut estre. L'irresolution produisant dans l'une les fausses demarches, et dans l'autre les idées confuses.

Ceux qui ont recû de la nature un talent bien decidé, n'ont qu'a se laisser aller a l'impulsion de leur genie, mais il est peu de ces ames, quelle conduit par la main, dans le champ qu'elles doivent defricher, ou embellir. Il est encor moins de ces genies sublimes, qui ont en eux, le germe de tous les talents, et dont la superiorité embrasse et execute tout. Ceux qui pouroient pretendre le plus a cette monarchie universelle des baux arts, atteignent cependant la perfection d'un seul avec plus de facilité, et en font leur favori. Mr. de Voltaire par

3] exemple quoy que / grand metaphysicien, grand historien, grand philosophe, etc. a donné la preference a la poesie, et l'epithete du plus grand poete français, sera aussi bien son caractere distinctif, que celuy d'homme universel.

Il arive quelques fois que le travail et l'etude, forcent le genie a se declarer, comme ces fruits que l'art fait eclore dans un terrain pour lequel, la nature ne les avoit pas faits, mais ces efforts de l'art sont presque aussi rares, que le genie naturel. Le plus grand nombre des gens pensans, car les autres sont une espece a part, sont ceux qui ont besoin de chercher en eux, leur talent. Ils connoissent les difficultés de chaque art, et les fautes de ceux qui en courent la cariere, mais le courage qui n'en est pas rebuté, et cette superiorité qui les fait franchir, leur a esté refusée. La mediocrité est, mesme parmi les elus, le partage du plus grand nombre. Les uns s'occupent a arracher les épines qui retarderoient les vrais genies dans leur course, et cest ce qui procure tant de dictionaires, et d'ouvrages de cette espece qui

4] sont d'un si grand secours / dans la litterature. Il faut bien broyer les couleurs des grands peintres. Les autres rendent compte periodiquement au public de tout ce qui se passe dans la republique des lettres. Enfin d'autres transmettent d'un pays a un autre les decouvertes et les pensées des grands hommes, et remedient autant quil est en eux, a ce malheur de la multiplicité des langues, tant de fois deploré par les vrais amateurs.

Je scais que cest rendre un plus grand service a son pays; de luy procurer des richesses, tirées de son propre fonds, que de luy faire part des decouvertes etrangeres, et que Van Robés a esté plus utille a la France, que celuy qui a fait venir le premier des draps d'Angleterre. Mais il faut tacher de faire valoir le peu qu'on a receu en partage et ne pas entrer en desespoir, parce qu'on n'a que deux arpents a cultiver et quil y a des gens qui ont dix lieües de pays.

On peut appliquer aux arts ce passage de l'Evangile *sunt plures*

5] *mansiones / in domo patris mei.* Il est certain qu'il vaut mieux donner une bonne traduction d'un livre anglais ou italien estimé, que de faire un mauvais livre français.

Les traducteurs sont les négocians de la republique des lettres, et ils meritent du moins cette louange, quils sentent et connoissent leurs forces, et quils n'entreprennent point de produire d'euxmesmes, et de porter un fardeau sous lequel ils succomberoient. D'ailleurs si leur ouvrage ne demande pas ce genie createur, qui tient sans doute le premier rang dans l'empire des baux arts, il exige une application dont on doit leur savoir d'autant plus de gré, quils en attendent moins de gloire.

De tous les ouvrages, ceux de raisonement me semblent les plus susceptibles d'une bonne traduction. La raison et la morale sont de tout pays. Le genie de la langue ce fleau des traducteurs, se fait bien moins sentir dans des ouvrages ou les idées sont les seulles choses

6] qu'on ait a rendre, et ou les graces du style, ne sont pas le / premier merite. Au lieu que les ouvrages d'imagination peuvent estre rarement transmis de peuple a peuple, car pour bien traduire un bon poete, il faudroit estre presque aussi bon poete que luy.

Mais s'il est impossible d'avoir des memoires bien fidels de l'imagination des hommes, il ne l'est pas d'en avoir de leur raison, et cest une des obligations qu'on a aux traducteurs. Ainsi si la nature humaine en general, est redevable au sage Mr. Lock de luy avoir appris a connoitre la plus belle partie d'elle-mesme, son entendement, les Français le sont sans doute a Mr. Coste, de leur avoir fait connoitre ce grand philosophe. Car combien de gens, mesme parmi les lecteurs de Lock ignorent la langue anglaise, et combien peu parmi ceux qui ont appris cette langue de la philosophie moderne, seroient en etat d'entendre Mr. Lock en anglais, et de surmonter en mesme tems les difficultés de la langue, et celles de la matiere.

7] Il faut, sans doute, pour se resoudre a / traduire, se bien persuader que cest aux commentateurs, et non aux traducteurs qu'on a fait dire dans le Temple du goût:

> Le goût n'est rien, nous avons l'habitude
> De rediger au long, de point en point
> Ce qu'on pensa, mais nous ne pensons point.

Le iudicieux autheur de ce charmant ouvrage a bien senti la difference quil y a de composer de gros volumes sur un passage de Dictis de Crete qu'on n'entend point, et dont on n'a que faire, ou de rendre propres a son pays, les travaux et les decouvertes de tous les autres.

Mais comme on abuse de tout, l'envie de gagner de l'argent, et destre imprimé a produit presques autant de mauvaises traductions, que de mauvais livres.

Si une bonne traduction n'est pas sans quelque difficulté, il sembleroit du moins, quil deveroit estre aisé de choisir un bon livre pour l'obiet de son travail. Cependant on voit souvent paroitre des traductions, dont l'original est desia oublié. Les Anglais tombent encor plus souvent que nous dans cet inconvenient. Il ny a gueres de

8] mauvais livres français quils ne traduisent, temoin Sethos et tant d'autres. Cependant le genie profond des Anglais deveroit les rendre moins avides de nos livres qui sont frivoles pour la plus part, en comparaison des leurs. Il me semble qu'on pouvoit appliquer aux livres français ce que le comte de Roscomon a dit de nos vers: que tout l'or d'une ligne anglaise tirée a la filiere française rempliroit plusieurs pages.

> The weighti bullion of one sterling line
> Drawn to a french wire would through all pages shine.
> (Le mot *line* en anglais signifie *ligne* et *vers* egallement)

Je crois que ce qui rend les traductions si communes ches les Anglais c'est que l'etude du français faisant partie de leur education, il y a plus de gens parmi eux a portée de traduire.

Il y a bien des traducteurs infidelles, les uns traduisant mot a mot le deviennent crainte de l'estre. Les autres par la difficulté de saisir le sens de leur autheur donnent a costé, et rendent obscurément une pensée lumineuse que leur esprit n'a fait qu'entrevoir. Pour

9] ceux qui mettent leurs sotises a la place de celles de l'autheur quils traduisent ie les regarde comme les voyageurs qui abusent du proverbe: *a beau mentir qui vient de loin.* Il ny a gueres, ie crois, que les traducteurs des ouvrages en langue orientalle, qui soient tombés dans cet excés.

Les difficultés de chaque art sont pour les artistes, ce que les circonstances des plus petits evenements sont pour les contemporains. L'interest quils y prennent et le point de veüe dans lequel ils les envisagent, grosissent aux uns et aux autres les obiets. La posterité et le public en iugent bien differement. Ainsi quoy quil soit vrai de dire qu'une bonne traduction demande de l'application et du travail, il est certain cependant que la meilleure est un ouvrage tres mediocre.

Cependant tout mediocre que soit ce genre de litterature, on trouvera peutestre encor quil est bien hardi a une femme d'y pretendre.

10] Je sens tout le poids du / preiugé qui nous exclud si universellement des sciences, et cest une des contradictions de ce monde, qui m'a touiours le plus etonnée, car il y a de grands pays, dont la loy nous permet de regler la destinée, mais, il ny en a point ou nous soyions elevées a penser.

Une reflection sur ce preiugé, qui est assés singuliere c'est que la comedie est la seulle profession qui exige quelque etude, et quelque culture d'esprit, dans laquelle les femmes soient admises, et cest en mesme tems la seulle qui soit declarée infame.

Qu'on fasse un peu reflection pourquoy depuis tant de siecles, iamais une bonne tragedie, un bon poëme, une histoire estimée, un beau tableau, un bon livre de physique, n'est sorti de la main des femmes? Pourquoy ces creatures dont l'entendement paroit en tout si semblable a celuy des hommes, semblent pourtant arrestées par une force invincible en deça de la bariere, et qu'on m'en donne la raison, si l'on peut. Je laisse aux naturalistes a en chercher une phisique, mais iusques

11] a ce quils l'ayent trouvée, les femmes seront en droit de reclamer contre leur education. Pour moy i'avoüe que si i'etois roy, ie voudrois faire cette experience de physique. Je reformerois un abus qui retranche, pour ainsi dire la moitié du genre humain. Je ferois participer les femmes a tous les droits de l'humanité, et sur tout a ceux de l'esprit. Il semble quelles soient nées pour tromper, et on ne laisse gueres que cet exercice a leur ame. Cette education nouvelle, feroit en tout un grand bien a l'espece humaine. Les femmes en vaudroient mieux et les hommes y gagneroient un nouveau suiet d'emulation et nostre commerce qui en polissant leur esprit l'affoiblit et le retrecit trop souvent, ne serviroit alors qu'a étendre leurs connoissances. On me dira sans doute que ie deverois prier Mr. l'abbé de St. Pierre de ioindre ce proiet aux siens. Il poura paroitre d'une execution aussi difficille, quoy quil soit peutestre plus raisonable.

12] Je suis persuadée que bien des femmes ou ignorent leurs talents, par le vice de leur education, ou les enfoüissent par preiugé, et faute de courage dans l'esprit. Ce que i'ay eprouvé en moy, me confirme dans cette opinion. Le hazard me fit connoitre de gens de lettres, qui prirent de l'amitié pour moy, et ie vis avec un etonnement extreme, quils en faisoient quelque cas. Je commençai a croire alors que i'etois une creature pensante. Mais ie ne fis que l'entrevoir, et le monde, la dissipation, pour lesquels seuls ie me croyois née, emportant tout mon tems et toute mon ame, ie ne l'ay crû bien serieusement, que dans un age ou il est encor tems de devenir raisonable, mais ou il ne l'est plus d'acquerir des talents.

Cette reflection ne m'a point decouragée. Je me suis encor trouvée bien heureuse d'avoir renoncé au milieu de ma course aux choses frivoles, qui occupent la plus part des femmes toute leur vie, voulant donc employer ce qui m'en reste a cultiver mon ame, et sentant que la

13] nature m'avoit refusé le genie createur qui fait trouver des verités nouvelles, ie me suis rendüe iustice, et ie me suis bornée a rendre avec clarté, celles que les autres ont decouvertes, et que la diversité des langues rendent inutilles pour la pluspart des lecteurs.

M'etant determinée a ce genre de travail, mon estime pour les Anglais, et le goût que i'ay touiours eu pour la façon libre et masle de penser et de s'exprimer de ce peuple philosophe, m'ont fait preferer leurs livres, a ceux des autres nations, et i'ay choisi ce livre qui a pour titre, *La Fable des abeilles* parmi tous ceux que i'aurois pû traduire parce quil me semble que cest un des ouvrages du monde, qui est le plus fait pour l'humanité en general. Cest ie crois le meilleur livre de morale, qui ait iamais esté fait, cest a dire celuy qui ramene le plus les hommes a la veritable source des sentimens auxquels ils s'abandonnent presque tous sans les examiner. Mandeville* qui en est

14] l'autheur peut estre appellé le Montagne des Anglois a cela pres quil a plus de methode, et des idées plus saines des choses, que Montagne.

Je n'ay point pour mon autheur le respect idolatre de tous les traducteurs. J'avoüe quil est assés mal ecrit en anglais, et quil est quelques fois plein de longueurs, et quil passe quelque fois le but come quand il dit par exemple *qu'un voleur est aussi utile a la societé qu'un eveque qui done l'aumone, et quil ni a point de merite a sauver des flammes un enfant pret a en etre devoré,* et dans bien d'autres endroits, il avance plusieurs choses qui ne sont pas vraies et qui pouroient etre dangereuses. J'ay eü soin de mettre un correctif a ces endroits afin dempecher quils nayent des suites dangereuses. J'ay pris la liberté d'élaguer son stile en plusieurs endroits, et de retrancher tout ce qui n'etoit fait que pour les Anglais, et qui avoit un raport trop unique a leurs coutumes.

J'ay pris aussi la liberté d'y aiouter mes propres reflections, quand la matiere sur laquelle ie travaillois m'en suggeroit, que ie

* C'etoit le petit fils d'un refugié français. Il prouve par son exemple que les esprits français ont besoin d'etre transplantés en Angleterre pour acquerir de la force.

croyois meriter la peine d'estre ecrites. Mais affin que le lecteur puisse les discerner, i'ay eu soin de les marquer par des guillemets.

On trouvera dans ce livre des pensées qui pouront paroitre un peu hardies, mais il ne s'agit, ie crois, que d'examiner si elles sont iustes, car si elles sont vraies, et si elles apprennent aux hommes a

15] se connoitre, elles ne peuvent manquer d'estre utilles / aux gens qui pensent, et cest pour ceux-la seullement que ce livre est destiné. Odi prophanum vulgus et arceo.

J'avoüe qu'ayant eu la temerité d'entreprendre cet ouvrage, i'ay celle de desirer d'y reussir. Je me crois d'autant plus obligée d'y donner tous mes soins que le succés seul peut me iustifier. Il faut du moins que l'iniustice que les hommes ont eu de nous exclure des sciences, nous serve a nous empecher de faire de mauvais livres. Tachons d'avoir cet avantage sur eux, et que cette tyranie soit une heureuse necessité pour nous, de ne leur laisser que nostre nom a condamner dans nos ouvrages.

### AVERTISSEMENT DU TRADUCTEUR

Je n'ay point traduit la fable des abeilles qui a donné lieu aux remarques, parce que il faudroit que cette traduction fut en vers et que ie n'en fais point, dailleurs elle me paroit peu necessaire, chaque remarque est un petit traité de morale. J'y ay pris des titres au lieu des

16] vers de la / fable qui sont dans loriginal anglais, et ie crois que ce livre n'en sera pas moins utile et moins agreable au public.

17] PREFACE DE L'AUTHEUR

Les loix sont a la societé, ce que la vie est au corps humain. Ceux qui connoissent l'anatomie, savent que les os, les nerfs, la peau et les autres parties du corps qui affectent le plus nos sens, et qui nous paroissent les plus considerables, ne sont pas ce qui conserve nostre vie, mais quelle depend de lineaments deliés dont le vulgaire ne soupçonne pas mesme l'existence. De mesme ceux qui etudient l'anatomie de l'esprit humain, si l'on peut s'exprimer ainsi, et qui dans cette recherche n'ont aucun egard aux preiugés de l'education, savent que ce n'est point le bon naturel, la pitié, ny les autres qualités aimables, qui rendent les hommes sociables, mais les vices qui echaufent le plus la bile des predicateurs. Cest ce que i'ay taché de déveloper dans l'ouvrage suivant.

Ce livre essuya bien des contradictions quand il parut. Quelques uns se meprenant au dessein de l'autheur, ou voulant

18] l'empoisoner, crierent que cetoit la satyre de la vertu, et l'eloge du vice. Cette calomnie m'a fait prendre le parti d'instruire le public des veües que ie me suis proposées en l'ecrivant.

Mon principal but a esté de faire voir combien l'innocence et les vertus du pretendu age d'or, sont incompatibles avec les richesses et la puissance d'un grand etat, et de montrer l'inconsequence de ceux qui iouissant avec un plaisir extreme, des commodités de la vie, et de tous les autres avantages dont on ne peut ioüir que dans un état puissant, ne cessent cependant de declamer contre les inconvenients qui en sont inseparables.

J'ay voulu montrer aussi dans ce que i'ay dit sur les differentes professions combien les ingredients qui composent une societé puissante, sont pour la plus part meprisables et viles, et faire voir la sagesse et l'habilité des legislateurs, qui ont construit une machine si admirable, de materiaux si abiets, et qui ont trouvé le moyen de faire servir au bonheur de la societé les vices de ses

19] differents membres.

Enfin ayant fait voir les inconvenients auxquels seroit necessairement exposée une nation dans laquelle les vices seroient inconnus, et dont tous les particuliers seroient pleins d'honnesteté, d'innocence, et de toutes sortes de vertus, ie demontre que si les hommes cessoient d'estre ce qu'on appelle vitieux, si l'on pouvoit guerir la nature humaine de tous ses defauts, et de toutes ses foiblesses aucun des grands empires et des societés polies et florissantes dont les histoires nous parlent, et que nous voyons de nos iours, n'auroit pû subsister.

Si on me demandoit pourquoy ie me suis appliqué a prouver toutes ces choses et quel avantage les hommes retireront de mon ouvrage, ie repondrois avec naïveté que ie sens assés combien il est difficille de les corriger, pour craindre que les verités quil renferme, ne leur soient inutilles.

Mais si vous me demandiés quel fruit il deveroit produire, ie repondrois bien differement. Je vous dirois alors que ceux qui trouvent touiours a reprendre

20] dans les autres, apprendront en lisant ce livre a descendre dans eux mesmes et a voir combien ils sont iniustes, de murmurer sans cesse contre des abus qui sont la source et le fondement de toutes les commodités, et de tous les avantages dont ils ioüissent.

Mais s'il y auroit trop de vanité a esperer, que la gloire de corriger les hommes me fust reservée, et a trop presumer de ce petit ouvrage, il y auroit de la lacheté a l'abandonner aux calomnies dont on l'a noirci. Ainsi ie me suis crû obligé de prouver quil ne peut produire aucun mauvais effet, car il faut au moins que ce qu'on presente au public ne luy soit pas preiudiciable.

Ceux qui croyent quil est criminel de supposer la necessité du vice, en quelque cas que ce soit, ne pouront iamais, sans doute, approuver cet ouvrage, mais les gens sensés sentiront bien que cette proposition ne peut paroitre dangereuse qu'a ceux qui en tireroient de fausses consequences, et cest a leurs yeux seullement que ie pretends me iustifier, car ie sens a

21] merveille que toutes mes raisons ne pouroient rien sur les autres, et que les plus belles apologies sont inutilles quand les hommes sont prevenus.

Quand i'avance par ex. que le vice est inseparable, de la grandeur et de la puissance d'un etat, ie n'entends pas par la, que les particuliers vitieux qui troublent l'ordre de la societé, ne doivent estre rigoureusement punis.

Il y a peu de personnes a Londres, surtout de ceux qui vont a pied, qui, s'ils n'avoient egard qu'a leur commodité, ne desirassent que les rües fussent plus propres qu'elles ne le sont. Mais quand ils penseront que ce qui leur cause cette petite incomodité, cest la suite necessaire de la quantité de peuple qui habite cette cité immense, du prodigieux commerce qui s'y fait, et de l'abondance qui y regne, il y aura ie crois, peu de citoyens qui osent alors se plaindre de la malpropreté des rües.

"Tout a des details immenses, auxquels peu de gens font attention. On glisse sur la surface des choses. Les gens du

22] monde qui se levent a midy, ignorent les travaux que le disner qu'on leur sert a couté, et combien il faut quil entre dans la ville, de charettes, de bestiaux, et de personnes de la campagne pour qu'on puisse a leur reveil, leur servir un repas delicieux. Ils ne voyent dans tout cela qu'une aisance devenüe trop ordinaire pour estre remarquée. Mais le philosophe y voit l'industrie et les travaux de tout un peuple, qui a travaillé a ses plaisirs. Le bourgeois de son costé, ne voit que la crote qui luy gâte ses souliers, et ne pense pas que dans les villes ou les rües sont propres, on ne ioüit d'aucune des commodités que l'abondance de Londres luy procure iusques dans sa mediocrité."

Il est certain quil ny a personne qui, en faisant ces reflections, ne soit obligé de convenir, que Londres ne pouroit estre moins crotée, sans estre moins florissante et que la malpropreté des rües, est un inconvenient attaché necessairement a l'abondance qui y regne. Cet inconvenient mesme est utile a plusieurs. Cest ce qui fait vivre les decroteurs, les balayeurs,

23] les boueux, qui malgré la basesse de leur profession, sont membres de la societé.

Cependant si on demandoit simplement a un homme dans quel lieu il aime le mieux se promener, il choisiroit un beau jardin dans la campagne, par preference aux rües de Londres. De mesme que si on ne consideroit que l'innocence des mœurs, et les avantages de la vertu, on prefereroit une petite societé dans laquelle les hommes seroient sans passions, a une vaste multitude, dont la puissance et la gloire sont fondées sur le vice. Mais ce n'est pas la, l'etat de la question, et nous devons voir par cet exemple combien on iuge mal des choses quand on ne les considere pas sous tous les points de veüe quelles renferment.

Il me semble de plus que ce qui fait que si peu de gens se connoissent eux mesmes cest que tous les moralistes se sont appliqués a enseigner aux hommes ce quils doivent estre, et n'ont presque iamais songé a leur faire connoitre ce quils sont.

Nostre ame est composée de passions

24] differentes, comme nostre corps l'est d'os, de chair, de muscles, etc. Ces passions noûs gouvernent tour a tour et sont la source de nos vertus et de nos vices. C'est ce que i'ay taché de prouver dans le premier chapitre de cet ouvrage. On y verra d'ou le bien et le mal moral ont pris leur naissance, et i'espere convaincre le lecteur, que l'homme ne doit point les idées quil en a, a aucune religion. Il est bon d'avertir icy une fois pour toutes, que ie n'entends parler dans cette recherche, ny des iuifs, ny des chretiens.

26] On ne donne point la traduction de la fable des abeilles. Elle doit estre en vers. Elle n'est point necessaire au sens des notes, dont i'ay fait autant de chapitres. [This has been deleted.]

27]

## CHAPITRE 1er

### DE L'ORIGINE DES VERTUS MORALES

Tout animal desire son bonheur, sans égard a celuy des autres. Ainsi ceux qui ont le moins de desirs semblent devoir estre les plus capables de vivre ensemble.

L'homme etant de tous les animaux celuy qui paroit avoir le plus de passions et le plus de desirs, paroit estre par cette raison celuy qui est le moins propre a la societé. Et cependant cest par le secours de ces mesmes passions quil est le seul capable de devenir sociable.

"L'amour paroit avoir dû estre le commencement de toute societé. L'homme comme tous les autres animaux a un penchant invincible a la propagation de son espece.

28] Un homme etant devenu amoureux d'une femme, en aura eü des enfans. Le soin de leur famille aura fait subsister leur union au dela de leur goût. Deux familles auront eu besoin l'une de l'autre des quelles auront esté formées, et ces besoins mutuels auront donné naissance a la societé. Ainsi Lucrece avoit raison quand il disoit a Venus: *nec sine te quicquam dias in luminis oras exoritur*. Les besoins mutuels ayant rassemblé les hommes, les plus adroits d'entre eux, s'apercûrent que l'homme etoit né avec un orgueil indomptable, et c'est de l'empire que cette passion a sur luy, que les premiers legislateurs ont tiré les plus grands secours pour parvenir a civiliser les hommes."

Il auroit esté impossible de persuader aux hommes de sacrifier leur interest particulier au bien de la societé, si on ne leur avoit montré un équivallent pour la violence qu'on exigeoit d'eux. L'orgueil fournit cet equivallent aux legislateurs. Ils ont examiné les forces et les foiblesses de nostre nature, et remarquant quil ny a personne assés meprisable pour suporter le mepris ny assés sauvage pour estre insensible a la louange, ils ont conclu avec iustesse

29] que la flatterie etoit l'argument le plus puissant sur les hommes. Ainsi faisant ioüer ce grand ressort, ils les ont amenés a leur but en donnant des louanges sans bornes a l'excellence de leur nature, et a leur preëminence sur tous les autres animaux. Etant parvenus par cette adresse a se faire ecouter, ils ont donné aux hommes les idées de l'honneur et de la honte, peignant l'un comme le plus grand bien auquel l'homme puisse aspirer, et l'autre comme le plus grand de tous les maux.

Ils ont ensuite taché de leur persuader que leur entendement, cette faculté qui eleve l'homme au dessus de tous les etres visibles, devoit commander a leurs sens, et reprimer leurs desirs; que c'etoit agir comme les betes, que de s'y abandonner sans reserve, et que les difficultés que nous trouvons a les contenir devoient exciter nostre émulation, loin de nous decourager.

Pour introduire cette émulation parmi les hommes, ils les diviserent en deux classes. Ils composerent la premiere des gens grossiers, qui n'etant occupés

30] que du soin de satisfaire leurs desirs sont incapables de rien sacrifier au bien de la societé, et au bonheur commun. Cette multitude vile et rampante, est disoient ils, l'ecume et la honte de l'humanité, n'ayant que la figure d'homme, pour les distinguer des bestes. Mais l'autre classe etoit formée de ceux qui connoissant la dignité de nostre nature, savent mettre un frein a leurs passions, et les subordoner au bien de la societé et de l'humanité.

fortior est qui se quamqui
fortissima mœnia vincit.

Ces derniers etoient regardés comme les seuls dignes de representer nostre sublime espece, ayant plus de superiorité sur ceux de la premiere classe, que ceux la n'en ont sur les brutes.

Comme dans chaque espece d'animaux les plus parfaits sont les plus fiers, aussi lhomme le plus parfait des animaux est il le plus orgueilleux, et cette passion est si inseparable de son estre, quelque effort quil fasse pour la déguiser, que sans elle il manqueroit d'un de ses principaux ingredients.

31] Ainsi les legislateurs ayant mis par cette division des deux classes l'orgueil des hommes dans leur interest, il n'est pas etonnant, que leurs leçons ayent tant fait d'impression sur eux. Car ceux mesme dont le cœur etoit le plus corrompu contraignoient leurs desirs, et crioient mesme plus haut que les autres, quil falloit tout immoller au bien public. Ainsi tous voulurent et veullent encor estre de la premiere classe, quoy que dans le fonds du cœur, ils soient tous de la seconde.

C'est, ou du moins ce peut estre la la façon dont les hommes ont esté civilisés, ce qui prouve bien que les premieres regles de morale ont esté inventées par les politiques, affin de pouvoir gouverner la multitude avec plus de sureté. Mais ces fondemens de la politique une fois posés, il etoit impossible que les hommes ne se civilisassent pas, et que tous ne sentissent pas, que le moyen le plus sur de satisfaire leurs desirs, etoit de les moderer. Les hommes se sont donc acordés a nommer toute action preiudiciable a la societé du nom de *vice* et a donner

32] celuy de *vertu* a toutes celles que la raisonable ambition d'estre iuste, fait faire.

"Voila pour quoy ces noms de *vice* et de *vertu* sont donnés quelques fois a des actions opposées dans differents pays, car les besoins de la societé sont differents en differents climats. Mais dans tous les pays on appelle *vertu* ce qui est conforme aux loix etablies, et *vice* ce qui leur est opposé, car aucune societé n'a pû subsister sans avoir des loix, de mesme qu'on ne peut ioüer, sil ny a des regles du ieu. Mais de mesme que ce qui est une faute au piquet, n'en est pas une au reversi aussi ce qui est vice a Paris, est vertu a Constantinople. Mais tous les hommes s'accordent a observer les loix etablies chez eux, et a regarder les actions comme bonnes ou mauvaises selon leur relation ou leur opposition a ces loix. Il y a une loy universelle pour tous les hommes que dieu a luy mesme gravée dans leur cœur. Cette loy est, *ne fais pas a autruy ce que tu ne voudrois pas qui te fust fait*, et ie crois que le sage Lock a esté trop loin, quand apres avoir

33] detruit les idées innées, il a avancé quil ny avoit point d'idées de morale universelle. Il ny a point de peuple, quelque barbare quil soit, chés qui, des quil y aura une apparence de societé, il soit permis de manquer a sa parolle. Le besoin de la societé éxige cette loy comme son fondement, et les besoins qui sont differents dans les differents pays, se reunissent tous dans cette maxime, *ne fais pas a autruy ce que tu ne voudrois pas qui te fust fait*. Le bien de la societé est à la verité, le seul *criterium* du vice et de la vertu. Mais cette maxime est non seullement indispensable dans toute societé civilisée, mais tout homme l'a imprimée dans son cœur. Elle est une suitte necessaire de la bienveillance naturelle, que nous avons pour nostre espece: bienveillance que le createur a mis dans nous, et dont nous sentons les effets involontairement, comme la faim et la soif. Cest de quoy ie parlerai bien tost plus amplement. Il est vray que sans le secours des loix et des chatimens qu'elles infligent a ceux qui nuisent aux autres, l'interest personel l'emporteroit souvent sur le *dictamen* de la nature

34] car l'amour propre est avec raison plus fort que la bienveillance pour nostre espece, mais quand nostre interest ne nous y porte pas; il ny a aucun homme a moins quil n'ait perdu le sens qui aille assasiner son voisin pour son plaisir."

On obiectera peut estre qu'aucune societé n'a pû se former avant que les hommes ne se soient accordés sur quelque sorte de culte rendu a un pouvoir supreme, et consequement que la notion du bien et du mal, du vice et de la vertu, ne sont point l'ouvrage des politiques, mais de la religion. J'ose assurer que les superstitions des nations, qui ne connoissent point le vrai dieu, et les notions pitoyables quils avoient de l'estre supreme, n'etoient point capables d'exciter les hommes a la vertu. Cependant l'histoire nous fait voir que quelques ridicules, qu'ayent esté les idées que les hommes avoient de la divinité, la nature humaine a fourni au milieu de ces erreurs des exemples

35] de toutes les vertus morales.

L'Egypte dont les habitans adoroient les monstres et les oignons, etoit en mesme tems le berceau des sciences et des arts, et nul peuple contemporain n'a penetré plus avant que les Egyptiens dans les secrets de la nature et n'a plus perfectioné la morale.

Aucune nation n'a fourni de plus grands models de toutes sortes de vertus, que les Grecs et surtout les Romains, cependant quelles idées avoient ils de la divinité? Leurs dieux loin de les porter a la vertu, ne pouvoient qu'encourager le vice. Il ny en avoit point de si honteux qui n'eut son protecteur dans le ciel. Mais voullés vous connoitre ce qui les a rendu si grands, si courageux, si magnanimes? Jettés les yeux sur la pompe de leurs triomphes, sur la magnificence de leurs tombeaux, sur leurs trophées, leurs statues et leurs inscriptions; songés a la varieté

36] de leurs couronnes militaires, aux honneurs quils decernoient aux morts, aux louanges dont ils combloient les vivants, enfin a toutes les recompenses accordées parmi eux au merite, et vous trouverés l'origine de toutes leurs vertus, non dans une religion extravagante et corrompüe, mais dans l'adresse avec laquelle leurs legislateurs avoient interessé l'amour propre des citoyens a la gloire de la patrie.

Ce n'est donc a aucune religion mais a l'adresse des politiques que les vertus morales doivent leur origine, et plus nous pousserons loin nos recherches sur la nature humaine, plus nous nous convaincrons que les vertus morales sont les enfans politiques que la flaterie a engendrés de l'orgueil.

Il ny a point d'homme quelque modeste quil soit, a qui on ne puisse faire gouter une louange fine. Les

37] enfans et les sots, se prennent aux plus grossieres amorces de la flaterie. Mais les gens sensés demandent plus de menagement.

Plus les louanges sont generalles moins elles sont suspectes. Ce que vous dirés a l'avantage d'une ville sera receu avec plaisir par tous les habitans. Parlés avantageusement des belles lettres, tous les scavants vous en seront obligés; quand vous voullés flatter quelqu'un avec adresse, loüés sa profession ou son pays, et vous serés sure de luy faire gouter un plaisir d'autant plus delicieux que vous luy donnés occasion de déguiser son amour propre.

Ceux qui connoissent le pouvoir de la flaterie, sur la nature humaine, s'y prennent de cette façon detournée et adroite. Aussi les moralistes habiles ont ils peint les hommes semblables aux anges, esperant quils feroient leurs efforts pour ressembler

38] a un tableau si flateur.

Quand l'incomparable Sir Richard Steel repend les fleurs de son eloquence sur les portraits quil nous fait de la nature humaine, il est impossible de n'estre pas charmé de l'elégance et de la beauté de son stile, mais quoy que i'aye esté prest souvent a m'y laisser entraisner, quand ie reflechis serieusement a cet adroit panegirique, ie m'imagine voir les finesses que les nourices et les gouvernantes mettent en usage pour apprendre aux petites filles a faire la reverence. Quand la petite *mama* commence a plier les genoux, et a faire une espece de reverence, la gouvernante ne cesse de s'ecrier: ah la iolie petite fille ah mon dieu que la reverence luy sied bien, ah *mama* fait mieux la reverence a present que sa sœur *molly* etc. Tous les domestiques repetent la mesme chose, *mama* est accablée de caresses, mais la petitte *molly* qui

39] a quatre ans de plus, et qui se connoit en reverence, s'etonne du travers de leur iugement, et crevant de depit est preste a crier contre l'iniustice qu'on luy fait; jusques a ce que quelqu'un luy disant a l'oreille que c'est pour amuser sa petite sœur, et quelle est une grande personne, alors elle devient plus fiere d'estre dans le secret, et se glorifiant de la superiorité quelle a sur sa sœur, elle repette ce quelle a entendu dire, avec de grandes exagerations, et insulte à la foiblesse de sa sœur qui luy sert de ioüet, et quelle s'imagine estre la seulle qu'on veut faire donner dans le panneau.

Ces louanges extravagantes et qui paroissent surpasser la capacité d'un enfant, sont pourtant le moyen le plus sur, pour apprendre aux petites filles a faire la reverence, et toutes les autres choses necessaires a leur education.

40] On en use de mesme avec les petits garçons, a qui on persuade que ce que l'on exige d'eux, est le devoir d'un gentilhomme bien elevé, et quil ny a que les polissons qui soient grossiers, et qui tachent leurs habits.

Quand le petit *urchin* peut porter sa petite main a son bonnet, sa mere pour l'acoutumer a l'otter, luy dit quil a desia deux ans, quil commence a estre un grand homme, et s'il se souvient de ses leçons, et quil otte son bonnet a propos, elle l'appelle un *capitaine*, un *lord mayor*, un *roy*, ou quelque chose de plus encor, si elle le peut imaginer. Enfin a force de louanges, elle fait tant que le petit *urchin* tache d'imiter les grands hommes autant quil peut, et employe toutes ses facultés a paroitre ce quil s'imagine quil est.

Il ny a point d'homme si meprisable qui ne fasse cas de luy mesme, mais le plus haut but que l'ambition des hommes puisse pretendre, cest l'estime

41] de leurs semblables. Cest a cette soif insatiable de l'admiration des autres et de ce qu'on appelle renommée, que les plus grands hommes ont sacrifié si gayement leur repos, leur plaisir et quelques fois mesme leur vie. Cest par cette monoye aëriene de la louange qu'ils ont donné des biens veritables. Ils ont poussé cette noble folie au dela mesme de leur existence. Ils ont pretendu a l'admiration de ceux qui n'etoient pas encor, et ont taché de faire survivre leur vanité a eux mesmes. Qui peut s'empecher de rire quand on pense a la fin que se proposoit Alexandre dans ses vastes exploits? Nous l'aprenons de luy mesme, quand il surmonta tous les obstacles qui s'opposoient au passage de l'Hydaspe: *o Atheniens, secriatil, a quels dangers ie m'expose pour estre loüé de vous!*

Cette espece de recompense qu'on nomme gloire, consiste dans une

42] felicité delicieuse, dont un homme qui a fait une belle action, ioüit en pensant aux applaudissements quelle luy attirera. On me dira, sans doute, qu'independament des actions éclatantes des ambitieux et des conquerans, il y en a de genereuses faites dans le silence, que la vertu est a elle mesme sa recompense, que ceux qui sont reëllement bons trouvent une satisfaction dans le temoignage que leur conscience leur rend, et que parmi les payens mesme, il y a eu des hommes qui étoient si eloignés de rechercher les louanges et les aplaudissements en faisant le bien, quils mettoient tous leurs soins a faire que leurs bienfaits fussent ignorés de ceux mesme qui en etoient l'obiet. Je repons a cela, que pour iuger du merite d'une action, il faudroit l'avoir faite, car il faudroit pour cela estre parfaitement instruit des motifs qui l'ont fait faire. L'amour propre est un prothée qui prend plus d'une forme. La pitié par ex. quoy que la moins dangereuse de nos passions, et celle qui ressemble le plus a la vertu, a cependant

43] comme les autres, sa source dans l'orgueil. Elle est une des foiblesses de nostre nature de mesme que la colere, ou la peur. C'est ce qui fait que les esprits foibles en sont les plus susceptibles, et que rien n'est plus compatissant que les femmes et les enfans. La pitié est un mouvement naturel qui ne consulte ny l'interest public, ny nostre raison. Elle fait faire egallement le mal et le bien. Elle a quelques fois servi a corrompre l'honneur des vierges et l'integrité des iuges, et quiconque agit par ce principe, quelque bien quil fasse, ne peut se vanter d'autre chose que d'avoir satisfait une de ses passions. (note 2[eme]) Il ny a point de merite a sauver par ce principe, un enfant prest a estre dévoré par les flammes, car quelque bien qui en revienne a l'enfant, ce n'est point son salut qui nous fait agir, mais le desir de nous delivrer de la peine involontaire, que nous aurions ressenti en le voyant perir par les flammes et en ne suivant pas le mouvement naturel qui nous porte a le sauver.

"Ce mesaise involontaire que nous

44] sentons quand nous voyons un de nos semblables dans un danger actuel, est un des traits que le createur a luy mesme imprimé a son ouvrage. L'homme paroit estre le seul animal, qui ait cette bienveillance pour son espece. Les autres animaux ont receu de l'etre supreme l'amour de leur conservation, le desir de la propagation. Plusieurs connoissent l'orgueil et l'emulation, mais aucun ne marque cet amour pour son espece, qui est imprimé dans le cœur de l'homme et qui paroit un de ces traits distinctifs qui séparent les differents etres. Quun chien rencontre un chien expirant, il lechera son sang et continuera son chemin, mais si l'homme rencontre un autre homme son premier mouvement sera de le secourir, et il le secourera surement. Il na rien a craindre des marques de sa compassion."

"On etouffe ce dictamen de la nature. Les hommes malgre cette bienveillance mutuelle, ne laissent pas de s'egorger en bataille rangée, et de s'assasiner mutuellement. La greve est touiours pleine de badauts qui accourent lors qu'on y fait quelque exécution, mais il ny a aucun de ces meurtriers payés par le roy, ny de ces badauts dont la curiosité paroit si cruelle, qui n'ait eu a surmonter la premiere fois, cette bienveillance naturelle que nous n'effaçons iamais entierement

45] de nostre ame."

"Je crois que M[r] de St Real a bien tort lorsque recherchant quelle peut estre la cause du plaisir barbare que le peuple prend

(note 2[eme]) cela est tres faux meme selon les principes de lauteur, car de sauver un enfant des flames est une action tres utile a la societé et de quelque sens quon la regarde c'est une action de vertu et ne le pas faire seroit un tres grand crime.

a voir une execution, il l'attribüe au plaisir interieur que nous sentons a estre exempts des mesmes malheurs. La seule source de ce plaisir barbare, cest la curiosité et l'habitude. La curiosité fait surmonter la premiere fois le mesaise involontaire que nous sentons a la veüe des tourments de ces malheureux, et l'habitude ensuite nous y rend insensibles. Cest par la mesme raison qu'un homme qui se voüera a tous les saints et a tous les medecins pour revenir d'une maladie, monte gayement la tranchée, et attaque un chemin couvert. La vanité luy fait surmonter les premieres fois l'eloignement naturel que nous avons du danger, mais il ny a que l'habitude qui puisse inspirer aux gens de guerre, cette gayeté quils portent la plus part dans des endroits dont l'idée seulle les feroit fremir en d'autres tems, et il ny en a aucun, quelque brave quil soit, qui n'ait senti, que nature patissoit

46] en luy au premier coup de canon quil a entendu tirer, quoi quils finissent par ioüer a la boulle avec leurs boulets. Cest ce qui est arivé au siege de Philisbourg."

Une personne riche qui est d'un naturel compatissant, ne peut se vanter d'estre vertueuse (dans le sens que les moralistes veullent attacher au mot de vertu) quand elle fait du bien, car elle ne fait en effet que satisfaire sa passion en soulageant un miserable. *Gaudeant bene nati* est un mot plein de sens, et dont on reconnoit la verité, a mesure que l'on connoit les hommes. (note)

Ceux qui sans aucune foiblesse et sans aucun retour sur eux mesmes sont capables, par le seul amour du bien de faire des actions vertueuses dans l'ombre du silence, ont sans doute des idées plus pures de la vertu que les autres. Je ne scais cependant si on ne peut pas apercevoir, mesme dans ces sortes de gens (s'il y en a) les traces de l'orgueil, car le plus humble de tous les hommes doit avoüer que cette satisfaction interieure quil ressent, apres avoir fait une action

47] vertueuse, consiste dans le plaisir quil trouve a penser combien il est estimable. Or ce plaisir et ce qui l'a occasioné, sont des marques aussi certaines de vanité, que d'estre pasle et tremblant, sont des simptomes certains de peur.

(note) voyés la note 2ᵉ cy-dessus p. 43.

Si quelques lecteurs condamnent ces idées sur l'origine des vertus morales, et croyent quelles offensent le christianisme, iespere quils verront combien ce soupçon est iniuste, quand ils auront consideré, que rien ne peut mieux iustifier les profondeurs impenetrables de la providence, que de montrer que les foiblesses de l'homme quelle a crée pour la societé, peuvent servir a son propre bonheur, et a celuy des autres.

49]

## CHAPITRE 2e

### DU CHOIX DES DIFFERENTES PROFESSIONS

Les gens du peuple font apprendre a leurs enfans un metier avec lequel ils puissent dans la suite gagner leur vie, et ils preferent ordinairement celuy quils exercent, et cela avec d'autant plus de raison quils epargnent les frais de l'aprentissage, en les instruisant eux mesmes. Par ce moyen les ieunes ouvriers aprennent a remplacer les vieux, et les metiers et les arts se conservent. Mais chaque profession demandant des talents differens, les parens les plus sensés consultent dans ce choix, les dispositions de leurs enfans, et ce quils peuvent faire, pour leur education. Un pere qui n'a que 3 ou 400 livres a employer a l'education de son fils auroit tort de lui faire apprendre le commerce puisquil n'a pas les fonds suffisants pour luy faire exercer cette profession, et il doit luy en choisir une, a laquelle

50] ses moyens puissent suffire.

Il y a bien des gens de condition que la pauvreté met hors d'etat d'elever leurs enfans suivant leur naissance, et que l'orgueil empesche de leur faire apprendre des professions utilles. Ainsi dans l'esperance de quelque changement dans leur fortune, ou du secours de leurs pretendus amis, ils font passer a leurs enfans, dans une dangereuse oisiveté, l'age ou ils pouroient apprendre a subvenir un iour a leur indigence, et ils en font, par cette negligence orgueilleuse des creatures a charge, a elles mesmes, et aux autres.

Il est difficille de decider si de tels parens sont plus barbares envers leurs enfans, que pernicieux pour la societé. A Athenes tous les enfans etoient obligés de pourvoir a la subsistance de leurs peres et meres, quand ils tomboient dans le besoin. Mais Solon fit une loy par laquelle ceux a qui leurs parents n'avoient fait apprendre aucun metier, etoient dispensés d'en prendre soin.

Quelque riche et quelque policé que soit un grand royaume, il est

51] inevitable, quil ny ait pas touiours baucoup de gens qui tombent dans la misere. *Les pauvres,* dit un autheur français, *sont la vermine qui s'attache a la richesse.* Les uns parcequils restent orphelins avant d'avoir appris a gagner leur vie, les autres par ce que leurs parents sont hors d'etat de leur donner aucune education. Quelques uns par libertinage, les autres faute d'industrie et de capacité, ne profitent point des soins que l'on a pris de leur enfance. Il faut cependant bien que tout cela vive. Le metier de soldat et celuy de matelot, en sauvent quelques uns de la derniere misere. D'autres deviennent manœuvres, et ils gagnent leur vie, a la sueur de leur front. Les uns se font laquais, les plus intelligents s'appliquent a l'étude et peuvent devenir maitres d'ecole et precepteurs. Mais que deviendront ceux que leur paresse empesche de travailler de leurs mains, et que leur inaplication rend incapables de faire usage de leur esprit? Il s'en trouvera quelques uns parmi les derniers qui aimant la comedie et se sentant du talent pour la declamation se feront acteurs. D'autres nés

52] gourmands parviennent a force de flateries et de basesses a devenir parasites de quelque riche fat a qui ils plaisent en devenant le fleau de sa famille, et de toute sa maison. Quelques uns iugeant du libertinage des autres par eux mesmes font un métier qu'on n'ose nommer, corrompent la ieunesse, et vendent l'honneur des uns, aux plaisirs des autres.

Enfin les plus abandonnés et les plus mechants, quand ils ont de la subtilité dans les doigts, et beaucoup d'effronterie, trompent au ieu, coupent des bourses, ou font de la fausse monoye, ceux qui se sentent un grand fonds d'impudence, se font prestres, ou predicateurs. Ainsi chacun tache de tourner a son avantage, les foiblesses et les vices des hommes, et de gagner sa vie par toutes sortes de voyes. Ces malheureux dont ie viens de parler qui ne respectent rien, sont sans doute le poison de la societé, mais ceux qui accusent la foiblesse des loix de leur existence, en sont les foux. Tout ce que les gens sages ont a faire, c'est de

53] tacher de n'en point soufrir. Mais declamer continuellement contre ces abus, c'est ne pas connoitre les hommes et c'est exiger de la prudence humaine ce qui est au dessus de ses forces.

55] 

## CHAPITRE 3e

### DES NEGOCIANS

PRESQUE tous les negocians sont des fripons. L'epithete de fripon paroitra peutestre trop forte, pour la leur donner a tous en général, mais si par fripon nous entendons tout homme qui use de supercherie envers un autre, ie crois pouvoir assurer quil ny a point de commerçants, mesme parmi ceux qui se piquent de probité, a qui elle ne convienne.

Qui pouvoit nombrer les artifices dont se servent les plus honnetes marchands? Quel est celuy par ex. qui dira les défauts de sa marchandise, et y en atil mesme aucun, qui ne s'efforce pas de les cacher avec adresse, et de la vendre au dessus de sa valeur.

Le sucre fait une grande partie du commerce d'Angleterre. Un riche marchand nommé *Delie* qui en fait un grand debit traite avec un negociant des Indes nommé *Alcandre*. Pendant quils disputent du prix, Alcandre recoit une lettre par

56] laquelle on luy marque quil arive une grande quantité de sucre pour l'Angleterre et que par consequent le prix va diminuer. Il desire alors de finir son marché avant que cette nouvelle soit publique, mais craignant que *Delie* ne soupconne quelque chose, s'il marque trop d'empressement, il se tient sur la reserve. Pendant quil temporise, *Delie* apprend de son costé que la flotte de la barbade vient d'estre detruite par une tempeste. Il va retrouver *Alcandre* et renoüe avec adresse le propos quils avoient commencé. *Alcandre* se trouve trop heureux d'estre ainsi prevenu. Il conclud le marché croyant estre bien sur de son fait. Le lendemain la nouvelle qu'on avoit dite a *Delie* se trouve vraie. Et il fait par cette finesse un profit considerable aux depens de son ami qui l'auroit voulu tromper.

Cette supercherie adroite, s'apelle un procedé honneste. Je doute pourtant quil y ait personne qui desirast qu'on eut pour luy une pareille honnesteté.

58]

## CHAPITRE 4e

### DE L'HONNEUR ET DE LA HONTE

Les hommes sont si ialoux de l'opinion des autres que parmi les soldats, ceux meme qu'on fait aller a la guerre pour les punir de leurs crimes, et quil faut contraindre a se battre a force de coups, pretendent toutes fois estre estimés pour ce mesme metier auquel il faut les contraindre. Cependant si les hommes avoient autant de raison que d'orgueil, ils rougiroient des louanges quils ne meritent pas, bien loin de les rechercher. *L'honneur*, dans le sens le plus ordinaire de ce mot, consiste dans l'opinion des autres, et il est plus ou moins grand, selon que les marques de leur estime, font plus ou moins d'éclat. Ainsi quand on dit que le souverain est la fontaine de l'honneur, cela ne veut dire autre chose sinon quil peut donner a qui il luy plait, certaines marques de distinction qui ont cours, comme

59] la monoye pendant un tems, et ce pouvoir est la source du respect qu'on a pour luy, soit que d'ailleurs il le merite ou non.

Le contraire de *l'honneur* cest le *deshonneur*. Il consiste dans le mepris que les autres ont pour nous. L'un est la recompense de la vertu, et l'autre la punition du vice, moins le mepris est public, moins il avilit celuy qui en est l'obiet. L'honneur et le deshonneur sont des choses imaginaires, mais l'ignominie cest a dire cette honte que nous ressentons, quand nous croyons estre meprisés, est une chose tres reelle. Cest une passion qui a ses simptomes comme les autres, et que souvent la force de la raison ne peut surmonter. Le pouvoir quelle a sur nous, et la part quelle a souvent dans les plus importantes actions de nostre vie, nous rend la connoissance de ses causes et de ses effets tres necessaire, et une recherche exacte de sa nature, peut estre utile aux hommes.

60] Il me semble qu'on peut definir la honte, *une reflection que nous faisons sur nostre peu de merite, laquelle nous afflige par la crainte que nous avons que les autres venant a le connoitre ne nous meprisent avec iustice.* On peut obiecter contre cette definition que les ieunes filles dans la premiere innocence, rougissent souvent quoy quelles n'ayent rien a se reprocher. Et sans pouvoir mesme rendre raison de cette foiblesse, et que les hommes ressentent quelques fois de la honte pour ceux avec qui ils ne sont liés ny de societé ny d'amitié, et que par consequent, il peut y avoir plusieurs occasions dans la vie, auxquelles cette definition ne seroit pas applicable.

Je repons a la premiere partie de cette obiection, que la modestie des femmes venant uniquement de l'horreur qu'on leur inspire des leur enfance, pour tout ce qui peut allarmer la pudeur, il arive

61] quelques fois que des idées confuses, se presentent a l'imagination de la fille la plus vertueuse, dont elle ne voudroit pas que personne pust avoir connoissance pour tous les mondes possibles. Si l'on dit quelque mot obscene devant elle, la crainte quelle a d'estre soupconnée de l'entendre et que ce soupcon ne fasse penser d'elle des choses desavantageuses, iointe a l'embaras de cacher l'idée que ce mot luy a retracée, luy fait éprouver une espece de honte qui se manifeste en embelissant son visage. Mais si vous dites les mesmes choses dans un endroit, ou cette fille puisse vous entendre sans estre veüe, soyés sure alors, que si elle croit n'estre point decouverte, non seullement elle vous ecoutera, mais elle vous prettera sans rougir, une oreille attentive, ou si quelque couleur anime ses ioües, il est certain que ce sera l'effet d'une passion moins desagreable que la honte. Il n'en sera pas de mesme, si au lieu d'allarmer sa pudeur, vous allarmés

62] son amour propre. Car si ce que vous dites l'attaque personellement, il est certain que quoy quelle ne soit veüe de personne, la crainte d'estre meprisée la fera rougir.

A l'egard de la seconde partie de l'obiection, elle ne prouve autre chose sinon que nous nous mettons quelques fois a la place des autres. Voilà pour quoy le peuple crie, quand il voit quelqu'un en danger, et que quand nous voyons commettre une action blamable nous rougissons parce que l'idée de la honte que nous en ressentirions, si nous en etions coupables nous affecte vivement, et que les esprits etant alors emûs de la mesme maniere que si nous avions commis cette action, les mesmes simptomes de honte se font appercevoir en nous "et nous sommes dans le moment comme une glace dans laquelle la honte des autres se reflechit."

Ce qui rend les gens du peuple honteux devant ceux qui leur sont superieurs cest le sentiment de leur basesse, et

63] de leur incapacité. Le plus modeste des hommes ne connoitroit point la honte si quelque defaut, ou quelque defiance de luy mesme, ne la faisoit naitre en luy. Et voyés, ie vous prie, de quelles contradictions apparentes l'homme est composé. On croit que rien n'est si opposé a la honte que l'orgueil, cependant ces deux passions, naissent l'une de l'autre, car qui peut nous rendre si sensibles a la façon dont les hommes pensent de nous, si ce n'est le cas que nous faisons de nous mesmes?

La honte et l'orgueil, ces deux sources de nos vertus, ne sont point des qualités imaginaires, mais des ingredients necessaires a nostre composé. Rien ne le prouve mieux que les differents effets quelles produisent en nous malgré nous mesmes.

Voyés un homme accablé par la honte, il devient comme abruti, son sang se retire du cœur, et se porte aux extremités, la rougeur couvre son visage, il n'ose lever la teste, ses yeux couverts d'un nuage restent attachés a la terre,

64] aucune iniure ne peut l'emouvoir, son etre luy pese, et il voudroit se cacher a luy mesme et aux autres. L'orgueil a des simptomes tous differents, quand cette passion est satisfaite, le sang coule avec plus de rapidité, une chaleur extraordinaire enflamme et dilate le cœur, le sang s'y porte, on se sent plus leger, on croiroit qu'on va fendre l'air, la teste est haute, les yeux elevés, et pleins de feu, on se plait dans son existence, on voudroit que tout le monde pust estre temoin de la gloire et de la satisfaction dont on ioüit, les plus petites contrarietés irritent, et on croit que tout doit plier devant nous.

La honte est de toutes les foiblesses de nostre nature, celle que nous suportons le plus impatiament, et il ny a personne qui ne cherche a l'eviter ou a la surmonter. Mais il seroit bien nuisible a la societé, qu'on pust remporter cette victoire sur soy mesme. Aucune passion n'est plus necessaire au bonheur des hommes, et n'a plus contribué a les polir. Aussi chercheton a la fortifier

65] dans les enfans, loin de travailler a la detruire, comme les autres passions. On leur recommande seullement d'eviter les choses qui pouroient leur attirer de la honte. Mais ceux qui connoissent la nature humaine, seroient bien fachés quelle cessast d'en estre susceptible.

Les passions que le bien de la societé exige que nous cachions avec le plus de soin, sont l'incontinence et l'amour propre. La modestie (car il y en a de plus d'une sorte) est le voile qui nous sert a couvrir l'une et l'autre. Celle qui a la chasteté pour obiet, consiste dans les penibles efforts que nous faisons pour etoufer devant les autres, les desirs que la nature nous donne pour la propagation de nostre espece. On nous enseigne cette sorte de modestie, comme la grammaire, longtems avant que nous soyions en etat d'y manquer et d'en comprendre l'utilité. Ainsi les enfans rougissent souvent par modestie, avant que la nature leur en fournisse l'occasion. Une fille élevée avec soin, peut a deux ans commencer a remarquer l'attention que les femmes ont de ne point se decouvrir devant les hommes, et cette circonspection

66] luy etant recommandée par preceptes et par exemples, elle rougira a six ans, de montrer sa iambe, quoy quelle ne sache pas encor pour quoy elle seroit blamable de la montrer.

Ainsi la premiere chose que cette modestie exige, cest de ne se point découvrir d'une façon indecente. Cette idée d'indecence varie dans les differents pays. On ne trouvera pas qu'une femme manque a cette regle en portant un corps qui decouvre la gorge si cest la mode du pays ou elle vit. Mais de porter une iupe qui laissast voir le bout du pied, seroit une faute contre la modestie dans les pays ou elle exige que les femmes cachent leurs pieds, et il seroit impudent de montrer une partie de son visage dans ceux ou la coutume veut quelles soient voilées.

Si la decence doit regner dans nostre vettement, elle doit aussi regler nos discours et non seullement nous en devons banir tous les mots obscenes, mais aussi ceux qui sont a double entente.

Une ieune femme ialouse de sa reputation doit estre avec les hommes, d'une reserve qui aille iusques a la sevérité, a moins

67] que la proximité du sang, l'excessive disproportion d'etat, ou le grand age ne l'oblige a des egards. Elle doit observer ses yeux avec un soin extreme, et on doit y lire quelle possede un tresor quelle veut conserver toute sa vie. On a fait des satyres, sans nombre, contre les prudes, et donné les plus grands éloges aux graces simples, et au maintien peu etudié des beautés vertueuses. Mais il n'en est pas moins sur que l'air ouvert d'une femme qui vous sourit, enhardit bien plus les hommes, que ces regards severes, qui eteignent l'esperance, et mesme les desirs. Ainsi les ieunes femmes, et plus encor les filles, qui veullent se faire respecter, ne sauroient avoir un maintien trop réservé.

Il en est tout autrement des hommes. On ne les a pas assuietis a des bienseances si severes, car si on avoit imposé une contrainte egalle aux deux sexes, aucun n'auroit voulu faire les avances, et la propagation, ce grand but de la nature, et des politiques, auroit cessé parmi les gens bien elevés. Il a donc esté necessaire d'adoucir les rigueurs de la bienseance, et il est iuste de l'avoir fait en faveur

68] du sexe, dont les desirs sont les plus vifs et a qui le frein de la reserve seroit plus insuportable.

Ainsi loin quil soit deffendu aux hommes de montrer leur estime pour les femmes ils doivent au contraire les deffendre. Et cest un de leurs premiers devoirs. Il leur est permis de parler de leur amour a celles qui l'ont fait naitre, ou bien de faire dire a leurs yeux ce quelle defend quelques fois a leur bouche d'exprimer. Mais ce seroit une imprudence tres blamable d'abuser de cette permission, pour poursuivre la vertu d'une ieune femme par des regards indiscrets, et pour fixer sur elle des yeux temeraires. Cette conduite peut ietter une femme sans experience, dans des embaras tres cruels, sur tout si elle a du penchant pour celuy qui la poursuit si obstinément, car les yeux etant les fenetres de l'ame elle croit quil a desia decouvert son secret. Il luy fait soufrir une espece de question et semble vouloir arracher d'elle, la confession de cette grande verité que la pudeur luy ordonne de cacher avec tant de soin.

69] On ne reflechit point assés sur le pouvoir de l'education, et dans cette différence de la modestie des deux sexes, on attribüe souvent a la nature, ce qui n'est que l'effet des premieres instructions. *Miss* a a peine trois ans, quelle est desia soigneuse de cacher sa iambe. On la gronde si elle la montre; mais pour son frere qui est a peu prés du mesme age, on luy apprend a relever son petit iustaucorps et a pisser comme un homme. Cest l'education qui fait naitre en nous, tout ce qu'on appelle decence. Celuy qui appelleroit tout par son nom, et qui diroit tout ce que la nature luy fait sentir, auroit beau estre d'ailleurs le plus honneste homme du monde. On le regarderoit comme le plus meprisable. S'il y avoit un homme assés grossier pour dire a une femme, *quil a un desir violent de travailler avec elle dans l'instant a la propagation de son espece*, et quil se mist en devoir de l'embrasser, la femme s'enfuiroit, l'homme seroit regardé comme une beste brute, et personne ne voudroit avoir de commerce avec luy. Il ny a personne qui pour eviter une telle honte, ne

70] surmonte les plus violens desirs. Mais si la vertu nous commande de les étoufer, la bienseance ne nous oblige qu'a les contraindre.

L'homme le mieux élevé peut desirer la posession d'une femme avec autant de violence, que le plus rustre, et le plus sauvage.

Toute la difference est dans les moyens que l'un et l'autre employent pour parvenir a leur but. Le premier tache de s'introduire dans la maison de sa maitresse, puis de luy plaire par son assiduité, et ses soumissions. Enfin s'il est assés heureux pour s'en faire aimer, elle se resout a se donner a luy en presence de temoins. Le iour pris pour cette ceremonie, on les couche avec grand appareil dans le mesme lit, "la mere de la mariée la met elle mesme dans les bras de son amant, et recommande bien a sa fille de soufrir avec resignation tout ce que les desirs de son amant exigeront d'elle." Et il se trouve en fin de compte que mon honneste homme a obtenu tout ce quil desiroit; mais comme il ne l'a iamais demandé cela passe pour fort decent. Le lendemain toute la famille vient gravement rendre

71] visite a nos ieunes gens, on aporte un boüillon a l'amant pour reparer les fatigues de la nuit. Personne ne s'avise de leur rire au nez, ny de leur parler de ce quils ont fait. Ils ny font pas d'attention eux mesmes. Ils vivent tous deux comme auparavant (ie parle des gens bien élevés) et tout le monde les regarde comme deux personnes tres modestes.

71] Celuy qui satisfait ses desirs a la mode du pays ou il vit, n'a aucune censure a craindre, car a peine mon honneste homme est il sorti de l'eglise, quil peut, si ses desirs lė pressent, renvoyer la

72] compagnie, pour s'abandonner a toute la fureur de sa passion, et le lendemain non seullement il ne rougit point de tout ce quelle luy a fait faire, mais il raconte les marques d'amour quil a données a sa maitresse comme autant de proüesses dont il tire vanité, et qui luy gagnent l'estime des hommes et l'affection des femmes, sans en excepter les prudes. Et si quelqu'un s'avisoit de le condamner, ce quelqu'un la seroit berné et il auroit tout le monde contre luy.

71] Le respect qu'on a pour cette impudence que l'usage authorise, prouve bien quil ny a que façon de s'y prendre. Les hommes demandent seullement qu'on respecte leurs preiugés, et bien loin que la bienseance s'oppose a nos desirs, elle nous prescrit au contraire des regles pour les satisfaire d'une façon plus agreable, car dites moy, ie vous prie si l'homme bien elevé, a esté reëllement plus vertueux que le sauvage, et si mesme ce dernier n'auroit pas agi plus conformément aux loix de la nature, et avec plus de sincerité.

72] La modestie est fondée sur la honte qui est une de nos passions, et elle nous fait faire egallement le bien et le mal suivant les circonstances. Ainsi elle prend egallement le visage du vice et de la vertu. Cest elle, il est vray, qui empeche une courtisane de s'abandonner dans la place publique, mais cest elle aussi qui force une fille timide et bien née, dont l'innocence a esté seduite, a tuer son propre enfant pour eviter l'infamie.

73] Les personnes a leur aise peuvent cacher facillement leurs plaisirs, et eviter les suites facheuses quils pouroient avoir, mais il n'en est pas de mesme des pauvres.

Une malheureuse fille de bonne famille reste sans pain, et sans autre resource pour vivre, que de se mettre en condition. Elle peut avoir le cœur droit, de la religion mesme si vous voullés, et succomber cependant a une foiblesse quelle aura longtems combattüe. Si cette infortunée porte dans son sein, les marques de sa faute, son desespoir est inexprimable, la misere de sa condition, et l'infamie dont elle va estre couverte, se presentent a

74] elle dans toute leur horreur. Elle va perdre sa reputation, ce seul bien que la fortune luy ait laissé. L'estime mesme qu'elle s'est acquise dans l'esprit de sa maitresse et dans la maison, ne sert qu'a augmenter sa douleur. Elle se represente la ioye de ses ennemis, la douleur et la honte de ses parents et de ses protecteurs qui vont la regarder comme leur opprobre, et plus elle aura de modestie, plus la crainte d'une telle honte portera de trouble et de desespoir dans son ame, et pour l'eviter il ny a point d'extremité ou elle ne soit capable de se porter contre elle mesme, et contre le malheureux fruit de sa faute. On croit communement qu'une fille qui defait son enfant qu'elle a porté neuf mois dans son sein, doit estre un monstre barbare, d'une nature differente de celle des autres femmes, mais cette idée est bien fausse. La mesme fille qui fait perir son batard avec la cruauté la plus atroce, seroit une mere tendre pour des enfans legitimes. L'amour propre est le centre de toutes nos passions, cest a luy que se raporte la tendresse que toutes les meres ont pour leurs enfans, et cest luy qui etouffe la voix de la nature dans ces malheureuses filles que la

75] crainte de l'infamie rend si barbares. Il arive rarement que les femmes de mauvaise vie, tüent leurs enfans. Celles mesme qui partagent les crimes des voleurs et des meurtriers a qui elles s'abandonnent ne se soüillent gueres de celuy la, non quelles soient moins cruelles ou plus vertueuses que les meres qui en sont coupables, mais parce qu'ayant perdu toute pudeur, la crainte de la honte, ne fait pas la mesme impression sur elles.

Tout ce qui n'est pas l'obiet de nos sens ne peut l'estre de nostre amour. La nature ne dit rien aux meres les plus tendres pour les enfans qui sont encor dans l'uterus "parce que cet amour n'est pas necessaire alors a leur conservation." Il croit a mesure que ces petites creatures commencent a exprimer leurs desirs et leurs besoins, et il acquiert quelques fois un degré prodigieux d'activité et de force.

Cet amour maternel a fait entreprendre a ce sexe faible et timide des choses qui paroissoient surpasser ses forces. On a vû des meres se precipiter au milieu des dangers pour sauver leurs enfans, mais les femmes les plus vertueuses n'ont en cela aucun

76] avantage sur les plus meprisables. Cette tendresse est dans les unes et dans les autres un instinct aveugle qui les entraine sans aucun egard au bien ou au mal quelles procurent a la societé. Et il ny a aucun merite dans tout ce que cet amour excessif leur fait faire.

"Cest peutetre dans l'enfance seulle que la nature parle veritablement aux meres. Ce n'est plus dans la suite, que le mouvement d'une roüe, qui tourne encor, quoy que le mouvement de la main qui l'a poussée n'agisse plus. L'habitude, le devoir, et surtout l'amour propre, prennent la place de ce premier *dictamen* de la nature, et il est peutestre vrai de dire quelle n'agit point differement dans les poules et dans les femmes. Son but dans les unes et dans les autres est la conservation de l'individu quelle confie a leurs soins. Ainsi une poulle s'atache a de petits canards, et sert aussi bien les veües de la nature, dans la conservation de ces petits animaux, que si elle

77] avoit elevé ses veritables enfans. De mesme une femme aimeroit avec la mesme tendresse, un enfant qui ne seroit point le sien, si en la trompant on avoit empesche son imagination de s'opposer a l'impulsion de la nature. Toute la difference est que l'on trompe les poulles plus aisément que les femmes." L'amour excessif de certaines meres pour leurs enfans a été tres souvent nuisible a ces enfans qui en ont été l'objet, et s'il leur est utile dans l'enfance, il les corrompt souvent dans la suite et cette tendresse maternelle en a conduit plus d'un a la potence.

72] Les passions peuvent quelques fois faire faire le bien, mais il ny a de vertu qu'a les surmonter. Si la modestie etoit une vertu par elle mesme, n'auroit elle pas le mesme pouvoir sur nous, soit

73] que nos actions fussent ignorées, ou connües. Or voila assurément ce qui n'est pas. Aussi la premiere chose que les hommes cherchent a persuader aux femmes quils veullent seduire, cest que leurs bontés pour eux, seront touiours ignorées. Il ny a point de ieune femme qui ne commence par s'en flatter, et les hommes qui ont un peu d'experience, savent bien que c'est la crainte de la honte et non l'amour de la vertu quils ont a combatre dans les femmes.

> Illa verecundis lux est praebenda puellis
> quae timidus latcebras, suerat habere pudor.

77] L'autre sorte de modestie qui nous fait cacher aux autres, le cas que nous faisons de nous mesmes, s'appelle comunément *le savoir vivre*. Il ne nous sert gueres qu'avec nos egaux, et nos superieurs tant que nous sommes en bonne intelligence avec eux, car cette intelligence une fois rompüe, il y auroit de la lacheté a avoir pour eux les mesmes egards. Pour nos inferieurs, ils sont rarement dans le cas d'attendre de nous des deferences, qui derangeroient l'ordre de la societé, et quand ils y sont, ils deviennent alors nos egaux.

Un homme qui demanderoit quelque chose de considerable a un autre quil ne connoitroit pas, passeroit avec raison pour un impudent, parce quil ne songeroit dans cette demande inconsiderée, qu'a ce qui luy est utille sans egard a l'interest

78] de celuy a qui il s'adresseroit. Cest par cette raison que nous devons eviter de parler, sur tout en bien, non seullement de nous, mais aussi de nostre femme, de nos enfans, et de toutes les choses qui nous regardent personellement, car les autres ny prenant aucun interest, cest manquer d'egards pour eux, que de paroitre si occupés de nous et si peu soigneux de leur plaire.

Un homme bien elevé doit desirer d'estre estimé et mesme d'estre loüé, mais il ne doit point soufrir qu'on le loüe en sa présence, et sa modestie en doit paroitre blessée; car nous aimons tous la louange et nous ne soufrons qu'impatiement qu'un autre ioüisse en nostre presence du plaisir que nous ne partageons pas. Il s'éleve en nous une envie contre celuy que nous entendons loüer, qui degenere bientost en haine. Voila pourquoy un homme qui scait vivre cache la ioye que luy donnent les louanges, et mesme il feint d'en estre faché, et de s'en croire indigne.

Il est tres possible qu'a force d'avoir vû des nostre enfance combien les gens qui soufrent qu'on les loüe en face sont ridicules,

79] nous nous guerissions insensiblement du plaisir naturel que nous avons a entendre nos louanges, et que nous parvenions enfin iusqu'a ressentir une espece d'embaras quand on nous loüe en face. Mais ce n'est pas la le ply de la nature, c'est un effort que l'education arrache d'elle, car si les hommes ne sentoient pas naturellement du plaisir a estre loüés, il ny auroit point de modestie a refuser la louange.

Le savoir vivre se fait sentir dans les plus petites choses. Un homme bien elevé prend touiours le plus mauvais morceau d'un plat, et sert aux autres ce quil y a de meilleur. Il se concilie par cette attention la bienveillance de la compagnie, chacun le remercie et le loüe de sa politesse, et quand mesme on ne luy en diroit rien, le seul plaisir de penser qu'on doit l'approuver, est pour un homme vain, un équivalent plus que suffisant pour le petit sacrifice quil a fait, et paye son amour propre avec usure.

Qu'on serve un panier de pesches a des gens bien élevés, il est certain que

80] celuy qui en prendra le premier choisira la plus mauvaise, et cela pour faire croire aux autres, quil desire qu'ils soient mieux partagés que luy, et quil les en croit dignes.

L'habitude nous a rendu ces supercheries de la politesse presque naturelles. Et elle nous en cache le ridicule, et l'absurdité. Mais si un homme élevé dans l'ignorance de toutes ces simagrées, et acoutumé a dire ce quil pense, se trouvoit au milieu d'une compagnie de gens qui savent vivre, il ne pouroit assister a cette comedie sans leur marquer son indignation, ou sans leur rire au nez et cependant la politesse toute ridicule quelle est, nous fait vivre ensemble d'une façon plus agreable, que ne feroit la grossiere simplicité de la nature. Et on ne pouroit la banir sans de grands inconveniens.

Il est tres necessaire pour parvenir a une connoissance exacte de soy mesme de bien distinguer entre vertus, et bonnes qualités. Ces dernieres sont fondées sur les egards que la societé exige que chacun ait pour les autres, et personne n'est exempt de s'y soumettre, pas mesme

81] les rois. Mais quand nous sommes seuls tout cela s'evanoüit, et les mots de modestie, d'indecence, d'impolitesse, etc. perdent leur signification. Un homme peut estre mechant, mais il ne peut estre immodeste quand il est seul, et aucune pensée dont personne n'a eü connoissance, ne peut estre appellée indecente. Le savoir vivre n'a rien de commun avec la vertu. Il aide et soutient nos passions, loin de les detruire. L'homme qui nous paroit le plus modeste est souvent tres vain. L'orgueil des honnestes gens n'est pas d'avoir la contenance arrogante d'un alderman, ou d'un financier qui n'ote son chapeau a persone, qui ne repond point aux lettres quon lui escrit et qui dedaigne de parler a son inferieur. Celuy la met sa vanité dans ces dehors grossiers, mais les autres savent les immoler sans peine au plaisir d'estre estimés et de passer pour modestes. C'est par ce leger sacrifice qu'un homme bien elevé parvient a satisfaire son orgueil, d'une façon d'autant plus delicieuse que le cachant aux autres, non seullement il evite leur haine, mais quil les force par cela mesme, a le loüer et a l'estimer.

L'orgueil des hommes ne paroit iamais plus a decouvert que dans les occasions

82] ou ils se flattent de le cacher sous le masque de la bienseance. Nous en pouvons voir des exemples dans les disputes des grands sur le rang et sur la preseance, surtout quand ils sont ambassadeurs. Comme ils esperent alors que l'on attribuera au soin quils doivent avoir de la dignité de leur charge, et de l'honneur de leur maitre tout ce que leur vanité leur fait faire, ils donnent cariere a leur orgueil, et ce qui se passe dans les negociations, et les *punctilio* des traités publics, est une bone preuve que ce n'est que pour satisfaire leur orgueil d'une façon plus sure et plus rafinée, que les gens bien élevés savent le cacher, quelques fois, puisquils saisissent avec trop d'empressement, les occasions ou ils peuvent se defaire de cette contrainte sans passer pour orgueilleux.

84]

## CHAPITRE 5<sup>e</sup>

### DES MARCHANDS EN DETAIL

Nous faisons si peu de cas des autres en comparaison de nous, que nul ne peut avec iustice estre iuge en sa propre cause. Il ny a point de marchand qui soit content de ce quil gagne, et point d'achetteur qui ne croye donner baucoup trop de ce quil achette. Les derniers voudroient avoir tout pour rien, et les autres voudroient vendre leurs marchandises le double de leur valeur. Rien ne nous determine plus a acheter que lorsque nous nous persuadons que le marchand gagne peu ou mesme quil perd sur ce quil nous vend. Nous faisons une espece de vanité d'achetter a bon marché ainsi le debit et par consequent le gain du marchand etant fondé sur l'opinion ou l'on est quil se contente d'un gain modique il ny a point de mensonges quils n'inventent, ny de stratageme quils ne mettent en usage pour donner d'eux cette idée.

Ceux qui ont blanchi dans le metier, et dont les boutiques sont achalandées abusent de leur reputation, et croyant mettre un voile de probité a leurs

85] friponneries, dedaignent de s'abaisser aux petites ruses des autres, et ecrivent sur chaque chose le prix quils en veulent avoir, et se font une loy de n'en rien "rabattre, parce que, disent ils, etant fixés a gagner tant par cent; ils ne peuvent soutenir leur commerce, qu'a la faveur de ce gain iuste et modique." Mais ceux qui se laissent prendre a ce piege, et qui croyent trouver plus de probité dans l'arogance de ces vieux rouliers, que dans les airs soumis et empressés de ceux qui sont moins fameux, se trompent grossierement. Les uns et les autres cherchent egallement a attraper leur prochain, quoyque par des voyes differentes. Ceux qui n'ont qu'un mot, ont leur marque particuliere tout comme ceux avec qui l'on marchande et cette marque sert a cacher le gain et la friponerie des uns et des autres.

87]

## CHAPITRE 6e

### DES IOUEÜRS

Ceux qui ont vû des ioueürs savent quils ne disent iamais ce quils ont gagné, sur tout devant les gens interessés, et il faut que cet usage universel ait son fondement dans la nature, ou plutost dans l'éducation, qui est une seconde nature.

Les joüeurs qui gagnent cachent leur gain a ceux qui perdent, par un melange de pitié, de soin d'eux mesmes, et de reconoissance (s'il est permis d'appeller ainsi, cette espece d'affection que nous sentons pour ceux qui contribuent a nostre bien estre) car les hommes sont naturellement reconoissants et il ny en a point qui ne soyent touchés d'un bienfait, dans le moment mesme quils le reçoivent. Tout ce que ce sentiment prompt nous fait faire, part veritablement du cœur, mais ce premier mouvement passe les marques de reconoissance que nous donnons a nos bienfaiteurs, est l'effet de l'education, de la raison, de la vertu, et des idées du devoir, et non de cette premiere

88] impulsion qui nous porte a la gratitude. Cette affection naturelle que nous avons pour ceux qui nous font quelque bien, vient de nostre amour pour nous mesmes. Nous etendons souvent cette affection aux choses inanimées, quand nous imaginons quelles contribuent a nostre bien present, et cest de ce motif que part l'affection et l'espece de reconoissance que nous avons pour ceux dont nous gagnons l'argent.

A l'egard de notre pitié pour eux elle vient de la reflection que nous faisons sur la peine que nous feroit la perte quils font, si nous etions a leur place, et comme nous craignons quils ne viennent a envier et enfin a haïr quelqu'un qui est heureux a leurs depens, le soin que nous avons de nous mesmes, nous porte a leur cacher une partie de leur perte, dans l'esperance quils en seront moins indisposés contre nous.

"Les ioüeurs cachent aussi leur gain, aux indifferents, dans la crainte quils ne leur empruntent de l'argent. Les perdants au contraire enflent leur perte, pour avoir l'air magnifique, et pour ioüir

89] du plaisir d'estre enviés de ce quils ont tant de quoy perdre, et plaints de ce quils ont tant perdu."

"Personne ne se meprend aux passions quand elles elevent leur teste, et qu'elles montrent leur veritable visage. Mais il ny a que les philosophes qui etudient l'homme avec soin, qui puissent reconnoitre les passions a travers les formes sans nombre quelles prennent, dans les differentes circonstances de la vie humaine. Elles echapent alors aux yeux du vulgaire, ou s'il les aperçoit il les meconnoit entierement."

Ainsi quand une mere qui a perdu son fils, s'arrache les cheveux et pousse des cris lamentables, il ny a personne qui ne voye dans ce trouble, les marques d'une douleur immoderée. Y a til quelqu'un par exemple qui ignore, que cest la pitié qui nous cause le malaise que nous sentons a la veüe d'un malheureux qui se fend la teste. "Ce sont la de ces grands traits qui frapent la veüe de tout le monde. Mais peu de gens appercoivent les motifs par lesquels les hommes se conduisent, dans les evenemens les plus communs de la vie. Cest cependant ceux-la quil nous est important de connoitre, parce que revenant tous les iours, ils nous tiennent de plus pres."

90] "Le ieu, par ex. consume la moitié de la vie des gens du monde. C'est donc dans cette occupation, que l'avarice et l'inutilité ont inventés, quil faut les suivre, pour decouvrir leurs passions, et leurs vices."

Voyés deux ioüeurs: ils nous donnent chacun un spectacle different. Celuy qui gagne est touiours de bonne humeur. Il cherche a égayer l'autre, il repare les meprises que le trouble de la perte luy fait faire, il est touiours de son avis. Cest celuy qui perd qui regle la longueur des parties. Le gagnant est touiours prest a luy donner sa revanche, et a luy adoucir par ses complaisances, l'amertume de sa perte.

L'autre au contraire est de mauvaise humeur, capricieux, bourru, difficultueux. Mais son adversaire respecte toutes ses fantaisies, et pourvû que celuy qui perd n'outrage point personellement celuy contre qui il ioüe, il luy est permis de iurer, de mesler les cartes, d'en ietter mesme tant quil veut, sans que le gagnant, qui cependant les paye, le trouve mauvais, et il ny a point de partie qui ne soit une preuve de ce proverbe

Losers must have leave to rail.

Il doit estre permis a ceux qui perdent de gronder. note 3

91] "Le ieu est peut estre de toutes les occasions de la vie, celle ou les gens du monde montrent le plus d'humanité. Et cela parce qu'ils se mettent plus aisement a la place de celuy qui soufre."

note 3. cela fait aparament un proverbe anglais: *marchand qui perd ne peut rire* est le proverbe français qui y repond le plus.

"Qu'un pauvre meure de faim dans la rüe, que leur cocher y perisse de froid, a les attendre toute la nuit, comme ils n'ont iamais rien éprouvé de semblable, ils ne se croyent pas de l'espece qui y est suiette. Mais ayant essuyé souvent la mauvaise fortune dans le ieu, et craignant continuellement qu'elle ne change, ils ont pour ceux de qui ils gagnent l'argent, les égards quils desirent qu'on ait pour eux quand ils perdent."

Ainsi cest d'un retour sur nous mesmes que naissent tous ces egards, et ils cessent avec les motifs qui les ont produits. Aussi deux iours apres, quand les idées sont effacées, et que le perdant a repris sa tranquilité, il rit le premier de sa perte, et plaisante souvent mesme, de la mauvaise humeur quelle luy a causé, et celuy qui a gagné ne craignant plus alors d'exciter sa haine, et son envie ne fait point de difficulté d'avoüer son gain, et quelques fois mesme de l'exagerer par vanité.

Il peut ariver que des gens qui ioüent

92] ensemble ayent d'ailleurs quelque animosité particulière l'un contre l'autre, et alors rien de ce que ie viens de dire n'aura lieu.

Quand on ioüe extremement petit ieu le desir de passer pour habile, et de remporter une petite victoire, etant l'obiet principal, la perte de nostre adversaire, n'excite en nous aucun sentiment. Les differentes passions nous font eprouver des mouvemens differents, et ie n'ay pretendu parler dans ce que ie viens de dire, que des ieux ou l'argent fait l'obiet principal.

"Je scais que baucoup de gens disent quil leur est arivé souvent de cacher ce quils gagnoient, mais quils n'ont iamais remarqué ce fust par aucun des motifs dont ie viens de parler. Je ne suis point étonnée de cette obiection. Je scais combien peu de gens reflechissent, et que mesme parmi ceux qui font quelque attention sur eux mesmes, il ny en a gueres qui ayent le fil de ce labyrinthe de nos passions. Il en est de leurs differents effets comme du melange des couleurs dans les etoffes. Il est aisé de connoitre le bleu d'avec le rouge, le noir d'avec l'orange, mais il ny a que les artistes qui puissent desmeler les nuances

93] differentes et la façon dont il faut les assortir, pour en faire une belle etoffe. Ainsi quand une seulle passion nous fait agir, il est aisé de la reconnoitre, mais il est difficille de rendre compte des actions qu'un melange de plusieurs passions a produit."

94]

## CHAPITRE 7e

### DES PROFESSIONS FONDÉES SUR LES VICES DES HOMMES

Il y a des occasions, ou l'on peut dire avec verité *que la vertu est l'amie du vice.*

Les gens du peuple qui gagnent de quoy elever leur famille, et payer les taxes publiques dans les professions fondées sur les vices des autres, ne participent pas plus a ces vices qu'un droguiste, ches qui on prend des drogues pour empoisoner, ou un fourbisseur qui vend une epée avec laquelle on assassine.

Un marchand qui envoye du bled et des draps dans les pays etrangers, et qui en tire des vins et des liqueurs, fait fleurir les manufactures de son pays, encourage la navigation, augmente des droits de la doüane et est utille de mille façons a la societé. Il est cependant bien sur, que son commerce est fondé sur le luxe, et sur l'yvrognerie. [si personne ne buvoit du vin qu'autant quil en faut pour la santé, les marchands, les cabaretiers, les tonneliers, et tant d'autres

95] tomberoient bientost dans la misere. On peut dire la mesme chose de ceux qui font les cartes et les dez. Ils sont les ministres innocents et immediats d'une foule de vices.

Cette reflection fait voir que l'on ne songe point assés, quand on declame contre le luxe, et contre l'orgueil: combien de marchands d'étoffes, de tailleurs, de tapissiers et d'autres ouvriers, mouroient de faim si les vices etoient banis de la societé.

97] CHAPITRE 8[e]

## QUE LES PLUS MECHANTS SONT ENCOR UTILLES A LA SOCIETÉ, ET PRINCIPALLEMENT LES CABARETIERS

Je scais que cela paroitra bien etrange. On me demandera sans doute, quel bien les voleurs, et les assassins peuvent faire, a la societé. Personne n'est plus persuadé que moy, quils luy sont tres pernicieux et que ceux qui gouvernent, doivent employer tous leurs soins pour les extirper. Et cependant telle est la liaison des choses que si tout le monde etoit incapable de s'approprier le bien des autres cette honnesteté universelle auroit aussi des inconvenients. *note 4e.*

Un de ces inconveniens seroit que la moitié des seruriers et des autres ouvriers en fer, mouroient de faim, et une infinité d'inventions que l'industrie est parvenüe a faire servir en mesme tems d'ornement et de deffense, eussent esté ignorées.

98] Si nous iugions des actions par leurs effets, nous serions obligés de convenir que les membres de la societé les plus inutils et les plus mechants, contribuent cependant a son bonheur. Mais ce n'est pas ainsi qu'on doit iuger les hommes. Quand il s'agit de les punir ou de les recompenser, il faut les iuger sur leurs actions en elles mesmes, et sur tout sur les motifs qui les ont fait faire. Ainsi quoy quil soit vrai que celuy qui volle le tresor d'un avare, fait un bien aussi reel a la societé (voyés la notte 4e) en mettant dans le commerce un argent qui etoit mort, qu'un evesque qui donne l'aumone, cependant le repos de cette mesme societé et la iustice exigent que le premier soit pendu, et l'autre honoré, et reveré.

Il y a des voleurs qui vollent pour gagner leur vie, soit que ce quils peuvent gagner honnestement ne suffise pas a leur subsistance, soit quils soient nés trop paresseux, pour vouloir travailler.

*note 4e* la moitié de ce que l'auteur dit dans ce chapitre n'est quun paralogisme continuel. Les voleurs et les assasins ne peuvent jamais estre utiles a la societé, et quant aux seruriers voila une plaisante raison a donner, ne semble til pas quil ni ait que cette profession dans laquelle on gagne sa vie. Il faut bien prendre garde d'abuser de son esprit, et dy trop etendre des principes qui ne sont vrais que jusqu'a un certain point.

Il y en a qui vollent pour avoir de quoy s'enyvrer, et avoir des filles. Il est vrai que celuy qui les retire ches luy, sachant

99] bien le metier qüils font, y participe mais si leur conduite paroit reglée, quils payent bien, quils soient exacts en affaires, ce qui n'est point incompatible, le plus honneste marchand leur fournira tout ce quils ont besoin, et aura mesme une attention extreme a les contenter, son affaire n'etant pas d'examiner, si les mœürs de ses pratiques sont bonnes, mais si elles payent bien, et il n'en sera pas moins vrai que la subsistance des malheureux qui ont esté la victime de ces voleurs servira a élever la famille de cet honneste marchand.

Un de ces voleurs ayant fait un butin considerable, donne a une pauvre fille pour qui il se sent du goût, de quoy s'habiller de pied en cap. Il ny a point de marchand, si scrupuleux quil soit, qui refuse de fournir a cette fille ce qui luy sera necessaire pour s'habiller. Ainsi le marchand, le cordonier, la couturiere, tous tirent leur subsistance du vol du fripon, qui a donné de l'argent a cette fille.

Ce fripon ayant depensé tout son argent se met a voler de nouveau, et etant malheureusement pris et condamné, selon

100] les loix, il tire par son suplice trois ou quatre personnes de peine. Un honneste fermier qui avoit perdu presque tous ses bestiaux, un laboureur accablé d'enfans, et dont la femme etoit malade, et un pauvre garçon jardinier dont le pere etoit en prison pour debtes, ayant receu chacun 80 guinées (note 5) pour avoir convaincu le voleur, retablissent leurs affaires par cet argent, et le suplice d'un fripon, qui est la suite de ses vols, fait la fortune de trois honnestes gens, et les rend du moins pour un tems, les plus heureuses personnes du monde. Ainsi la societé profite des vices mesmes quelle est obligée d'extirper, et de punir le plus severement.

Rien n'est plus contraire a la santé et a l'industrie qui sont les seuls biens des pauvres, que ces liqueurs qu'on tire du genievre. Tout le peuple se laisse prendre a cet appas enchanteur. Les mal-

*note 5* cest un usage en Angleterre, qu'il y a touiours une retribution pour ceux qui convainquent un criminel.

heureux boivent dans ce lethé l'oubli de leur misere. Cest cette liqueur qui leur fait regarder avec indifference leurs haillons, et ils y noyent avec leur raison, toutes les reflections

101] affligeantes de leur état. Cest cette liqueur qui ferme leurs oreilles aux cris d'une famille qui meurt de misere. Elle rend le froid, la faim, et tous les autres besoins quils eprouvent, moins cuisants. Enfin elle les console de vivre; mais ces avantages apparents, sont un mal bien réel pour eux. Cette liqueur quils croyent si bienfaisante, detruit leur temperament et les devore. Cest un lac de feu qui les embraze et les dechire. De plus cet oubli passager de leur misere, la rend plus profonde en les rendant par leur paresse incapables d'en sortir. Non seullement ces liqueurs si dangereuses detruisent la moitié du peuple, mais elles exercent leur cruauté dans toutes les conditions. Elles changent la vivacité en brutalité. Ceux qui en abusent sont querelleurs, et touiours prests a se battre pour rien. Qui pouvoit nombrer les meurtres dont elles ont esté causes. Elles ont detruit les temperaments les plus forts, et fait mourir de consomption, d'apoplexie, ou de fievres chaudes, des gens que la nature avoit faits, pour faire l'epitaphe du monde, et elles ne laissent a ceux quelles epargnent le plus, qu'une vie assiegée de toutes sortes d'infirmités.

102] Quelques-uns de ceux qui aiment ce poison liquide avec le plus de passion, en vendent, pour avoir le plaisir de fournir aux autres ce quils aiment avec tant d'excés, et pour avoir une occasion continuelle de boire. De mesme que les femmes debauchées saisissent avec empressement les occasions de débaucher les autres, et de leur procurer des plaisirs.

Dans les environs de la ville la plus grande partie des maisons sont des cabarets. Je ne crois cependant pas quil y ait un plus indigne et un plus miserable metier que celuy de cabaretier. Il faut que celuy qui l'exerce soit touiours sur ses gardes, pour que ses valets ne boivent point son vin. Il faut quil soit du temperament du monde le plus vigoureux, il doit estre touiours prest a servir les autres, scavoir toutes les petites finesses qui attirent les chalands, toutes les platitudes que le peuple dit, pour tourner sa frugalité en ridicule, quil ne s'epouvante point des iurements continuels quil entend, et de toutes les iniures qu'on luy dit. Il doit estre honneste et affable pour les plus meprisables, et soufrir sans degoût la puanteur, les disputes, et toutes les

103] impertinences qui accompagnent la ioye des sots. La ville et les fauxbourgs fourmillent cependant de ces seducteurs authorisés par les loix, dont la profession est d'entretenir et d'augmenter la brutalité, la paresse, la misere, et tous les autres maux, ou cette coupe de circé plonge ceux qui en boivent.

"Tout est lié l'un a l'autre, tout a des raports infinis. Le peuple n'apperçoit qu'un chainon de cette chaine immense qui embrasse le tout. Mais ceux qui considerent les choses avec une veüe moins bornée, voyent le bien sortir des racines du mal, aussi naturellement que les poulets viennent des œufs."

Ainsi cette liqueur qui cause tous les maux dont ie viens de parler, fait une partie considerable des revenus de la nation, par les droits imposés sur le malt. Note 6. Une quantité innombrable d'ouvriers vivent du travail quelles exigent. Ainsi le public et les particuliers soufriroient égallement si on cessoit de la tirer du malt. On peut dire encor que l'usage du malt est tres sain quand il est moderé, quil fortifie des gens qui travaillent, et quil

104] leur tient lieu de remedes plus chers, quils n'auroient pas le moyen de se procurer; que l'abrutissement et l'insensibilité, quil cause aux pauvres, est un bonheur réel pour eux, s'il est vrai que le plus heureux soit celuy qui soufre le moins, et que pour les querelles et les meurtres dont ces liqueurs sont la cause, la societé en est amplement dedomagée, par le courage quelles inspirent aux soldats, qui pour la plus part s'enyvrent un iour de combat, et que cest a elles qu'on doit les principalles victoires que la nation a remportées dans les dernieres guerres.

A l'egard des desagrements attachés au metier de cabaretier, chaque profession a les siens. De plus, ce qui nous paroit degoutant et insuportable dans la leur est ce qui leur en plait davantage,

note 6. C'est une graine dont on tire en Angletere une liqueur tres violente.

l'éducation et lhabitude changeant entierement les choses aux yeux des hommes. Mais quand bien mesme ces desagrements, seroient pour eux des peines réelles, qui ne scait que le gain est une compensation pour tout, et que ce proverbe: *dulcis odor lucri ere quâlibet* est bien vrai.

Il n'y a point de plus pauvre metier que

105] celuy de marchand d'eau de vie, et le plus fameux fait touiours une pauvre figure. Quelles peines, quelles miseres, quelles basesses ne faut il pas que ces malheureux epuisent pour vendre leur poison? Cependant ils peuvent devenir utilles a la societé. Car si un de ces malheureux ayant fait une petite fortune a ce metier, devient iuge de paix, ou quil parvienne a quelque (cela est un peu tiré) autre magistrature, connoissant mieux qu'un autre les desordres de la populace il les reprimera mieux, et leur inspirera avec d'autant plus de succès l'honnesteté, la retenüe, et toutes les autres vertus, que connoissant le bon, et les details de cette canaille, il saura mieux les moyens de la mener et de la persuader.

106]

## CHAPITRE 9e

### DES MUSICOS D'HOLLANDE

Rien n'a plus contribué a l'etablissement de la religion reformée que la paresse et la stupidité du clergé romain. Mais la reformation en profitant de son ignorance, l'en a gueri, et l'on peut dire que Luther et Calvin ont non seullement reformés leurs sectateurs, mais mesme leurs ennemis. Le clergé d'Angleterre, en reprochant aux schismatiques leur ignorance, a excité leur emulation, et en a fait des ennemis formidables auxquels il a bien de la peine a repondre. Les papistes a leur tour, par l'acharnement avec lequel, ils relevent les moindres fautes des reformés, leur en ont epargné plus d'une. Car des ennemis si clairvoyants et si attentifs, ont mis les protestants dans l'obligation d'estre irreprochables.

107] Cest a la quantité d'huguenots dont la France a esté remplie iusques a leur derniere extirpation, quelle doit l'avantage d'avoir eü, un clergé plus savant et moins débauché que les autres nations chrétiennes. Il ny a point de pays, par ex. ou les pretres soient plus absolus qu'en Espagne, et en Italie, et il ny en a point ou leurs mœürs soient plus dissolües, parce que personne n'ose leur reprocher leurs vices.

Il en est de mesme des femmes vertueuses et des courtisanes. L'incontinence de ces dernieres, est ce qui sert le plus a mettre l'honneur des honnestes femmes en sureté. Un ieune homme qui sort de l'eglise, du bal, ou de quelque autre assemblée, ou il a vû de iolies femmes, a sans doute l'imagination plus échaufée, que sil venoit de se promener dans une campagne ou il n'auroit vû que des moutons. Il est sur qu'au sortir de ce spectacle l'envie de contenter ses desirs, le menera ches une femme avec qui il puisse les satisfaire, et s'il n'en trouvoit point qui

108] consentit a ses desirs, il y a grande apparence qu'il les satisferoit par la force, des quil en pouroit trouver l'occasion.

Je suis bien loin d'encourager le vice, et ie pense qu'un etat dont toute sorte d'impudicité seroit banie, seroit trop heureux, mais cest avec regret que ie suis convaincu, que cela est impossible. Cette passion est trop violente dans les hommes, pour estre domtée par aucune loy.

La sagesse d'un gouvernement consiste a tolerer les abus qui sauvent un plus grand mal. Si on banissoit les courtisanes de la societé, comme les gens qui ne reflechissent point ne cessent de le demander, il ny auroit ny grilles, ny veroüils qui pussent sauver l'honneur de nos femmes, et de nos filles, car non seullement elles seroient plus vivement attaquées, mais le rapt et les plus grands excés, deviendroient des crimes ordinaires.

Dans les ports de mer, comme par ex.

109] a Amsterdam, ou six ou sept milles matelots debarquent a la fois, apres avoir passé plusieurs mois de suite avec des hommes, enfermés dans un vaisseau, croyés vous qu'une honneste femme pust sans risquer son honneur, sortir le pas de sa porte, si ces matelots ne trouvoient des femmes avec lesquelles ils pussent contenter leurs desirs, sans user de violence. Cest une des raisons pour lesquelles les sages magistrats de cette puissante ville, permettent quil y ait un certain nombre de maisons ou l'on marchande ces plaisirs aussi publiquement que des chevaux au marché. Cette sage tolerance est une des choses qui fait le plus honneur a la prudence humaine, et ie crois qu'on me scaura gré de donner icy une idée de ce qui se passe dans ces maisons, ou la plus grande licence est authorisée par les loix.

Premierement elles sont baties dans les rües les plus detournées de la ville. Aucun etranger, qui a quelque soin de sa reputation, n'oseroit y loger. La rüe dans

110] laquelle une de ces maisons se trouve est reputée infame, et le deshonneur s'etend a tous les voisins. [secondement il est bien permis d'y conclure un marché et d'y prendre ses arangements pour un rendésvous, mais toute action dissolüe en est banie, et cet ordre est si exactement observé, que malgré la grossiereté et la rudesse des gens, qui les frequentent, vous y trouverés moins d'indecence, et de dissolution que dans aucun autre lieu public. [Troisiemement les femmes qui y viennent sont l'ecume et la lie du peuple. Elles sont vetües pour la plus part comme des comedienes de campagne. Cet habillement fait un contraste si ridicule avec la noirceur de leur peau, et les façons de ces princesses sont si bien assorties a leur figure, quil n'est point a craindre que la ieunesse au dessus du matelot en soit tentée.

La musique de ces temples de venus consiste dans des orgues, non que la deesse qu'on y adore, ne merite une musique plus harmonieuse, mais parce que le but

111] principal de ceux qui la donnent, est de faire baucoup de bruit, pour le moins d'argent quil est possible. Dailleurs les gens de mer, et principallement les Hollandois sont aussi bruyants que l'element sur lequel ils passent une partie de leur vie. La gayeté d'une demi douzaine de matelots, etoufferoit le bruit de quarente violons, au lieu qu'avec deux orgues, ils peuvent faire tant de tapage quils veullent. Ainsi cet instrument est assorti a la grosiereté de leurs oreilles et a l'avarice de ceux qui tiennent ces musicos. Malgré la grande discipline qui regne dans ces marchés publics d'amour, le *schout* et ses officiers sont sans cesse occupés a reprimer les maitres de ces maisons, et sur les moindres plaintes ils les en chassent. Le gouvernement a en cela deux veües. La premiere de mettre un frein aux gains immoderés quils font et la seconde de punir de tems en tems les maitres de ces ecolles publiques du vice, afin de ne pas mettre la multitude dans leur secret, et de conserver a la magistrature le respect du peuple, en

112] luy faisant acroire quils soufrent malgré eux, ce qu'en effet, ils tolerent car le pouvoir de ceux qui reglent la police a Amsterdam est si absolu, que s'ils vouloient, ils detruiroient en un iour tous les musicos. Mais ils feroient un mal bien réel a leur patrie. "La république a plus d'une veüe dans cette tolerance. L'honneur des femmes vertueuses en est une, mais l'avancement de leur commerce y a bien autant de part. Il ny a point de matelot a qui un voyage a la mer ne fasse une petite fortune, et qui ne reviene dans sa patrie avec une ferme resolution d'en ioüir tranquillement, et de ne se plus embarquer. Cependant il faut des matelots a la republique pour soutenir son commerce et sa grandeur. Les maisons dont ie viens de parler luy fournissent un moyen sur pour faire rembarquer ceux qui y avoient le plus d'éloignement. Les matelots depensent en peu de tems dans ces maisons et avec les filles quils y trouvent, le fruit de leurs travaux et sont ensuite obligés de se remettre

113] en mer pour eviter la pauvreté. *mox reficit vates quassas indocilis pauperiem pati.*"

En Italie et en Espagne, les filles de ioye sont encor tolerées plus ouvertement qu'en Hollande. L'amour y a des temples publics sous un nom moins honorable. A Venise et a Naples, l'impureté est une sorte de metier, et l'honneur des femmes une marchandise. Les courtisanes a Rome et les cantoneras en Espagne, composent un ordre a part, et payent une taxe au tresor public, du revenu de leurs plaisirs. Il est certain que ce n'est pas par irreligion que ces excellents politiques soufrent ces debauches publiques, mais pour empecher une autre sorte de débauche plus infame et pour mettre l'honneur des femmes en sureté. Mr Didier raporte que 50 ans avant luy, les courtisanes ayant manqué a Venise la republique fut obligée d'en faire venir un grand nombre des pays etrangers. Le doglioni qui a ecrit ce qui s'est passé de plus memorable dans cette republique loüe extremement sa sagesse dans ce point

114] et la prevoiance avec laquelle elle a pourvû par cette sage tolerance a l'honneur des filles et des femmes, qui sans cela seroient exposées continuellement a des insultes et des violences dont les asyles les plus respectables ne les mettroient pas a couvert.

Nos universités en Angleterre seroient pleines de desordres, si dans la plus part il n'etoit permis d'accorder de tems en tems quelque chose aux besoins de la nature, come autrefois il etoit permis en Allemagne aux moines et aux prestres d'avoir des concubines, en payant une certaine redevance annuelle a leur evesque.

On croit communément, dit Mr. Bayle, a qui ie dois tout ce paragraphe, que l'avarice etoit la cause de cette tolerance honteuse, mais il est bien vraisemblable que cette licence avoit esté permise pour empescher les moines et les ecclesiastiques de corompre leurs penitentes et pour mettre a couvert l'honneur des maris qui dans la crainte de s'attirer le ressentiment du clergé, n'osoient pas mesme se plaindre de ces desordres.

115] Il est donc certain quon a esté obligé de sacrifier l'honneur de la moitié des femmes a la conservation des autres, et de prévenir par la, une debauche plus outrageante pour la nature, et plus nuisible a la societé. Ainsi ie crois avoir prouvé cette espece de paradoxe, *que l'incontinence est utille a la chasteté, et que les vertus les plus respectables, ont besoin quelquefois des vices les plus infames.*

116]

## CHAPITRE 10e

### DE L'AVARICE

On a coutume de regarder l'avarice avec plus d'horreur et de mepris que les autres vices et l'on a raison. Car on peut dire, quil ny a aucun crime, que l'avarice n'ait fait commettre.

Mais la principalle raison qui donne tant d'horreur de l'avarice, cest que tout le monde en soufre. Car linterest est la boussolle de toutes nos passions et plus il y a de gens qui enfoüissent leur argent, plus il est rare dans le commerce.

Personne ne peut vivre sans argent. Ceux qui n'en ont point, en gagnent, en rendant service aux autres, mais comme chacun estime son travail a proportion de ce quil s'estime luy mesme, les hommes trouvent touiours la peine quils se donnent pour gagner leur vie, fort mal payée.

D'ailleurs, tous les hommes sont portés naturellement a croire que les choses necessaires a la vie, ne deveroient point estre le prix de leurs travaux, et comme

117] la nature leur donne le sentiment de la faim, soit quils ayent ou non de quoy manger ils pensent qu'elle deveroit leur fournir de quoy satisfaire a un besoin qui ne depend point de leur volonté. Cependant la necessité les force a travailler pour se nourir, la vanité sen mele ensuite et fait travailler ceux qui auroient de quoi vivre honnetement pour aquerir de quoi fournir a leur luxe. Or si tous les riches etoient avares, il s'en faudroit bien que tout le monde trouvat a gagner sa vie.

L'avarice est la mere de la prodigalité, car s'il ny avoit point d'avares, il ne pouvoit y avoir de prodigues, et si tout le monde depensoit son revenu, personne ne pouvoit dépenser au dela. Les avares amassent pour les prodigues et sont leurs tresoriers et les deux vices qui paroissent si contraires se servent mutuellement.

Floris ce ieune extravagant (note 6) porte sa prodigalité iusqu'a la folie. Il sent quil est le fils unique d'un pere tres riche. Ainsi il donne cariere aux fantaisies les plus ridicules. Il a une meute de chiens, quoyqu'il n'aille iamais a la chasse; les plus baux chevaux du monde, mais il ne monte point a cheval. Il entretient magnifiquement une fille de l'opera, a laquelle il ne touche iamais. Il n'est pas plus raisonable dans les choses

118] dont il fait usage. La vanité est la seulle regle de sa depense. Son pere qui est sage et un peu avare, ne luy donne pas

note 6. cela est dans loriginal au chap. suivant, mais ie lay transposé icy parce que iay cru que cetoit sa place.

a baucoup pres, de quoy satisfaire tant d'extravagances. Floris est donc obligé d'emprunter, mais comme l'argent qu'on luy prette seroit perdu s'il venoit a mourir avant son pere, il a bien de la peine a trouver du credit. Un usurier nommé Cornaro, avide de gain, consent a luy pretter a trente pour cent l'argent dont il a besoin. Floris se trouve l'homme du monde le plus heureux, de pouvoir contenter tous ses goûts, et Cornaro s'aplaudit de son costé de tirer un interest si excessif de son argent. Ainsi ces deux hommes d'un caractere tout opposé, contribuent au bonheur l'un de l'autre, car sans la folie de Floris, Cornaro n'eut iamais trouvé a faire un gain si considerable, et sans l'avarice de Cornaro, Floris n'eut iamais pû trouver personne qui voulust risquer tant d'argent sur la teste d'un débauché.

"On m'a conté une preuve bien etonante de l'aveuglement ou l'excés de l'avarice iette quelques fois les hommes. Une femme

119] agée vouloit mettre un argent assés considerable a fonds perdu. Une personne qui en avoit un extreme besoin luy offrit vingt pour cent. Elle trouva le marché si bon, quelle fit mettre dans le contract que tous les ans, les arerages seroient aioutés au principal, et luy porteroient interest au prime denier. Par ce rafinement d'avarice, il s'est trouvé quelle a fait un present considerable a la personne du besoin de qui elle avoit voulu abuser. Elle est morte, sans en avoir rien touché, et ses heritiers n'ont pû exiger que l'année courante."

L'avarice est le contraire de la prodigalité si l'on n'entend par ce mot d'avarice, que l'amour sordide de l'argent, et cette petitesse d'ame, qui empesche les avares de se servir de ce quils ont, et qui leur fait amasser des tresors, pour avoir seullement le plaisir de les enfoüir. Mais il y a une autre sorte d'avarice, qui consiste dans l'avidité d'avoir de l'argent pour le depenser. Cette sorte d'avarice se trouve presque touiours iointe a la prodigalité, et la plus part des grands seigneurs rassemblent en eux ces deux vices. La profusion et la galanterie eclatent

120] dans leurs habits, dans leurs maisons, et dans leurs equipages. Mais l'avarice la plus basse, les exactions les plus honteuses, les maneges les plus avilissants sont le revers de la medaille, et l'on peut dire d'eux ce qui a esté dit de Catilina, quil etoit avide du bien d'autruy, et prodigue du sien.

appetens alieni, et sui profusus.

121]

## CHAPITRE 11e

### DE LA PRODIGALITÉ

La prodigalité est quelque fois un vice noble, et qui est utille a tout le monde. Ce n'est pas celle qui a l'avarice pour compagne, et qui fait donner aux uns par foiblesse, ou par vanité, ce que l'on a osté iniustement aux autres que i'apelle ainsi, mais cette élevation d'ame qui fait prodiguer presque sans y penser cette mesme chose que les autres amassent avec tant de peines, et qui nous persuade avec raison, que le seul emploi qu'on puisse faire d'un morceau d'or, est d'en achepter des plaisirs.

Le mesme motif qui m'a fait peindre les avares avec des couleurs si noires, me fait dire du bien des prodigues. Ce motif, cest le bien des hommes en general, car un avare ne fait du bien qu'a luy mesme, et est nuisible au reste de la societé, mais le prodigue au contraire, fait du bien a tous, et du mal seullement a luy mesme. L'on est trop heureux quil y ait des gens qui ayent cette sorte de folie, si c'en est une. Ils sont a la societé ce que l'on dit en Italie que

122] les moines sont aux femmes. On les apelle leurs perdrix.

La prodigalité est la seulle chose qui puisse dedomager des rapines et des extorsions des gens en place. Quand un ministre qui s'est engraissé toute sa vie des depouilles d'une nation, et qui a force de friponeries a amassé des biens immenses, vient a les laisser par sa mort, a un fils aussi prodigue quil etoit avare, ceux qui aiment le bien public doivent se reioüir et estre surs que le fils rendra au public par ses folies, ce que le pere luy a volé par ses exactions.

Je scais qu'on dira que la frugalité tient un iuste milieu entre ces deux vices, et que si les hommes savoient mettre un frein a leurs passions et a leurs desirs, ils ne seroient ny avares ny prodigues, et quils en seroient plus heureux. Quiconque raisone ainsi, est sans doute un tres honneste homme, mais il est assurement un tres mauvais politique. La frugalité est comme l'honnesteté. L'une et l'autre ne peuvent se trouver que dans une petite société, dont l'innocence est fondée sur la pauvreté.

123] Mais dans une nation florissante, cela est impossible. Les etats dont le commerce fait la grandeur, ne veullent point de citoyens inutils, et ces vertus paisibles et paresseuses, y seroient plus nuisibles que tous les vices. Les prodigues ont inventé mille façons de se ruiner, et les avares de s'enricher, dont le peuple profite egallement pour gagner sa vie, mais la frugalité ne feroit usage ny des uns ny des autres, et seroit par consequent moins utile a la societé, que ces deux vices.

Il est permis aux autheurs de comparer les grandes choses aux petites, surtout quand ils en demandent la permission. *Si licet exemplis*. Qu'on me permette d'user de cette licence, pour comparer la societé a du punch. Cette liqueur composée de tant d'ingredients differents, fait les delices des gens les plus delicats. Cependant si on disoit a un homme qui n'en eut iamais bû: croyés vous que du citron, de l'eau, du sucre et de l'eau de vie, puissent faire une liqueur agreable? Le citron, diroit il est trop aigre, le sucre trop doux, ainsi du reste. Il en est de mesme des avares, des prodigues, et des differentes sortes de fous qui composent la societé. Note 7. "Je pourois faire voir tous les raports de cette comparaison, si ie voulois ennuyer mon lecteur, mais i'aime mieux passer a une autre, qui me semble plus iuste et plus courte. Cest que les avares, les prodigues, et tous les autres gens vicieux me paroissent estre dans la societé, ce que les poisons sont dans la chymie, ils sont mortels d'eux mesmes, mais l'art a scû en tirer des remedes salutaires."

note 7. l'autheur s'etend effectivement pendant une page et demie a montrer ces raports, il dit que l'avarice est un acide qui agace les dents, comme le citron, etc. J'ay crû faire plaisir au lecteur de luy epargner ces details.

125] CHAPITRE 12[e]

DU LUXE

Il est bien difficille d'expliquer ce qu'on entend par ce mot de luxe. Si on appelle ainsi tout ce qui n'est pas indispensablement necessaire a la vie, il ny a aucun etat dans le monde, dans lequel on ne trouve quelque luxe, mesme parmi les sauvages qui vont tout nuds. Car il est impossible que par la suite des tems, ils n'ayent un peu perfectioné leurs etables, leurs cahutes, et quils n'ayent fait quelque changement et quelque ameliorissement, a ce qui leur sufisoit pour vivre dans le commencement.

Cette definition qui appelle luxe, *tout ce qui n'est pas indispensablement necessaire pour le soutien de la vie*, quelque etendüe quelle paroisse, est cependant indispensable. Car si on ne l'admet pas, on ne trouvera point de regle, pour iuger de ce qui est luxe, ou de ce qui ne l'est pas.

"Des chemises etoient un luxe pour nos tres grossiers ayeux. La premiere paire de bas de soye* fut acheptée 500 par henry 2[d] et c'eut esté dans ce tems la un luxe excessif

126] dans un prince du sang que des bas de soye. En Espagne quand on veut designer une maison, ou il ne manque aucune recherche de luxe, on dit, *enfin elle est vitrée*. Ce qu'on appelle luxe, change donc selon les tems, les pays, les usages. Il y a un sermon de St. Chrisostome** contre les souliers a la pouline qui etoient faits a peu prés comme les mules des femmes d'apresent, et il appelle *enfans du diable*, celles qui en portoient, a cause de leur luxe excessif."

Quand le peuple dit quil ne desire que ce qui luy est necessaire pour se tenir proprement, sil entend ce mot dans son sens primitif et litteral, il n'a pas grand tourment a se donner pour remplir ses desirs, de l'eau y sufira. Mais, *proprement* a un sens si etendu,

* cf.: Melon, ed. Daire, p. 742: "Des bas de soie étaient luxe du temps de Henri II."

** cf.: Melon, p. 746, where the "souliers à la poulaine" are mentioned, but not St. Chrisostome.

sur tout parmi les femmes, que qui voudroit luy donner une definition precise, seroit fort embarassé.

Ce que l'on appelle les comodités de la vie est tres etendu, et tres different ches les differentes nations; et personne ne peut dire en quoy elles consistent, ches un peuple etranger, a moins d'estre entierement instruit de ses coutumes, et de ses mœurs.

127] Il en est des idées qu'on attache a ces mots comme de celles que l'on exprime par ceux de *decence*, et de *convenance*, et il est impossible de les entendre, si on ne connoit la qualité, l'etat, et le caractere des personnes a qui on les applique.

Une ville va toute ensemble a l'eglise, et prie en commun, mais lors que les habitans demandent ensemble, leur *pain quotidien* dans le pater de la messe, l'evesque qui le recite, le gentilhomme, le bourgeois, le robin, entendent chacun par ces mots, des choses differentes.

# *L'ESSAY SUR L'OPTIQUE*

## CHAPITRE 4

### DE LA FORMATION DES COULEURS PAR M^e DU CHASTELLET

1.

La refrangibilité est la cause de toutes les couleurs.

TOUTES les coulleurs de la nature viennent de cette proprieté de la lumiere decouverte par Mr. Neuton, et quil appelle *la refrangibilité.*

Opinion des philosophes qui ne reconnoissent point cette refrangibilité

ch. I. Num. 4°

Les meilleurs philosophes croyoient avant luy que les couleurs etoient formées par les differentes modifications que les corps impriment a la lumiere ou par le mêlange[1] inegal de la lumiere et de l'ombre. Mais M^r Neuton a demontré a l'esprit et aux yeux par un nombre infini dexperiences, qu'on peut voir dans son traité d'optique qu'un rayon de lumiere solaire, qui nous paroit d'un blanc brillant tirant sur le jaune contient sept especes de rayons, qui se brisent tous differement en traversant un corps transparent quelconque, que ces rayons une fois separés demeurent ensuite inalterables, dans leur couleur, et qu'enfin chaque espece de rayon est fixée par la nature, a un degré certain de refrangibilité, comme a une couleur certaine.[2]

2.

L'action des corps sur la lumiere est necessaire pour faire paroitre les couleurs.

Cependant toutes les especes de rayons / émanant en

[1] See Newton, *Optics*, N.Y., 1931, p. 113. "The phaenomena of colours in refracted or reflected light are not caused by new modifications of the light variously impressed, according to the various terminations of the light and shadow." *Ibid.*, p. 114. "All the colours have themselves indifferently to any confines of shadow, and therefore the differences of these colours from one another, do not arise from the different confines of shadow, whereby light is variously modified, as has hitherto been the opinion of philosophers."

[2] *Ibid.*, p. 121. "And in general we find by other experiments, that when the rays which differ in refrangibility are separated from one another, and any one sort of them is considered apart, the colour of the light which they compose cannot be changed by any refraction or reflexion whatever. . . ."

mesme tems du soleil, les couleurs dont la lumiere est composée seroient cachées pour nous, et tous les corps nous paroitroient de la meme couleur que la lumiere du soleil, si les corps nagissoient pas sur les rayons. Ainsi l'action des corps sur la lumiere est necessaire, pour quelle nous decouvre ses couleurs. Mais cette action est bornée par la nature mesme des rayons, et les corps en agissant sur eux, ne changent rien a leur nature; ils ne font que leur donner occasion de la decouvrir.

3.

Coment la lumiere nous decouvre les couleurs Art. 6.

Un prisme par ex. qui reçoit un trait de lumiere solaire blanc lattire par sa masse, et la force, comme on a vû dans le chapitre second, a se flechir en le traversant. Si ce trait de lumiere ne contenoit qu'une seulle espece de rayons ils obeiroient tous egallement a cette force qui agit sur eux, et si le prisme n'agissoit pas sur eux, ils le traverseroient tels quils y sont tombés. Mais ce trait de lumiere etant composé de sept especes de rayons differents, et le prisme les attirant par sa masse, ces sept rayons resistent plus ou moins, selon leur nature, a laction par laquelle le verre les attire, et cette differente resistance les desmelant, lun de l'autre, ils font / des impressions distinctes et separés sur nostre retine, et les couleurs deviennent sensibles. La refrangibilité n'est donc en effet que la differente façon dont chaque espece de rayons homogenes resiste a laction des corps sur eux.

Definition de la refrangibilité

4.

Puisque les corps transparens ne font paroitre les couleurs que par laction qu'ils exercent sur la lumiere, et la lumiere que le soleil nous envoye nous paroissant homogene, quand aucun corps nagit sur elle, il est certain que les corps opaques, nous paroitroient de cette seule et mesme couleur de la lumiere du soleil, si les corps n'exercoient pas une action sur les rayons qui les

Les corps opaques agissent sur la lumiere

atteint. Ainsi les diverses couleurs des corps opaques nous prouvent que ces corps agissent sur la lumiere.

Les rayons les plus refrangibles sont les plus reflexibles

Cette origine des couleurs se trouve confirmée par toutes les experiences, et les rayons les plus refrangibles, c'est a dire ceux qui se detournent le plus de leur chemin en traversant un corps transparent quelconque, sont toujours les plus reflexibles, c'est a dire ceux qui se reflechissent a une moindre obliquité d'incidence, et les rayons conservent leur refrangibilité apres la reflexion. Car apres leur reflexion de dessus un corps quelconque les rayons homogenes se / reünissent deriere une lentille, a des foyers differents, qui repondent a leurs differents degrés de refrangibilité. Ainsi la refrangibilité paroit une proprieté dont les rayons ne sont jamais depoüillés.

5.

Les corps transparents colorés[8] tiennent le milieu entre les corps opaques et les corps entierement diaphanes, et c'est par lanalogie qui se trouve entre eux, et les corps opaques que l'on peut decouvrir quelle est la cause, qui fait qu'un corps nous reflechit une couleur, plutôt qu'une autre. Car il n y a que dans les corps transparents, dans lesquels le chemin de la lumiere puisse etre sensible pour nous.

Les corps transparents minces deviennent colorés

Tous les corps transparents se colorent quand on les soufle en bouteilles, ou que de quelque façon que ce soit on les etend en lames, car les rayons qui etoient transmis sans interruption par les particules homogenes contigües d'un corps transparent, lorsque ce corps etoit epais, ne trouvant plus ces particules dune egale densité quand ce corps est plus mince se reflechissent a la rencontre de lair dont la densité differente de celle du corps transparent, interrompt leur transmission et opere leur reflexion.

[8] J'ay desja parlé des corps transparents colorés, ch. 2, art. 12. Mais alors j'ay principalement consideré ces corps par raport aux rayons quils

6.

Non seüllement les corps transparents se colorent, lors quils sont tres minces, mais leurs couleurs varient avec leur epaisseur, et selon lobliquité de la lumiere, qu'ils nous renvoyent. Ainsi *l'aqua crispata* paroit de couleurs differentes selon lepaisseur des bulles qui la composent et la position de lœil qui la regarde.

Leur couleur varie avec leur epaiseur

Et avec la position de l'œil qui les regarde

7.

Rien n'est petit dans la nature pour un philosophe. Mr. Neuton a osé mesurer les epaisseurs auxquelles une boulle de savon (dont la tenuité et les couleurs changent a tout moment) donne les differentes couleurs, et cest a laide de ces mesures, quil a determiné lepaisseur neces-saire a une particule quelconque pour nous reflechir telle ou telle couleur. Ainsi ces decouvertes si fines qui ne paroissoient pas faites pour l'humanité sont nées a ses yeux du sein d'un amusement meprisable, et on peut dire a Mr. Neuton en cette occasion:

Quel usage sublime Mr Newton a fait de ce qu'on apelle des boules de savon

ex jocis infantium et lactentium traxisti veritatem.

Les deux verres d'un telescope luy fournissent le moy-en d'avoir ces etranges mesures dont les boulles de savon luy avoient donné lidée, car l'un de ces verres etant plan, et lautre convexe, / lair ou l'eau qui se glissoit entre deux avoit differentes epaisserentes, et devoit de mesme que la boulle de savon, donner differentes couleurs a ses epaisseurs differentes. Or la sphere sur laquelle le verre convexe avoit esté taillé etant connue Mr. Neuton de-termina par ce moyen lepaisseur a laquelle la lame d'eau qui etoit entre ces verres, reflechissoit, ou transmettoit les differents rayons et il en fit ensuitte l'application aux boulles de savon qui paroissent de couleurs differentes a leurs differentes epaisseurs.

C'est a l'aide de ces boulles qu'il a mesurés lepaisseur des particules qui reflechissent les differentes couleurs.

transmettent, et je me propose de faire voir lanalogie quil y a entre ces corps et les particules des corps opaques, ainsi je les considerés icy plus particulierement par raport aux rayons quils reflechissent. (Author's note.)

8.

Resultat de ces mesures.

Il resulte des mesures et des experiences de Mr. Neuton sur ce sujet

1°. que les rayons violets, qui sont les plus refrangibles, et qui se reflechissent a une moindre obliquité dincidence, sont aussi ceux que les lames minces reflechissent a leur moindre epaisseur et quelles reflechissent les rouges qui sont les moins refrangibles a leur plus grande epaisseur. Ce qui prouve bien sensiblement ce que j'ay dit cy dessus, que les couleurs des corps opaques viennent de la differente epaisseur de leurs particules.

Art. 4

Les particules qui forment le rouge sont les plus epaisses.

2e. que les particules qui reflechissent le rouge doivent estre, toutes choses egalles, les plus epaisses de toutes, et que celles qui reflechissent les autres rayons doivent estre moins epaisses a proportion / que ces rayons sont plus refrangibles.

3°. les couleurs de ces lames changent selon l'obliquité de lœil qui les regarde, et cela ne peut estre autrement, car les differents rayons se reflechissent a des obliquités dincidence differentes comme je l'ay dit dans le chapitre 3. Les rayons qui sont reflechis a une certaine obliquité sont donc differents de ceux qui se reflechissent a une autre obliquité. Ainsi la mesme lame doit paroitre de differentes couleurs a differentes personnes puisque les rayons quelle leur renvoye leur reviennent sous des angles diferens.

Art. 3

Raport admirable entre la refraction et la reflexion

4°. Les epaisseurs auxquelles une lame deau, ou dair reflechissent les couleurs, sont entre elles come les sinus de refraction de la lumiere dans les deux milieux, en sorte que la lame d'eau qui reflechit le violet par ex. est d'un quart moins epaisse que la lame dair qui reflechit la mesme couleur. Car le sinus de refraction dans l'eau est moindre d'un quart que le sinus de refraction dans lair. Les anneaux colorés etoient par consequent plus petits dans l'eau, et plus grands dans lair. Ainsi plus un corps est dense, moins il luy faut depaisseur pour reflechir une couleur quelconque et au contraire. /

On peut conclure de la, que les particules des corps colorés tres denses, doivent etre plus petites que celles des corps de la mesme couleur qui sont moins denses. Les particules du ruban jaune par ex. doivent estre plus grandes, que celles d'un morceau d'or.

Ce rapport admirable entre la reflexion et la refraction fait voir sensiblement que ces deux effets dependent d'une même cause, et que cette cause est lattraction. Car lattraction agit par la masse et l'on vient de voir quil faut d'autant moins d'epaisseur a un corps pour produire un effet quelconque sur la lumiere, que ce corps est plus dense.

Les rayons homogenes sont alternativement transmis et reflechis selon lepaisseur des lames minces

5°. Si dans une chambre obscure, on laisse tomber sur les deux verres de telescope (a laide desquels Mr. Neuton a fait les decouvertes dont je rends compte) une des couleurs qui s'echapent du prisme, les rayons de cette couleur seront alternativement transmis et reflechis par la lame d'air ou d'eau comprise entre ces deux verres, en sorte que chaque anneau coloré sera separé par un anneau obscur, qui ne reflechit aucune lumiere, et cet anneau / obscure regardé entre lair et lœil paroitra de la couleur prismatique qui éclaire ces verres.

Proportion de cette transmission et de cette reflexion alternative.

Cette transmission et cette reflexion alternative se fait a des intervales egaux et dans la proportion arithmetique continue des nombres 1, 2, 3, 4, 5, 6, etc., et comme dans le point de contact des deux verres, il ne se faisoit point de reflexion, les rayons qui etoient transmis a l'epaisseur o continuoient de l'estre aux epaisseurs 2, 4, 6, 8, etc., et ceux qui etoient reflechis a l'epaisseur 1 continuoient de l'estre aux epaisseurs 3, 5, 7, etc., et les epaisseurs changeoient selon les especes de rayons qui tomboient sur les verres.

Ce phenomene sufiroit pour

Il ne sera pas inutille de remarquer icy, que cette reflexion et cette transmission alternatives des rayons a prouver que les parties solides ne reflechissent point de lumiere.

travers les plaques minces suivant leurs differentes epaisseurs, sufiroit seulle pour prouver que ce ne sont point les parties solides qui reflechissent la lumiere.

C'est cette proprieté qu'ont les rayons d'estre alternativement transmis et reflechis a travers les lames minces selon une proportion constante, que Mr. Neuton appelle leurs accés *de facille transmission et de facille reflexion.* J'ay desia parle de cette nouvelle proprieté de la lumiere dans le ch. 3. Ces accés ne signifient autre chose que la vertu / quelquelle soit, par laquelle une espece de rayons homogenes, qui tombent selon un seul et mesme angle, sur un corps transparent quelconque et qui sont transmis a l'epaisseur o continuent de lestre aux epaisseurs 2, 4, 6, 8, etc., et se reflechissent aux epaisseurs intermediaires 1, 3, 5, 7, etc.

Art. 6.

Definition des accés de facille transmission et de facille reflexion.

Cette transmission et cette reflexion alternatives ne sont sensibles que lors que ce corps transparent est tres mince, car lorsque les corps sont dune certaine epaisseur, les rayons sont forcés a passer sans interruption a travers ce corps par l'attraction egalle de toutes ses parties, et le corps nous paroit entierement transparent.

Ch. 2. Art. 4.

Ces accés sont une des causes qui font que les corps transparents tres minces se colorent, car les rayons qui etoient dans un accés de facille transmission trouvent leur transmission interrompüe quand lepaisseur du corps est diminuée, et ils sont forcés a se reflechir par la rencontre du nouveau milieu qui prend la place des particules homogenes qui les transmettoient.

Ces accés suivent les degrés de refrangibilité des rayons.

Ces accés suivent la differente refrangibilité des rayons, de mesme que la reflexion en sorte quils sont plus grands / et moins nombreux dans les rayons rouges qui sont les moins refrangibles, et quils sont plus petits et plus frequents dans les violets, qui sont les plus refrangibles, et cela a peu pres dans la proportion de 14 1/3 a 9 ce qui au dixieme pres [est] environ la proportion inverse de lintensité du violet et du rouge dans limage prismatique, car dans cette image les violets est (*sic*) au rouge, comme 80 a 45.[4]

9.

Lorsque les verres des telescopes de cette experience etoient eclairés par la lumiere directe du soleil il n y avoit d'obscur que la tache centralle formée par le contact des verres, car dans cet endroit, il ne se faisoit aucune reflexion sensible mais lair ou l'eau, compris entre ces verres, etoit coloré de couleurs differentes, a toutes ses differentes epaisseurs, car la lumiere du soleil etant composée de toutes les especes de rayons différemment refrangibles, et ces rayons etant transmis ou reflechis a des epaisseurs differentes selon leur / differente refrangibilité, il se reflechissoit des rayons a toutes les differentes epaisseurs de la lame d'air, comprise entre les verres au lieu que lors quils etoient eclairés par une seule espece de lumiere prismatique les anneaux etoient alternativement colorés et obscurs.

Les lames minces transmettent une couleur et en reflechissent une autre selon leurs epaisseurs

Il suit de cette observation

1°. que lair ou leau comprimée entre les verres transmettoit une couleur et en reflechissoit une autre; a la mesme epaisseur, ainsi en regardant ces verres vis a vis du jour, les anneaux formés entre deux, paroissoient dune couleur differente a une lumiere transmise, et a une lumiere reflechie, en sorte que la mesme lame qui reflechissoit les rayons bleus, transmettoit les rouges, celle qui reflechissoit les jaunes, transmettoit les violets, etc.

2°. que les couleurs sont d'autant plus vives que la lame qui les reflechit est plus mince, car les couleurs sont d'autant plus vives que les rayons qui les forment

[4] Les rayons violets etant dans tous les cas ceux sur lesquels les corps agissent le plus, le violet doit etre plus dilaté dans limage du prisme et plus contracté dans les anneaux colorés des lames minces, car dans le premier cas le prisme separe les rayons, et dans le second la lame mince les reflechit, donc etc. (Author's note.)

sont plus homogenes moins melangés dautres rayons. Ainsi pour le dire en passant, il n'y a point de couleurs plus vives que celles de l'arc en ciel, parce quil ny en a point de plus pures. Or les / rayons differemment refrangibles, se reflechissant de dessus les lames minces a des epaisseurs differentes, plus une lame est epaisse, plus elle reflechira de differentes sortes de rayons et par consequent plus la couleur de cette lame sera languissante. Donc les corps dont la couleur est tres vive, doivent avoir des particules tres minces.

Les couleurs sont d'autant plus vives que la lame qui les reflechit est plus mince

3°. il resulte de cecy encore, quil y a differents ordres, de couleurs, selon quellès sont plus pures ou plus méslées; on appelle les plus pures, c'est a dire celles qui sont produites par la lame la plus mince, *couleur du premier ordre*, celles produites par une lame trois fois plus epaisse que la premiere, *couleur du second ordre*, et ainsi de suite a mesure que les couleurs sont plus ou moins mélangées, et que lepaisseur de la lame qui les reflechit augmente. Car cette epaisseur augmente dans la progression des nombres 1, 3, 5, 7, etc.

Diferentes ordres de couleurs

10.

La reflexion des rayons differemment refrangibles a des epaisseurs et a des obliquités differentes, est ce qui fait, que les couleurs des corps minces varient avec l'obliquité de l'œil qui les / regarde, car par cette raison la couleur qui revient a nos yeux sous un angle quelconque n'est pas la mesme qui y revient sous tout autre angle, et c'est la la veritable cause des couleurs de l'arc en ciel, cause inconnüe jusqu'a Mr. Neuton.

11.

Ce qui rend les couleurs des corps changeantes

L'obliquité des rayons qui reviennent a nos yeux, aporte un plus grand changement aux couleurs des lames minces lorsquelles sont plus rares que le milieu qui les environne, que lorsquelles sont plus denses que ce milieu, ainsi les couleurs de la boulle de savon etoient plus vives et moins changeantes que celles de leau ou de l'air comprimé entre deux verres, et cela est aisé a deduire des loix de la refraction, car la refraction se faisoit en seloignant de la perpendicule lorsque la lumiere passe d'un milieu plus dense dans un plus rare, et en s'en approchant dans le cas contraire. Si R et T sont deux lames minces d'une egalle densité, et d'une egalle epaisseur, la premiere plus dense que le milieu qui lentoure, et la seconde plus rare que ce milieu, le rayon s'aprochera de la perpendicule dans la lame R et s'en eloignera dans / lautre lame T. Or la ligne bc qui s'eloigne de la perpendicule est plus longue que la ligne BC qui s'en aproche. Donc la lumiere reviendra sous des angles plus differents de la particule R que de la particule T, et plus la densité de cette particule R sera augmentée (le milieu qui l'entoure restant le mesme) moins la difference entre BD et BC sera grande. Ainsi si la densité de cette particule est telle, que la difference de la refraction des rayons soit insensible dans toutes sortes d'obliquités dincidence cette lame paroitra d'une seulle et mesme couleur, dans toutes les positions de lœil.

Cecy fait voir que les particules des corps opaques sont beaucoup plus denses, que la matiere qui passe dans leurs pores, puisque les couleurs de ces corps sont permanentes et ne changent point avec la position de lœil qui les regarde.

Les couleurs des lames minces sont plus vives lorsque le milieu qui les entoure est plus rare que ces lames, et elles sont moins vives lorsque ce milieu est plus dense que ces lames et cela parceque les couleurs sont d'autant plus vives qu'elles sont plus pures, et il est aisé de voir que les couleurs que la particule R reflechit, doivent estre moins melangées que celles qui sont reflechis par la particule T. /

Les couleurs sont d'autant plus vives, que le milieu

qui entoure les lames, differe de leur densité, et cela doit estre ainsi, puisque nous avons vû qu'une des causes de la reflexion est la differente densité des milieux contigus. Or plus la reflexion est abondante, plus les couleurs doïvent estre vives, ainsi les couleurs sont plus vives dans l'air comprimé entre deux verres que dans leau que lon glisse entre ces verres, car l'air differe plus que leau de la densité du verre. Affin donc que les couleurs dun corps soient brillantes, il faut que les particules qui le composent soient beaucoup plus denses que le milieu qui les separe.

Cause de la vivacité des couleurs des corps.

Le milieu qui entoure les lames minces, rend donc leurs couleurs plus ou moins vives, selon quil differe plus, ou moins de leur densité. Ainsi les couleurs des etoffes mouillées languissent, mais elles ne changent point, si ce n'est en se sechant, et alors c'est que la densité de leurs particules a été alterée, ainsi les couleurs dependent de lepaisseur et de la densité des particules des corps, et leur vivacité depend du milieu qui les entoure.

12.

Aplication des phenomenes raportés ci-dessus aux couleurs des corps naturels

Une curiosité vague ne doit jamais estre / le but de nos recherches, et toutes les experiences et les observations sur les couleurs des corps minces transparents, que je viens de raporter, ne seroient que des decouvertes infructueuses, si elles ne nous conduisoient pas a connoitre, autant quil est possible, les causes des couleurs des differents corps. Aussi nayje raporté avec tant d'exactitude les phenomenes que les lames minces des corps transparents font paroitre que pour âpliquer ces phenomenes aux couleurs des corps naturels.

*Natura est tibi semper consona* dit le grand Neuton,[5] ainsi il y a bien de l'apparence quelle se sert de la mesme voye dans la formation des couleurs des corps

[5] *Op. cit.*, p. 76: "That it should be so is very reasonable, nature being ever conformable to herself."

opaques, et dans celles des corps minces, transparents; suivons donc come ie l'ay deja fait l'analogie qui est entre les parties constituantes des corps opaques colorés, et les lames minces des corps transparents.

13.

Les corps opaques minces devienent transparents.

1°. les corps les plus opaques reduits en lames tres minces ou dissous dans des menstrües sifisantes paroissent transparents, lorsqu'on les regarde au trou dune chambre obscure, ou avec un bon microscope.

Les accés de facille transmission ou de facille / reflexion des rayons, causent cette transparence des corps opaques, de mesme quon a vû qu'ils produisoient les couleurs des corps minces transparents, car les corps ne sont opaques, que parce quils eteignent, qu'ils absorbent dans leur substance les rayons, quils ne nous reflechissent pas, et ces rayons ne sont arrestés dans les corps que par les reflexions et les refractions internes que les particules de ces corps, et le milieu plus rare qui passe dans leurs pores font éprouver aux rayons en les attirant inegallement, suivant la differente densité de ces particules, et de ce milieu; or les rayons qui se trouvent dans des accés de facille transmission lorsquils arivent a la derniere surface d'un corps reduit en lames minces, au lieu de se rompre, comme ils faisoient entre les differentes surfaces qui composoient ce corps lorsqu'il etoit plus épais, sont transmis en ligne droite dans lair qui devient contigu a la lame de ce corps aminci, et les rayons qui se trouvent dans un accés de facille reflexion, et dont l'accés n'est pas fini au lieu d'estre reflechis par l'action inegalle des particules de ce corps et du milieu qui les separoit, trouvant leur reflexion interrompüe par l'air, sont transmis dans cet air et cette lame est transparente.[6]

[6] quand meme on admettroit pas dans la lumiere les accés de facile transmission et de facile reflexion cela n'en seroit pas moins vrai, car quelque soit la cause qui porte le rayon a se reflechir ou a se transmettre, il n'en est pas moins certain que trouvant sa transmission ou sa reflexion

Ainsi quand les corps opaques deviennent transparents, ce qui se passe entre leurs parties internes devient pour ainsi dire sensible pour nous. Les rayons qui eprouvoient des refractions internes, et qui seteignoient, et s'absorboient dans ces refractions, viennent alors jusqu'a nos yeux; et operent la transparence de ces corps.

**En quoi les corps opaques et les corps transparents different.**

Il paroit donc que les corps transparents et les corps opaques, ne different que par la grandeur de leurs pores. Larangement de leurs parties et la matiere plus ou moins dense qui les traverse, puisquen les reduisant en lames tres minces, les corps transparents se colorent, et les corps opaques deviennent diaphanes, sans quil arive de changement sensible dans la densité des particules qui les composent.

2°. Le mercure, le sable, les petits animaux, etc. paroissent transparents au microscope, parce que le microscope augmente pour nous, les intervales qui separent leurs particules, et les rayons qui se perdoient entre ces particules sont alors transmis jusqu'a nos yeux. Ainsi si nos yeux etoient des microscopes naturels, la pluspart des corps nous paroissoient diaphanes. Mais en distinguant leurs parties insensibles, nous deviendérions incapables d'en voir l'ensemble, et cette veüe loin / de nous estre utille, nous seroit tres nuisible. Dieu paroit, avoir proportioné tous nos sens a nos besoins, plutost qu'a nostre curiosité. Ainsi nous ne voyons gueres au dela de la puce, parce cest le plus petit des animaux dont nous ayons a nous defendre. Il est donc bien vraisemblable que toutes les particules des corps, sont transparentes, puis que celles qu'on apercoit au microscope le paroissent, et quil ny a que les parties parfaitement solides de la matiere qui soient opaques.

**Pourquoi tous ces petits corps nous paroissent transparents au microscope.**

Cette transparence dont tous les corps nous parois-

interompüe par la diferente densité de cette particule amincie, il doit se transmettre au lieu de se reflechir ou se reflechir au lieu de se transmettre selon les combinaisons indiquées dans larticle. (Author's note.)

sent vient du defaut de nos organes, car si nos yeux ou les microscopes pouvoient nous faire decouvrir le *minimum* de ces particules ce *minimum* nous paroitroit certainement opaque, puisquil doit estre solide, et alors tous les corps nous paroitroient comme des cribles. Mr. Neuton croit que cette transparence des particules constituantes des corps, est ce qui s'opose le plus aux decouvertes que lon pouroit faire dans leur contexture.

Les couleurs que les corps opaques reflechissent quand ils sont reduits en lames tres minces sont plus foibles, parce qu'alors ils ne nous renvoyent que les rayons qui se reflechissent dentre les pores de leurs premieres surfaces. Mais ces couleurs ne changent pas pour cela, parce qu'elles dependent comme je l'ay dit, des particules, de ces corps, et / que les particules ne sont point alterées.

La transparence des corps opaques minces prouve que les pores des corps opaques sont ou entierement vuides, ou que la matiere qui les traverse, e[s]t plus fine encor que l'air, puis qu'elle reflechit les rayons que l'air transmet.

3°. Ces plumes de certains animaux, comme la queüe des paons, la gorge des pigeons etc. changent de couleur selon les mouvemens de ces animaux. Ces changements de couleur viennent de la tenuité des filets ou barbes, qui terminent ces plumes, lesquelles etant tres minces reflechissent differents rayons a leurs differentes epaisseurs. Comme les lames minces, dont j'ay parlé. Or les rayons qui reviennent a notre œil dans une certaine position ne sont pas les mesmes que ceux qui y reviennent dans une autre position, car plus les rayons sont obliques plus la lame qui les reflechit est epaisse. Et les rayons diferement refrangibles se reflechissent a des epaisseurs differentes, / comme on la vû cidessus. C'est par la meme raison, que les toilles daraignées, certains fils de soye, et plusieurs autres corps changent de couleur, selon la position de lœil qui les regarde et cest sur

Art. 5.

ce principe que sont travaillées les etoffes changeantes. Tout lart de ces etoffes consiste a en former la trame d'une couleur et la chaine d'une autre. Par ce moyen les rayons d'une couleur, reviennent tous a nos yeux selon un certain angle, et ceux de l'autre couleur selon un autre angle. Cet art etendu et perfectioné a produit les tableaux changeants, ces chef dœuvres d'optique. On les connoissoit avant de sçavoir que la refrangibilité les produisist, mais c'est elle seulle qui en peut entierement expliquer l'artifice.

4°. Plusieurs corps changent leur couleur par l'attrition de leurs parties. Ainsi quelques unes des poudres dont les peintres se servent, alterent la leur par leur broyement, l'argent se brunit en le frottant etc., marque certaine que les couleurs de ces corps, dependent de la grosseur des particules qui les composent.

5°. Les couleurs de l'atmosphere changent / visiblement a mesure que les particules qui les composent, sont plus ou moins condensées. Ces particules a leur moindre epaisseur donnent le bleu azur, qui charme la veüe, et qui est la marque certaine d'un tems entierement serein. Ensuitte elles forment des nuées de differentes couleurs, a mesure qu'elles se condensent, et que leur epaisseur augmente.

Pourquoi la pluspart des plantes qui se fanent deviennent rouges.

6°. On a vû que les lames minces reflechissoient les rayons rouges, a leur plus grande epaisseur. Voila pour quoy presque toutes les plantes en se fanant, prennent successivement la couleur jaune et rouge, car lepaisseur des particules de ces plantes, augmente par l'evaporation de leurs parties aqueuses, et ces particules etant plus epaisses, reflechissent les rayons les moins refrangibles, qui sont les jaunes et les rouges, au lieu des verds, qu'elles reflechissoient auparavant.

7°. Les corps opaques minces transmettent une couleur, et en reflechissent une autre comme les lames minces des corps transparents dont j'ay parlé. Ce qui prouve que les corps eteignent et interceptent certains rayons dans leurs / substances, pendant quils reflechissent les autres avec abondance. Ce sont les rayons quils reflechissent plus abondament que les autres, qui forment leur couleur, et lepaisseur de leurs particules decide quelle espece de rayons ils doivent reflechir ou absorber en plus grande quantité, de mesme que l'on a vû, que lepaisseur de lame mince d'air ou d'eau comprise entre 2 verres decidoit si elle reflechiroit certains rayons, ou si elle les transmettroit. L'or en feuille, par ex. regardé au microscope, paroit d'un verd tirant sur le bleu, a une lumiere transmise, et reste jaune a une lumiere reflechie, ce qui prouve que l'or reflechit les rayons rouges, les orangés, et les jaunes en grande abondance, tandis qu'il absorbe les verds, les bleus etc. dans sa substance. Il en est de mesme des autres corps selon leurs differentes couleurs.

L'or en feuille reflechit les rayons jaunes et transmet les verts et les bleus

14.

Les corps opaques minces produisant des phenomenes si analogues a ceux des lames minces dont j'ay parlé, il me semble quil est indispensable de conclure, que les couleurs de ces corps dependent de la mesme cause, car je ne vois pas pourquoy / un corps aplati, qui est d'une egalle epaisseur partout, et qui par consequent paroit d'une couleur uniforme ne conserveroit pas la meme couleur, etant réduit en fragments ou filets de la meme epaisseur, et pourquoy chaque filet ou fragment seroit d'une couleur differente, et ne composeroit pas au contraire une masse de la meme couleur, que le corps aplati. Or tous les corps opaques pouvant estre considerés comme des amas de tels filets leur couleur depend donc de la densité, et de l'épaisseur, des filets qui les composent, et de la grandeur, des vuides, ou pores, qui separent les filets. La vivacité de leurs couleurs depend en partie de la matiere qui remplit ces pores. Ainsi quand j'ay dit que les corps opaques

Il se passe dans l'interieur des corps opaques la meme chose que dans les lames minces des corps transparens.

etoient plus heterogenes que les corps transparents, cela doit s'entendre principallement de l'heterogeneïté qui est entre leurs particules constituantes, et la matiere qui passe dans leurs pores, et qui separe ces particules; car il y a bien de / l'apparence que les particules d'un corps opaque, sont a peu pres d'une densité egalle puisque chaque corps reflechit constamment la meme couleur. Je dis que ces particules sont a peu pres de la meme densité, car il n'y a aucun corps qui ne reflechisse de toutes sortes de rayons et qui par consequent ne doive contenir des particules dont les densités sont diferentes, mais chaque corps tire sa couleur de la predominance d'une espece de rayons quelconque dans sa lumiere reflechie, et cette predominance luy vient comme je l'ay desja dit, de lepaisseur et de la densité egalle de plus grand nombre des particules qui le composent. Ainsi les corps dont les couleurs sont les plus vives, doivent avoir (toutes choses dailleurs egalles) leurs particules plus homogenes, plus minces, et plus denses que les autres corps, ce qui se deduit facillement de tout ce que jay dit dans ce chapitre.

Tous les corps reflechissent de toutes sortes de rayons.

Art. 8, 11, et 14.

15.

D'ou chaque corps tire sa couleur

Je dis que tous les corps reflechissent de / toutes sortes de rayons, et cela est demontré par la meme experience qui prouve que toutes les couleurs viennent des rayons differemment refrangibles que la lumiere contient. Cette experience se fait dans une chambre obscure a laide d'un prisme, qui separe les differents rayons, car si on expose un corps quelquil soit, a une seulle espece de ces rayons, ce corps paroitra de la seulle couleur de cette espece de rayons qui leclairent. Donc tous les corps reflechissent de toutes sortes de rayons, puisque tous reflechissent la lumiere prismatique a laqu'elle on les expose, quelqu'elle soit. Mais tous les corps ne reflechissent pas toutes les lumieres dans une egalle abondance, car loutremer par ex. paroitra plus brillant que le cinabre exposé a un trait de lumiere bleüe mais le cinabre seroit au contraire plus brillant que l'outremer, si vous les exposiés l'un et l'autre a une lumiere rouge. Cest cette surabondance d'une certaine espece de rayons dans la lumiere reflechie, qui decide la couleur d'un corps / lorsqu'il est eclairé de la lumiere directe du soleil, car cette lumiere contient toutes les especes de rayons.

16.

Toutes les couleurs paroissent plus foibles a la lumiere qu'au jour, parce quil emane moins de rayons, de la plus grande quantité de lumiere possible, que du soleil.

Certaines couleurs y changent. Le verd par ex. y paroit bleu, par ce que la lumiere de la chandelle, contient moins de rayons producteurs du jaune que la lumiere du soleil qui contient plus de rayons jaunes que dautres, et que dans la couleur verte, il se mesle une grande quantité de rayons jaunes, lesquels étant diminués, le verd qui est toujours une couleur meslée dans les corps qui la reflechissent, tire sur le bleu, c'est par une raison semblable, qu'a la lueur de lesprit de vin, tout paroit bleu, etc.

17.

Experience qui prouve que la lumiere du soleil abonde en rayons jaunes.

Je viens de dire que la lumiere du soleil / contient plus de rayons producteurs du jaune que dautres. Cette surabondance de rayons jaunes qui est sensible a la veüe a esté demontrée par Mr. Neuton par une experience dans laquelle un morceau d'or etant eclairé par un trait de lumiere qui s'echapoit dun prisme et dont les couleurs avoient esté rassemblées par un verre lanticulaire, cet or parut entierement blanc par linterception d'une partie des rayons jaunes qui s'echapoient du prisme.

On ne scait point la raison de cette surabondance de rayons jaunes dans la lumiere de nostre soleil, peut estre dans d'autres soleils, les autres couleurs dominent elles, peut estre mesme y en a t'il qui sont composés de couleurs dont nous n'avons nulle idée, car qui osera borner la puissance de celuy qui les a tous faits.

18.

Le blanc est l'assemblage egal de toutes les couleurs

Comment nous avons la sensation du blanc

Les particules qui forment le blanc, doivent estre les plus dissimilaires de toutes, puisque le blanc nest autre chose qu'un assemblage egal de tous les rayons dans la lumiere reflechie. / C'est encor une verité decouverte par Mr. Neuton avec un[e] sagacité admirable. On peut en voir le detail dans son optique. On y verra que la sensation du blanc n'est qu'une sensation commune formée de toutes les autres sensations de couleurs, lesquelles agissant presque en meme tems sur notre retine, ne peuvent estre distinguées. Ainsi par la rapidité avec laquelle ces diverses sensations se succedent, il se forme une sensation commune, que nous avons appellé *blancheur*, de la meme façon a peu pres qu'un charbon tourné rapidement en rond nous paroit un cercle de feu; car notre faculté apercevante ne setend pas au de la d'une certaine vitesse et d'une certaine lenteur, ainsi un mouvement trop lent, nous paroit un repos veritable.

Les metaux blancs, sont de tous les corps opaques ceux qui deviennent le plus difficillement transparents, ce qui vient / de l'excessive densité de leurs parties qui leur fait reflechir presque tous les rayons qui tombent sur leur premiere surface, car on a vû que plus la densité des corps, differe de celle du milieu qui les environne, plus la reflexion est abondante.

19.

Pourquoi les metaux blancs deviennent si difficilement transparents

Je ne repetteray point icy les tables que Mr. Neuton a données de differentes epaisseurs qu'il a soupçonné aux particules des differents corps colorés. Celles qui forment le blanc des metaux, sont selon luy, les plus petites de toutes, si on en excepte les particules des corps noirs, et cest la la raison pour laquelle le noir est la seulle couleur que les metaux blans contractent par l'attrition de leurs parties, et c'est aussi pourquoy le feu et la putrefaction donnent une couleur noire aux corps, car ils ne les dissolvent qu'en divisant leurs parties.

Les particules du noir sont les plus petites de toutes

20.

Cette petitesse des particules du noir, est ce qui fait que (toutes choses dailleurs egales) les corps noirs sont ceux de tous les corps qui ont le moins de masse sous le mesme volume. C'est aussi pourquoy ils communiquent si aisément leur couleur aux autres corps; car les particules deliées et discontinües, s'attachent aisément aux particules plus grossieres des autres corps, les corps noirs sont encor ceux qui s'echauffent et qui s'enflamment le plus promptement, car leurs particules cedent aisément a l'action du feu, et de plus les corps noirs agissent plus que les autres sur la lumiere puisquils léteignent, et l'absorbent presque toutes dans leur substance, ils doivent / estre ceux sur lesquelles le feu agit davantage. Il en est de mesme des corps huilleux et sulphureux, car la reaction est toujours egalle a laction.

Pourquoi les corps noirs s'echaufent et s'enflament si aisement

Quoyque les corps noirs eteignent la plus grande partie de la lumiere qui tombe sur eux, ils reflechissent cependant toujours quelques rayons comme je l'ay desja dit, il y a apparence qu'ils ne nous renvoient que ceux qui reviennent a nous d'auprés de leur premiere surface, et cela prouve encor que la couleur des corps opaques, depend des rayons qui nous reviennent d'entre leurs pores; car cette lumiere que nous reflechissent les corps noirs receüe sur un papier, n'est pour ainsi dire d'aucune couleur, et paroit comme une espece de penombre tirant sur le violet noir. Ainsi le noir n'est en effet / qu'une privation de lumiere. Voila pourquoy les corps noirs, nous le paroissent plus ou moins, selon que les corps qui les environnent, sont plus ou moins eclairés.

Le noir est une privation de la lumiere

21.

Larangement des particules constituantes des corps, la forme de ces particules, celle des pores qui les separent, la matiere qui passe dans les pores, tout cela doit sans doute apporter des changements sans nombre aux conjectures les plus justes que l'on peut former sur l'epaisseur necessaire aux particules des differents corps pour reflechir les differentes couleurs. Mais c'est encore beaucoup pour nous davoir poussé si loin nos recherches.

fin de Lessay sur loptique.

# *THE "GRAMMAIRE RAISONNÉE" OF MME DU CHÂTELET*

## CHAPITRE 6

### DES MOTS EN GENERAL CONSIDERES SELON LEUR SIGNIFICATION GRAMMATICALE

LE receüil des reflexions que l'on a faites sur la façon dont les langues representent ce qui se pase dans notre esprit est ce qu'on apelle les regles de la gramaire.

Quoique les langues aient esté faittes presqu'au hazard, et selon que les besoins des hommes les ont conduit, cependant elles sont fondées sur la logique naturelle que tous les hommes ont dans lesprit, sans en conaitre distinctement les regles, car nous ne parlons que pour exprimer les operations de lame sur les objets de nos idées. Voyla pourquoy les regles de la grammaire sont a peu pres les memes chez toutes les nations qui en ont une, car les operations de l'esprit sont les memes dans tous les climats. On ne peut donc bien entendre les regles des langues sans avoir quelque connoissance de la logique.

On a vû dans le Ch. 2. que notre ame fait trois operations sur les objects, *apercevoir, juger*, et *raisoner*. C'est toujours la seconde de ces operations que les hommes expriment quand ils parlent, et cela parce que, non seulement on ne parle gueres pour exprimer de simples perceptions, mais parcequ'on ne pouroit meme les exprimer sans former un jugement. Car lorsque ie parle, ou que ie dis aux autres *ie vois un homme*, ie juge que l'objet que j'aperçois a ces marques a lassemblage desquelles j'ay coutume de donner le nom *d'homme*. Ainsi tout ce que les hommes expriment par des parolles, est toujours enoncé par un assemblage de mots qui marque un jugement de notre ame.

Puisque tout assemblage de mots exprime un jugement de notre ame, chacun de ces assemblages doit toujours contenir trois especes de mots dont l'un est apellé *le sujet*, l'autre *lattribut* et l'autre joint cet attribut au sujet, ou l'en separe. Car porter un jugement c'est nier ou afirmer une chose d'une autre.

Il est vrai que toutes les fois qu'on parle on ne prononce pas ces trois mots mais quoiqu'ils ne soient pas toujours enoncés ils sont toujours contenus dans ce que nous disons, par le moien des termes de suplement dont ie parlerai dans la suite.

La division la plus naturelle et la plus generalle des mots est donc que les uns representent les objets de nos perceptions, et les autres l'operation de notre entendement sur ces perceptions, c'est à dire les jugements ou les raisonnemens que nous faisons sur les objets.

# CHAPITRE 7

## DES MOTS QUI REPRESENTENT LES OBJETS DE NOS PERCEPTIONS

Les mots qui représentent les objets de nos perceptions, sont les noms, les articles, les comparatifs, les pronoms, les prépositions, et les adverbes.

### 1. DES NOMS

On a vu dans le ch. 3. que les diferens etres qui sont les objets de nos perceptions ont des déterminations permanentes, et des déterminations variables. Ces diferentes déterminations sont lorigine de la division des noms en substantifs et en adjectifs, les noms substantifs designent les asemblages des propriétés permanentes, et les adjectifs les propriétés variables. Je dis que c'est la leur origine; et c'est effectivement celle de leur denomination et leur veritable signification metaphisique. Mais la grammaire en fait encore un autre usage lequel a pris aussi sa source dans la metaphisique, car tout y est fondé et surtout la grammaire. On a coutume de deffinir en metaphisique *la substance* ce qui subsiste par soy meme, et on a transporté cette definition (que ie ne pretends pas examiner ici) dans la grammaire. Ainsi on a nomé *substantifs* tous les mots qui subsistent par eux memes dans le discours soit quils designent lassemblage des proprietés permanentes soit quils designent des propriétés variables. Un adjectif devient donc un substantif dans le discours en supprimant le sujet auquel on le raporte. Ainsi ladjectif *rouge* devient substantif dans cette frase; *le rouge fatigue la vuë*, de meme, les substantifs deviennent adjectifs quand on les rapporte a un sujet quelconque. Ainsi le substantif *pere* devient adjectif dans le vers, *dans ces momens un pere est toujours pere.* (*Enfant prodigue*) On voit par la que les substantifs de la grammaire ne designent pas toujours de veritables substances, ni les adjectifs des accidens. Et c'est a quoy il faut bien prendre garde, car en les confondant on est tombé dans une infinité d'erreurs, comme de dire P. E. que la verdeur dun arbre pouroit devenir ce que les philosophes apellent *substance* si on faisoit abstraction de letenduë et de la figure de cet arbre pour ne conserver de son idée qu'une idée vague de verdeur. De meme qu'on fait abstraction de sa figure et de sa couleur pour ne conserver qu'une idée vague détenduë. Cette reflection qui est vraie en lapliquant aux substantifs de la grammaire qui dependent éfectivement de la façon dont on considere les objects, est tres fausse quand on veut la transporter aux substances metaphisiques qui ne sont point arbitraires.

Les hommes ayant remarqué que quelques uns des objets de leurs perceptions avoient plusieurs marques communes, ils ont rangé ces objets sous la meme classe et ils ont designé ces assemblages par des noms, qu'on apelle generaux parce quils designent une espece, et quils convienent aussi a chacun des individus qui la composent. Ainsi, *homme, cheval, oiseau*, sont des noms generaux qui designent lespece entiere des hommes, des chevaux, et des oiseaux et qui convienent aussi a chaque homme, a chaque oiseau, et a chaque cheval.

On voit aisement que ces noms avoient besoin de deux terminaisons diferentes pour distinguer les cas ou on les faisoit designer plusieurs individus de leur espece de ceux dans lesquels on ne les apliquoit qu'a un seul de ces individus, et c'est la lorigine des nombres de la grammaire. Nous ne conoisons que deux nombres dans notre langue le singulier et le pluriel.

Les Grecs avoient encore un troisieme nombre qu'ils apelloient *duel* lequel designoit les choses qui ne convienent qu'a deux, et il y a apparence que cest de ce nombre que vient notre mot de *duel* qui signifie un combat entre deux hommes.

On croiroit dabord que tous les noms generaux ont les deux nombres. Cependant il y en a plusieurs qui n'en ont qu'un, comme *lor, largent*, et les noms de tous les metaux. Et je ne sçais si on en peut donner d'autre raison que l'usage, et si on peut dire avec l'auteur de la grammaire raisonée que c'est a cause de la ressemblance qui est entre les parties des métaux, car les parties de l'eau sont encore plus semblables et cependant l'eau a un pluriel.

Il y a des mots qui nont que le pluriel, comme *pleurs gens ancestres*. Et on pouroit peut être dire que c'est a cause que les choses que ces mots designent sont toujours en grand nombre. Mais il faut avouer qu'on est bien embarassé lorsquon veut trouver une raison aux usages que le seul caprice a introduit.

Les noms generaux substantifs, c'est a dire ceux qui ne se raportent aux individus dune meme espece avoient assez d'un pluriel et d'un singulier. Mais les adjectifs qui peuvent convenir aux individus de toutes les especes avoient besoin d'une difference nouvelle pour designer a quel substantif on les raporte.

Cette diference dont les adjectifs avoient besoin devoit etre conforme a celles qui se trouvent entre les diferens etres. La plus considerable de ces differences est celle des deux sexes. Ainsi on a donné a chaque adjectif deux terminaisons pour distinguer quand on les attribuoit a l'home, ou à la femme, et voila lorigine *des genres* de la grammaire.

Mais tous les etres dont nous parlons ne sont pas des etres animés. Cependant les adjectifs peuvent aussy convenir aux etres inanimés car une piere peut etre blanche ou noire; grosse ou petite, etc. Les anciens avoient un 3e genre auquel vraisemblablement ces etres avoient doné lieu. Ce genre sapelloit le genre *neutre* c'est à dire qui netoit ni feminin, ni masculin, ainsi leurs adjectifs avoient trois terminaisons diferentes.

On croiroit d'abord que tous les etres inanimés etoient de ce genre, mais point du tout. Dans les langues qui admettent le genre neutre les noms qui designent les choses inanimées et auxquelles la nature n'a point donné de sexe sont cependant partagés en masculins, feminins, et neutres sans qu'on puisse assigner aucune raison pourquoi un tel mot est masculin et un tel autre feminin. Voila pourquoy le meme substantif qui est masculin dans une langue, est feminin dans une autre comme le mot *ilex chene* P. E. qui est feminin en latin et masculin en français. Voila pourquoy, encore il y a des mots qui ont differens genres en differents temps dans la meme langue comme *navire*, qui etoit feminin autrefois et qui est a present masculin. Et c'est pourquoy enfin il y a des mots dont le genre est incertain et qui sont tantost masculins et tantost feminins comme *couple amour* etc. Ce dernier est rarement feminin au singulier, surtout en prose. Mais il l'est toujours au pluriel ce qui est une bisarerie assés etrange.

Les latins avoient aussi des noms dont le genre etoit incertain comme *arbor* P. E. Car on disoit egalement en latin, *hic et haec arbor*.

Notre langue et les autres langues modernes ne connoissent point le genre neutre.

Les genres et les nombres sufiroient si on ne consideroit les noms que chacun a part, mais comme ils ont plusieurs rapports les uns avec les autres, et qu'on les considere souvent avec ces rapports, on a designé ces diferentes relations parcequ'on apelle *les cas* dans la grammaire.

Ce mot de *cas* vient du latin *casus* parce qu'on les employe suivant les differentes circonstances ou les differents *cas* dans lesquels se trouvent les choses dont on parle.

Notre langue ainsy que la pluspart des langues modernes ne connoit point les terminaisons differentes mais elle exprime le genre et le nombre des choses, ainsi que leurs differentes relations c'est a dire les differents *cas* par ce qu'on apelle des articles dont je parleray après avoir expliqué les relations que les differents cas designent.

Les Grecs et les latins avoient six cas le premier s'appelle *nominatif* du latin *nominare nommer* parce que ce cas sert a désigner la personne qui agit. Il sexprime en français par larticle, *le la les: le soleil esclaire*.

Le second cas est le *genitif* qui vient du mot latin *genitus engendré* parce que ce cas marque la relation d'une chose qui vient d'une autre ou qui en est composée. Ce cas sexprime en français par larticle *de* ou *du: les loix de Justinien, une maison de piere*.

Le troisiesme cas est le datif. Ce cas marque le raport d'une chose qui appartient a une autre. Il vient du mot latin *dare donner*. Il sexprime en françois par larticle *a* et *au: cette ville est aux Holandois*. Quelque fois aussi nous exprimons le datif par larticle *de* qui est celui du genitif mais alors larticle du datif est sousentendu. Ainsi *la maison de Platon* veut dire *la maison qui est a Platon*.

Le quatriesme cas est *l'accusatif* qui vient du mot latin *accusare accuser* parce que l'usage de ce cas est de marquer *d'accuser* le sujet sur lequel on agit. Ce cas se marque en françois par le meme article que le nominatif duquel il ne se distingue que par la place quil occupe dans la phrase: *le roi commande larmée,* le roi est au nominatif, et *l'armée* a l'acusatif.

Le cinquiesme cas est le *vocatif*. Ce mot vient du latin *vocare, nomer* parce que, lors qu'on se sert de ce cas on nomme la personne a qui on parle ou la chose a laquelle on s'adresse. On exprime ce cas en français en suprimant larticle du nominatif. Et quelque fois par la particule o.* comme: *Seigneur vous etes mon esperance, ou o Seigneur* etc.

Enfin le sixiesme et le dernier cas est l'ablatif. Ce mot vient du latin *ablatus oté*. On designe par ce cas le raport de deux choses dont l'une est retranchée de l'autre. Ainsi dans cette phrase: *j'ay perdue la moitié de mon bien* le mot *bien* est a lablatif.

On voit que l'ablatif s'exprime en français par le meme article que le genitif, duquel il n'est distingué que par le sens dans lequel on l'employe.

Ce manque de terminaisons pour exprimer les nombres, les genres et les cas, est un des grans defauts de notre langue, car non seulement cela fait languir nos phrases en nous obligeant a faire toujours preceder les noms par leurs articles. Mais ce qui est plus essentiel encore, ce manque de terminaisons donne souvent lieu a des equivoques, car on a vü que le nominatif et l'accusatif avoient les memes articles ainsi que le genitif et lablatif. Or l'on sent aisement que pour peu que le sens soit embarasé cette conformité de terminaisons l'obscurcit encore.

Cependant comme il ny a gueres dinconvenient dont on ne retire quelques fruits, ce defaut de notre langue la rend plus sage et fait que nous exprimons toujours les idées dans lordre dans lequel notre ame les recoit. Car pour ne pas confondre l'accusatif et le nominatif qui ont la meme terminaison et le meme

* On apelle *particule* tous les monosillabes qui ne sont pas des noms.

article, nous mettons toujours le sujet duquel nous parlons avant ce que nous afirmons de ce sujet.

Cette uniformité dans la terminaison de nos cas et dans la construction de nos frases, fait que les etrangers aprenent plus facilement, notre langue, et ie ne puis m'empecher de compter cela au nombre de ses avantages.

### 2. DES ARTICLES

Les articles dont nous nous servons en françois pour exprimer les genres, les nombres, et les cas, sont de petites particules qu'on met avant les noms pour determiner leur signification. Les articles nont que 3 terminaisons pour exprimer ces six cas.

Celle du nominatif qui sert aussi a l'accusatif, celle du genitif qu'on employe encore pour lablatif, et celle du datif. A legard du vocatif il s'exprime comme ie l'ay dit par la supression de larticle du nominatif ou par la particule *o*. Ce qui le distingue des autres cas. Ainsi on pouroit dire en le comptant que nous avons des articles pour 4 cas.

Nous pouvons considerer les objets d'une façon determinée, ou d'une façon vague, ainsi quand ie dis, *la maison de champ est charmante, la maison* est la dans un sens determiné mais quand je dis, *il ny a point de maison qui n'ait quelque defaut, maison* est pris alors dans un sens vague, et indeterminé.

Nous avons deux sortes darticles pour rendre ces deux sens, on apelle celui qui exprime le sens determiné *article* defini, et celui qu'on emploie pour le sens indeterminé *article indefini*, et l'employ de ces deux articles est une des plus grandes dificultés de notre langue.

L'article defini s'employe non seulement quand on parle d'une telle chose, mais aussi quand on parle de plusieurs choses considerées sous les memes raports, come *l'armée l'opera*, car alors on fait un tout des diferentes parties qui composent *L'opera*, et *larmée*.

Le pere Buffier (V. gram. du pere buffier no. 336) ajoutte un troisiesme article a ces deux premiers. Et il lapelle *partitif* ou mitoyen parce quil tient des deux articles precedens. Il tient de l'indefini en cequil ne designe point un tel objet, et il tient du defini en cequil indique une partie d'un tout quelconque, d'où il l'apelle partitif, par exemple dans cette phrase, *des gens sçavans pensent comme moy*. L'article *des* est mitoyen ou partitif, car il n'indique ny tous les sçavans, ny un tel sçavant, mais un certain nombre de sçavants. Il en est de meme quand on dit *de l'eau, de la paille*, etc. (La particule *de* sert a larticle défini, et a larticle partitif. Ainsi quand ie dis, *il ni a point d'homme parfait* la particule *de* est article indefini, mais dans cette phrase, *de fort honetes femmes lisent les contes de La fontaine* il est partitif.)

Ces trois especes d'articles se mettent quelque fois l'un pour l'autre. Et on sent aisement que c'est lors que ce dont il s'agit peut convenir egalement a tous les sujets, a chaque sujet, et par consequent a une partie des sujets, dont on parle. Ce qui n'empeche pas que dans d'autres cas leur differens usages ne soient tres separés.

Comme l'usage de larticle defini est de determiner la signiffication des noms devant lesquels on le met, les noms propres qui sont toujours determinés et les adjectifs que leurs substantifs determinent ne prennent que larticle indefini.

Il y a une remarque assez singuliere a faire sur les noms propres qui prennent larticle indefini. C'est que l'on suprime cet article dans les noms qui ont plusieurs sillabes quand ils comencent par une consone. Mais on ne le suprime point devant les noms qui nont qu'une sillabe. Ainsi lon dit *Vilars, Turenne*, et *de Thou* comme si on vouloit allonger ceux qui sont trop courts.

On a souvent besoin de designer une certaine quantité d'individus, et lordre que ces individus gardent entreux et on a inventé les noms de nombres pour exprimer ces nouvelles relations. Ainsi ces noms sapellent ou *ordinaux* ou *absolus*. Les *absolus* marquent le nombre des choses dont on parle come, *trois capucins*, deux *arlequins*, et les ordinaux marquent lordre que ces choses gardent entrélles come *le premier homme du monde, la cinquantiesme fois* etc. On peut ajouter a ces noms ceux de *moitié*, de *quart*, de *tiers*, et tous ceux qui marquent numériquement les parties. Les noms de nombre *un* et *une* peuvent etre regardés come une espece d'articles, car on dit *un prince doit etre généreux, un livre ennuieux est bon pour endormir*, etc., et alors ces mots servent darticles.

### 3. DES COMPARATIFS

Les hommes ayant remarqué que tout ce qui les entoure est susceptible de plus et de moins ils ont inventé pour exprimer la quantité des choses comparées les unes aux autres des termes, que l'on apelle *comparatifs*. Nous n'en avons que trois dans notre langue *meilleur, pire*, et *moindre*.

Mais nous avons d'autres mots qui supleent, et qui expriment la comparaison en les mettant devant les noms des choses que lon compare. Ces mots sont *plus*, et *moins*. Ainsi on dit *c'est le plus grand homme de son siecle, ce livre est moins mauvais que je ne croiois*, etc.

Les Italiens ont une sorte de comparatif dans leur langue que nous ne connoissons point dans la notre, et qui donne une grace infinie a leurs discours. Ce sont les diminutifs. Ils disent P. E, *fanciullo* pour petit enfant *principurio* pour un petit prince etc.

### 4. DES PRONOMS

Les hommes ayant arangé des mots pour exprimer leurs idées, ont trouvé quil étoit trop long lors qu'on est obligé de parler plusieurs fois de la meme chose dans un meme discours, de repeter toujours le nom de cette chose et ils ont inventé certains mots pour en tenir lieu et pour la representer, et ce sont ces mots qu'on apelle *pronoms* a cause quils representent les noms dans le discours.

Il y a bien des sortes de pronoms. Mais ie ne vous parleray que des principaux, car une division exacte de touttes les especes de pronoms et de leur usage demanderoit des détails qui produiroient dans votre esprit plus de confusion que de lumiere. Les pronoms ont des genres des nombres et des cas, et cela doit etre ainsi pour quils puisent representer les noms dans ce discours. Il y en a meme qui ont des terminaisons diferentes, ce que les noms nont pas.

Les trois principales especes de pronoms sont les pronoms *personels* les pronoms *posesifs*, et les pronoms *relatifs*.

Les pronoms personels servent a designer la persone qui parle, celle a qui on parle, et celle dont on parle. Ainsi dans cette phrase, *ie vous prie de lui faire mes complimens, je* represente la personne qui parle, *vous* celle a qui on parle, et *lui* celle dont on parle. On apelle les 3 sortes de pronoms *personels* parcequils designent toujours des personnes, il ni a que *il* et *elle* qui se disent indiferemment de toutes sortes de choses. Car on dit *tournés cette table elle n'est pas bien* etc. et *voiés Mme de la Valiere elle est belle comme le jour.*

On met encore au nombre des pronoms personels la particule *on* qui ne se decline point. M^r de Vaugélas fait une remarque curieuse sur le pronom *on*. C'est qu'il n'est vraysemblablement qu'une contraction du mot *homme* car, *on dit, on voit on sait* etc. suposent *les hommes savent, ou l'homme sait voit dit*. Ainsi, le sens dans lequel on employe ce pronom fait voir quil designe toujours des hommes. Et cela est conforme a l'usage des poëtes italiens qui mettent *huomo* ou nous mettons le pronom *on*. *Huomo teme* pour *on craint* etc. Et c'est ce que les langues septentrionalles confirment encore car elles expriment notre *on* par le mot *man* qui veut dire *homme* dans ces langues. Les auteurs en parlant dans leurs livres se servent souvent de cet *on* pour *je*. Cette façon de sexprimer est moins dogmatique et plus polie pour les lecteurs avec lesquels un auteur fait toujours une espece de conversation. On met aussi quelque fois *on* pour *je* par maniere dironie. Mais les differentes acceptions des mots meritent un traité a part, et ie ne compte pas vous en parler ici.

Il y a un autre pronom personel quon apelle reciproque. On sen sert quand la persone qui agit est le sujet de laction. Ainsi dans cette phrase *il se perd* se est un pronom personel reciproque.

Les pronoms possessifs marquent ce qui apartient a quelqu'un. On les employe fort souvent au lieu du pronom personel.

Ainsi on dit, *ma maison, son livre* au lieu de *la maison de moy, le livre de lui.*

Enfin les pronoms *relatifs* sont ceux qui determinent en quel sens on considere le nom ou le pronom qui a précédé. Ainsi ils lient les parties de la phrase entrelles car ces pronoms suposent toujours le sujet auquel ils seraportent precedemment enoncé dans la phrase. Ainsi quand on dit *moi qui vous ai si bien servi*, le pronom *qui* marque que vous devés me considerer avec cette circonstance *de vous avoir servi.*

Il y a des pronoms relatifs possessifs, ainsi on dit *ce n'est pas votre livre c'est le mien,* au lieu de, *ce n'est pas votre livre, c'est mon livre.* Les pronoms relatifs servent non seulement a lier les parties de la phrase, mais ils servent aussy a lier les phrases entr'elles, car on a souvent besoin dans le discours de marquer non seulement quune phrase fait partie d'une autre, mais encore a quelle partie de la premiere phrase la seconde seraporte et c'est ce qu'on indique par le moyen du pronom relatif. Ainsi ces trois phrases *j'ay eté hier dans une maison, ou j'ay trouvé un de mes juges, qui m'a paru favorable*, sont liées l'une a l'autre par les pronoms relatifs *ou* et *qui* lesquels font voir de quelle façon elles y sont liées.

Les pronoms relatifs deviennent quelque fois interrogatifs. Alors ils se mettent pour l'ordinaire au commencement des phrases. Ainsi on dit *quel livre lisez vous la? que dites vous? que faites vous?*

Les pronoms *lequel* et *laquelle* sont d'un usage tres utile pour oter les équivoques, et c'est la leur principal usage. Car dans cette phrase *Ptolomée frere de Cleopatre qui avoit tant d'adresse*, on sent que le pronom *qui* ne determine pas lequel de *Ptolomée* ou de *Cleopatre* avoit tant *d'adresse*. Mais on ote l'equivoque en disant *Ptolomée frere de Cleopatre laquelle avoit tant d'adresse.*

On met quelque fois la particule *ou* a la place de ces pronoms. Ainsi au lieu de dire, *voila une maison dans laquelle ie ne veux point loger*, on dit *voila une maison ou ie ne veux point loger.*

Il ya des pronoms qu'on apelle *démonstratifs* parce quils servent a indiquer d'une façon plus particuliere et a faire pour ainsi dire toucher au doit lobjet dont il s'agit dans le discours; comme *ce globe, cette plume.*

Il y a des pronoms indeterminés qui exprime les objets indéterminement come dans cette phrase *tout autre que moi en eut fait autant*, dans laquelle on sent bien que le pronom *tout autre* est indeterminé. Ainsi on voit qu'un pronom est composé quelque fois de plus d'un mot. Il y en a meme de quatre come *qui que ce soit.*

Enfin il y en a encore une autre expece que le pere Buffier apelle *pronom supleant* parce quil suplée souvent a des phrases entières. Ainsi lorsqu'on dit, *quand j'iray a la comedie vous y serés*, le pronom *y* suplée a cette repétition, *vous serés a la comedie* et il tient lieu de ces trois derniers mots. Dans cette phrase, *vous dites quil ne laime plus mais ie ne le croirai iamais*, le pronom *le* suplée a cette repétition, *ie ne croirai jamais quil ne l'aime plus* et ainsi il tient lieu de ces quatre derniers mots.

Cest faute de distinguer *le* lorsquil est pronom supleant d'avec *le* lorsquil est accusatif du pronom personel *il*, et de faire attention a leur diferent usage que l'on fait plusieurs fautes de langage assés comunes, come lorsqu'on dit en parlant d'une femme *elle est une ignorante, et elle la sera toujours*, car il faut dire *et elle le sera toujours*, parceque *le* est le pronom supleant, et qu'il tient lieu de cette repétition, *elle sera toujours une ignorante.*

C'est en observant cette regle sans la conaitre que toutes les personnes bien elevées diront en parlant de deux femmes, *elles sont aimables mais c'est votre sœur qui l'est le plus.* Il ni a point d'autre raison pour ne pas dire *la plus* dans cette phrase, sinon que *le* y est pronom supleant. Ainsi il est decidé par l'usage quil faut dire *le* et non pas *la* toutes les fois que *le* est pronom supleant. Car on ne peut dire que lorsqu'on dit *la* dans cette phrase, *on ne peut etre plus heureuse que ie la suis* on donne alors le genre feminin au pronom supleant *le* car si cela étoit on le lui donneroit dans la premiere phrase qui est toute semblable. Et on diroit *ie la suis* toutes les fois qu'il s'agit d'une femme, mais c'est ce qu'on ne fait pas. Ainsi Mme de Sevigné et Patru, qui au raport du pere Buffier setoient declarés pour *ie la suis* avoient tort, et ce n'est qu'en confondant *le* pronom supleant avec *le* pronom personel, qu'on dit *la* au lieu de *le* dans ces cas.

Ce pronom supleant a un pluriel et un feminin quand il suit le pronom *ce*. Ainsi on dit: etoit-ce la votre pensée? ie ne crois pas que ce *la* soit, *sont-ce la nos gens? ouï ce les sont* et il est tres dificile de rendre raison de cet usage. Mais cela ne change rien a la regle cidesus car ces phrases diferent des autres et par l'interrogation et par le pronom *ce* qui s'y trouve.

### 5. DES PRÉPOSITIONS

Outre les noms, les comparatifs, et les pronoms, qui expriment les objets et quelques uns de leurs raports, les homes avoient encore besoin de pouvoir exprimer les raports de *temps*, de *lieu*, d'*ordre*, et de *situation*, que les objets ont les uns aux autres, et que les cas des noms et des pronoms ne marquent point. On a donc inventé pour les exprimer des mots qu'on apelle *prépositions* du mot latin *preponere mettre avant* parcequ'on les met toujours avant quelque nom.

Afin que ces prépositions repondissent aux vuës dans lesquelles on a du les inventer, il faudroit qu'un mesme raport ne fut marqué que par une seulle preposition, et qu'une meme preposition ne marque qu'un seul raport, mais il en arrive tout autrement, car le meme raport de permanence dans un lieu, P. E, s'exprime par les prepositions *dans* et *a*. Ainsi l'on dit egalement *il est dans Paris*, et *il est a Paris*. Et cette meme particule *a* qui marque le lieu ou l'on est marque aussi celuy ou l'on va *je vais a Rome*.

Les prépositions ont encore le defaut d'estre exprimés par des particules, qui servent a d'autres usages. Ainsi les particules *de* et *a* qui forment larticle indefini et l'article partitif sont aussi prepositions et on ne distingue si ces particules sont prepositions ou articles, que par le sens de la phrase. Ainsi ces particules sont prépositions dans ces phrases: *il est sorty de sa chambre, il est allé a la comedie*. Et elles sont articles dans celles cy: *l'ouvrage de Platon, la decouverte qu'on doit a Aristote*.

Nous avons des mots qui sont *adverbes, prépositions* et *conjonc-*

*tions* selon le sens dans lequel on les employe. Tel est le mot *après* car on dit, il devoit venir a la comedie, mais il n'est venu *qu'après* et alors il est adverbe, ie ne passeray *qu'aprés* vous, il est préposition, *aprés qu'*il eut parlé, et dans cette derniere phrase il est conjonction, ce qui feroit de notre langue un veritable cahos si la regularité et la sagesse qui regne dans la construction de ses phrases ne remedioit a ces deffauts.

### 6. DES ADVERBES

La meme raison qui a fait inventer les pronoms, je veux dire, la brieveté, a fait aussi inventer les adverbes qui sont des mots que l'on joint souvent aux verbes pour en determiner l'action. Et c'est de la que vient leur denomination *dadverbes.*

Ces mots tiennent dordinaire la place d'un nom et d'une préposition dans le discours. Ainsi on dit *il s'est conduit prudemment* au lieu de dire, *il s'est conduit avec prudence.*

On met souvent en français la preposition et le nom au lieu de l'adverbe, parce que les adverbes finissant presque tous par des consonnes leur prononitiation est plus rude que celle des autres noms.

On voit aisement que puisque les adverbes tiennent la place des noms et des prepositions il y en doit avoir de *temps*, de *lieu*, de *comparaison*, d'*ordre*, de *quantité*, etc.

Il y a des facons de parler composées de plusieurs mots auxquels on a donné le nom d'*adverbes*. Telles sont celles cy PE. *de plein gré, de propos deliberé, tout a la fois*, etc. Et ce sont autant d'expressions uniques auxquelles il seroit difficile de trouver un juste equivalent, ce qui fait voir qu'un mot est composé quelque fois de plusieurs mots qui tous ensemble n'expriment qu'une seulle idée. Cette observation fournit une difference entre la sillabe et le mot car la sillabe seule na aucune signiffication mais un mot signiffie toujours quelque chose. Ainsi quand il ne faut qu'une syllabe pour faire un sens cette sillabe est un mot, et quand il faut un asemblage de plusieurs mots pour faire un sens tous les mots ensemble n'en font qu'un.

# CHAPITRE 8

## DES MOTS QUI DESIGNENT LES OPERATIONS DE NOTRE ENTENDEMENT SUR LES OBJETS

Les hommes ayant exprimé les objets de leurs perceptions par les differens mots dont je viens de parler, ont encore eu besoin d'exprimer les operations de leur entendement sur les objets et les mots qu'on a inventé, pour les representer sont *les verbes, les conjonctions* et *les interjections.*

### I. DES VERBES EN GENERAL

Dans tout asemblage de mots, le sujet et l'attribut representent les objets de nos pensées, mais ce qui joint l'attribut au sujet apartient a notre maniere d'apercevoir ces objets. Ainsi dans cette proposition *Ce papier est blanc*, le mot *est* qui joint l'attribut au sujet exprime l'action de notre esprit. Et cette action consiste dans l'affirmation, car ce mot *est* ne veut dire autre chose sinon que j'affirme la blancheur de ce papier. Un verbe est donc un mot qui exprime laction de lentendement, par la quelle on affirme* un atribut d'un sujet quelconque. Ainsi il y a toujours un verbe exprimé ou sous entendu dans tous les assemblages de mots qui forment un sens, et c'est de la que vient sa denomination de *verbe* qui veut dire *parler*.

En considerant le verbe come signiffiant simplement laffirmation, il ne devroit y avoir qu'un verbe dans chaque langue pour exprimer la liaison du sujet et de lattribut. Ainsi nous ne devrions avoir que le verbe substantif *etre* puisque c'est par luy qu'on lie tous les attributs aux sujets.

Mais les hommes cherchant avec raison à abreger leurs discours, et ce verbe *etre* exigeant toujours un attribut qui puisse etre affirmé du sujet dont on parle ils ont imaginé de substituer a ce verbe un mot qui signiffie lattribut et l'affirmation reunies.

* Dans toute proposition on affirme quelque chose, car dans les propositions negatives on affirme la negation de l'attribut que l'on separe du sujet. Ainsi dans cette proposition P E, *Aristote n'étoit pas un ignorant,* j'affirme qu'Aristote n'avoit pas le deffaut qu'on apelle ignorance; ainsi je ne distingue point dans ce que je dis icy des verbes les propositions negatives des affirmatives.

Et parce moyen, ils ont composé leurs jugements de deux mots au lieu de trois. Ainsi au lieu de dire *Platon est escrivant* on dit *Platon ecrit* et ce mot *escrit* renferme l'attribut *d'escrivant* et laffirmation *est.* Voila l'origine de cette multitude de verbes que l'on trouve dans toutes les langues. On voit donc que le propre, l'essentiel du verbe, c'est laffirmation. Et cest cette affirmation qui distingue le verbe du nom, et de tout autre mot.

### 2. DES PERSONES ET DES NOMBRES DES VERBES

Apres avoir formé les differens verbes en joignant l'affirmation a l'attribut on a trouvé que l'on pouroit abreger encore en y joignant le sujet et la proposition et pour y parvenir on leur a donné des personnes.

La première personne désigne celui qui parle, et la seconde celui a qui on parle.

Ces deux personnes suffisent lorsque l'on parle de soy-meme, ou de celuy auquel on sadresse car alors le sujet de la proposition est la personne qui parle, ou celle a laquelle on parle. Mais comme il arrive souvent que le sujet de la proposition n'est ici celui qui parle ni celui a qui il sadresse on a donné aux verbes une troisiesme persone pour exprimer la chose dont on parle. Ainsi les verbes ont trois personnes, mais comme le sujet de la proposition peut etre singulier ou pluriel, on a donné deux nombres a chacune de ces personnes, afin que les verbes puisent exprimer le sujet quand il est composé de plusieurs individus et quand il est seul.

Les deux premieres personnes des verbes ne s'apliquent qu'aux créatures animées, mais la troisiesme personne est plus generalle et on laplique egalement aux sujets animés et aux inanimés. Ainsi cette troisieme personne etant plus generalle que les deux autres, il eut eté plus naturel d'en faire, come dans les langues orientales, la première personne et le theme du verbe et de le determiner ensuitte par de nouvelles diferences a renfermer la persone qui parle et celle a qui on parle. Mais dans nos verbes come dans ceux des anciens la premiere personne est celle qui parle. Ainsi il semble que dans l'arangement des personnes du verbe on ait eu plus d'egard a l'amour propre qu'a la raison.

Les Grecs et les Latins avoient dans leurs verbes des inflexions differentes pour ces differentes personnes, et pour les differents nombres de ces personnes. Ainsi ils suprimoient toujours le pronom qui sert de sujet a la proposition et ils avoient par la trouvé le moyen de renfermer une proposition qui est naturellement composée de trois mots, en un seul. Ainsi au lieu de dire *il est voyant* ils disoient *videt*, ce que nous ne pouvons rendre que par les deux mot *il voit* car nous exprimons toujours les persones de nos verbes par les pronoms.

Ce n'est pas que dans plusieurs verbes nous n'ayons des terminaisons differentes pour quelques personnes. La seconde, P E, est tres souvent differente de la premiere, mais le genie de notre langue s'oppose alors a la supression du sujet car le caractere distinctif de la langue françoise, c'est l'ordre et la clarté, et elle ne souffre aucune des inversions qui etoient si frequentes dans la langue latine cela n'est pas a la verité si poetique mais cela est bien plus philosophique.

Les Grecs avoient le *duel* dans leurs verbes comme dans leurs noms. Le latin, ny les langues modernes ne connoissent point ce nombre.

Les langues orientales qui etoient fort inferieures a la langue greque et a la langue latine a plusieurs egards, avoient cependant renfermé dans leurs verbes les genres que les verbes des latins et des grecs ne renfermoient point, ce qui sert cependant a oter une infinité d'equivoques. Et il est etonnant que les deux peuples savants de l'antiquité, qui avoient tant travaillé a rendre leur langue energique et breve, naient pas renfermé le genre dans la signiffication de leurs verbes, come ils y avoient renfermé l'attribut, le sujet, le nombre, et le tems, car on a fait aussi entrer le tems dans la signiffication des verbes.

### 3. DES TEMS DES VERBES

Il ni a que trois tems simples le passé, le present, et le futur et on a renfermé ces tems dans la signification des verbes.

De ces trois temps simples il ny a que le passé, et le futur qui soient susceptibles de plus et de moins, car le present ne peut etre plus ou moins present. Mais une chose a venir peut etre plus prochaine qu'une autre. Et de deux choses passées l'une peut etre passée depuis plus long temps que l'autre, et on fait entrer aussi ces differences dans la signification des verbes.

On apelle le tems par lequel on exprime qu'une chose est pasée depuis peu, *préterit defini,* par ce quil determine a peu prés le tems quil y a que la chose dont on parle s'est passée. Le tems par lequel on exprime quune chose est pasée, sans indiquer combien il y a quelle est passée s'apelle *indefini,* ou *aoriste* d'un mot grec qui veut dire *tems passé.* On l'apelle *indefini* parce qu'il marque indefinement que la chose est passée, et qu'il indique seulement un tems plus long que celui qui est exprimé dans le preterit defini. Voila en general en quoy consiste la difference de ces deux preterits.

Come le *preterit indefini* marque simplement qu'une chose est passée mais sans déterminer combien il y a de tems qu'elle est pasée, on l'employe egalement pour exprimer une chose passée depuis dix jours et pour marquer une chose passée il y a dix ans, cent ans, etc. Car il etoit imposible de donner aux verbes des temps qui marquassent toutes les diferences de plus ou de moins dont le pasé est susceptible, puisque ces diferences sont infinies, ainsi on les a toutes partagées dans celles que ces deux preterits expriment.

Leurs bornes sont marquées par cette diference, qu'il ne reste plus aucune partie a ecouler du tems qu'on indique dans le preterit indefini ou l'aoriste, mais quil reste encore quelque partie a ecouler de celuy qu'on indique par le preterit defini. Ainsi on dit *j'ay ecrit ce matin, jay ecrit cette semaine.* Mais non pas *j'ay escrit le mois passé.* Il faut alors se servir de l'aoriste *jescrivis le mois passé.*

Quoique le futur puisse recevoir les memes differences que le passé, cependant par une bisarrerie dont on ne peut rendre raison, la langue latine, et les langues modernes n'ont qu'un futur. Les Grecs en avoient deux, l'un quils apelloient *pauloport futur,* c'est a dire *qui sera tout a lheure ou un peu aprés.* Et l'autre qui marquoit une chose a venir, mais qui etoit plus eloignée, et dont le tems etoit indeterminé. Et ils apelloient ce tems simplement *tems futur*. Et c'est ce futur indeterminé que nous avons et que les latins avoient.

On pouroit dire cependant que nous avons une espece de paulo port futur que nous formons avec le verbe *aller* devant l'infinitif des verbes car *je vais diner* marque un futur plus prochain que *je dineray*.

Les Anglais ont deux futurs mais qui nexpriment point les mesmes diferences que les deux futurs des Grecs. Les deux futurs marquent si la chose quils designent come future, est certaine ou incertaine. Ils expriment l'un de ces futurs par le verbe *auxiliaire will* qui designe la chose future come incertaine; ainsi *I will go tomorrow* marque que *j'ay la volonté dy aller demain*. Mais quand on se sert du verbe auxiliaire *shall* alors on designe la chose future comme decidée. Ainsi *I shall go tomorrow* marque que j'*yray cetainement demain*, que je suis forcé d'y aller demain. Nous formons ce futur en français par ce verbe *il faut*. Ainsi nous dirions, *il faut que j'y aille demain*. Mais ce sont plustost la des circonlocutions, que des tems de verbe.

Voila toutes les modifications des trois tems simples considerés en eux memes. Mais ces tems peuvent encore avoir des relations les uns avec les autres. Et on a aussi renfermé ces differentes relations du tems dans la signiffication des verbes.

Ces relations sont au nombre de quatre qui composent quatre tems composés, savoir, deux preterits, et deux futurs. Car le passé peut se raporter au present ou a luy meme, et le futur peut se raporter au passé et au present. On apelle le tems dans lequel le passé est raporté au present *preterit imparfait* parce que ce tems marque la chose come imparfaitement passée, car il la represente come etant presente alegard d'une chose qui est passée. Ainsi lorsque je dis *j'ecrivois quand il est entré*, le verbe *j'escrivois* est au preterit imparfait et represente l'action d'escrire qui est passée, come ayant eté presente au tems ou la personne dont je parle est entrée dans ma chambre.

Le tems qui marque le passé avec sa relation a luy meme

s'apelle *plus que parfait* ce qui veut dire *plus que fait*, car ce tems represente l'action quil exprime come etant deja passée lors que la chose que l'on raconte, et qui est passée elle meme est arrivée. Ainsi quand ie dis *j'avois ecrit lorsquil est entré* j'exprime non seulement que l'action d'escrire est passée, mais qu'elle etoit passée quand la personne dont je parle est entrée dans ma chambre.

Nous avons encore un preterit composé dans notre langue qui exprime le raport du preterit indefini ou *aoriste* a luy meme. Ainsi quand je dis, *il attaqua Mons quand il eut pris Namur* je marque par ce tems quil y a long tems que Mons a eté attaqué et que dans ce tems la Namur etoit deja pris. La diference de la signification de cet *aoriste composé* davec celle du plus que parfait est assés delicate et depend de la difference qui est entre le passé et laoriste.

Les Latins n'avoient ni l'aoriste ni son composé. Et on peut dire que notre langue a en cela quelqu'avantage sur la leur.

Le tems qui marque le raport de lavenir au passé sapelle *futur parfait*. Ce tems represente la chose que l'on doit faire come devant etre passée quand une autre chose arrivera come lors que ie dis *j'aurai diné quand il viendra*. Car l'action de diner qui est encore future m'est representée par le tems come passée, a legard de la visite que j'attens aprés diner.

Le raport du futur au present marque l'action quoyque future en elle meme, comme devant etre presente au tems ou la chose dont on parle arrivera. Et c'est ce que ie marque lorsque ie dis *vous entrerez quand on soupera*.

Aucune langue n'a dinflexion particuliere pour exprimer cette espece de futur dont nous nous servons souvent en français. Nous l'exprimons par le simple futur joint a ladverbe *quand* comme on le voit dans lexemple que je viens d'aporter.

Il y a encore une espece de tems que l'on apelle *incertain* par ce que la chose dont il s'agit dépend d'une chose incertaine. Ainsi quand je dis *si un tel etoit arrivé je dinerois* cela marque que le tems ou je dois diner est incertain en ce quil depend de l'arrivée de celui que jattends, laquelle est incertaine. Car si cet home que j'attens arivoit, ce tems de mon diner seroit present; s'il arrive bientost le tems de mon diner sera un *paulo port futur*. Et sil n'arrive pas de longtems le tems de mon diner est un futur incertain.

Le tems incertain peut aussi marquer quelque chose qui n'arivera jamais, come si ie disois: *si jetois le grand turc, mon sérail seroit toujours ouvert.*

Le tems incertain a un composé qui se forme de sa relation a lui meme. Et ce tems passé, et qui marque une chose qui seroit passée si une telle chose etoit arrivée, comme quand je dis *Annibal auroit pris Rome s'il l'eut assiegée aprés la bataille de Cannes.*

Ces divers tems des verbes semployent quelque fois l'un pour l'autre surtout dans le stile oratoire et figuré. On met aussi quelque fois le present pour le futur dans le discours ordinaire lorsquil est joint avec quelque mot qui marque luy meme le futur ainsi lon dit *ou allez vous ce soir* au lieu de *ou irez vous ce soir* parce que *ce soir* marque un tems futur. Quelque fois aussi les tems d'un verbe semployent pour ceux d'un autre ainsi on dit *je pensay perir* pour *je manquay perir*. Quelque fois les tems d'un verbe tiennent lieu non seulement des memes tems mais encore des tems differens d'un autre verbe. Ainsi l'incertain du verbe *savoir* se met pour le present du verbe *je puis*. Et on dit *je ny saurois aller* pour *je ni puis aller*.

### 4. DES MODES DES VERBES

Laffirmation que le verbe exprime et qui fait son essence est quelque fois simple, et quelque fois conditionelle. Car mon affirmation est differente quand je dis *j'aime* et lorsque je dis *suposé que j'aimasse*. Il a donc fallu donner de nouvelles diferences aux verbes pour leur faire signiffier ces deux expeces daffirmation.

Mais l'office du verbe dans le discours etant d'exprimer la maniere dont nous pensons, et notre volonté apartenant de meme que l'afirmation a notre maniere de penser on a donné aussi des diferences aux verbes pour exprimer les diferentes modifications de notre volonté, c'est a dire les diferentes manieres dont nous voulons. Ainsi les modes des verbes ont eté inventés pour exprimer les diferentes manieres dont nous voulons et dont nous afirmons.

Ces modes sont au nombre de quatre. Il y en a deux qui expriment la maniere dont nous affirmons, et deux autres, celle dont nous voulons. Le premier qui est *l'indicatif* exprime laffirmation simple. On lapelle *indicatif* par ce quil *indique* les divers tems du verbe qui se repetent ensuite dans les autres modes.

Le second qui est *le subjonctif* exprime laffirmation modifiée et conditionelle. Et on l'apelle *subjonctif ou conjonctif* parce que dans ce mode le verbe est toujours *joint* avec quelque conjonction.

Le subjonctif et l'indicatif ont a peu pres les memes tems et ne different qu'en ce que laffirmation exprimée dans le subjonctif etant toujours modiffiée et conditionelle, les tems sont toujours precedés par une conjonction. Nous avons des inflexions particulieres en françois pour former quelques uns des tems du subjonctif.

Il y a quelques remarques a faire sur les tems de ce mode. La premiere, c'est que le present du subjonctif signifie aussi le futur. Ainsi on met le present du subjonctif pour le futur de l'indicatif. Et au lieu de dire *Croyez vous quil finira bientot* on dit *croyez vous quil finisse bientot.* Et cela est plus élégant et plus correct, car alors la phrase marque une chose incertaine.

Cette observation fut la raison que le pere Buffier aporte pour prouver que le subjonctif est un mode arbitraire. C'est dit il, *que les memes conjonctions qui regissent le subjonctif regissent aussi lindicatif.* Et il en aporte pour exemple que l'on dit *a condition que vous ecouterez.* Mais on pouroit mettre, et cela seroit mieux, a condition que vous ecoutiés. Et on ne dit ce premier que parce que come je viens de dire, le present du subjonctif s'employe quelquefois pour le futur de lindicatif, et vice versa.

La seconde remarque que je feray sur les tems du subjonctif, c'est que le tems qu'on apelle incertain et les composés doivent luy appartenir, car ce qui distingue le subjonctif des autres modes etant la condition ajoutée a laffirmation qu'il renferme, on sent aisement que le tems incertain etant conditionel doit apartenir a ce mode, car lorsque ie dis *si ie comandois larmée ie voudrois avoir carte blanche. Si j'avois comandé larmée ie n'aurois point levé le siége de Turin, ie vous aimerois si vous étiés moins brusque, et ie vous aurois aimé si ie vous avois connû*, ie joins une condition a mon afirmation, qui decide que je dois alors emploier le subjonctif. Ainsi il me semble que c'est contre toutte raison que le pere Buffier place les tems incertains a l'indicatif. Car ce sont de tous les tems conditionels ceux qui expriment le plus formellement la condition de leur afirmation. Et l'indicatif ne doit designer que la simple affirmation sans condition.

Je crois donc avoir prouvé que le subjonctif nest point un mode arbitraire et quil est distingué de lindicatif par la condition qui acompagne toujours lafirmation qu'il renferme.

Les deux modes qui expriment la maniere dont nous voulons sont *l'optatif* et *l'imperatif*. L'optatif marque ce qu'on souhaite come le fait voir sa denomination d'optatif qui vient du mot latin *optare souhaiter* et l'imperatif marque le comandement et tire sa denomination du mot latin *imperare comander*. On se sert aussi du mode imperatif pour demander a quelqu'un ce que l'on veut en obtenir. Ainsi lon dit egalement *donnez moy cela, faites cela* a quelqu'un a qui lon comande et a quelqu'un a qui lon demande. On ajoute ordinairement dans notre langue les mots *ie vous prie* au mode imperatif pour marquer quand il designe la demande, et pour le distinguer alors du comandement.

Quand les verbes signiffient par eux memes le comandement, ou la priere, leur imperatif n'a qu'une seule signiffication. Ainsi l'imperatif des verbes *accorder pardonner* ne signiffie que la priere et celuy du verbe *obeïr* ne signifie que le comandement.

Il y a encore une autre sorte de volonté presque forcée lorsque nous permettons une chose quoy qu'absolument nous ne la voulussions pas come *quil vienne, qu'il perde, qu'il perisse*, etc.

J'apellerois ce mode le mode de l'impatience. On se sert pour lexprimer du present du subjonctif avec un *que* come dans les exemples que ie viens d'aporter.

Il y a une remarque a faire sur l'imperatif, c'est que les verbes *vouloir* et *pouvoir* n'en ont dans aucune langue. Et cela parce qu'on ne peut comander a quelqu'un de *pouvoir* et de *vouloir*. Car nous ne sommes les maitres ny de notre volonté ny de notre puissance. Voila pourquoy on demande a Dieu qu'il nous donne le *pouvoir* et le *vouloir*. Il faut cependant en excepter la langue espagnole qui a un imperatif au verbe *pouvoir* aparemment pour marquer aux hommes que s'ils faisoient de plus grands efforts, ils feroient souvent ce qui leur paroit impossible.

Nous n'avons point en françois d'inflexion particuliere pour limperatif ni pour l'optatif mais ces modes se forment des autres modes avec quelques prépositions. Ainsi l'optatif s'exprime par *plut a Dieu* et prend les tems du subjonctif, *plut a Dieu quil reüssit plut a Dieu qu'il m'aimat*, etc.

L'imperatif se forme en partie de l'indicatif, et en partie du subjonctif come *venés*, qui est la seconde personne du pluriel du present de l'indicatif, et *qu'il vienne* qui est la troisieme du pluriel du present du subjonctif. On voit que dans le premier cas il est distingué de lindicatif en ce que le pronom *vous* qui l'exprime dans lindicatif est suprimé dans limperatif mais dans le second cas rien ne le distingue du subjonctif, que le sens dans lequel il est emploié, et la place qui tient dans le discours, car l'imperatif est toujours au comencement. L'imperatif n'a de tems que le present et il na point de premiere personne car on ne se comande point et on ne se prie point soi meme.

L'auteur de la grammaire raisonée pretend que ce sont les différentes inflexions et non pas les diferentes manieres de signifier qui constituent les diferens modes. Ainsi nous n'avons selon lui ni imperatif ni optatif dans notre langue mais j'avouë que sur cela ie ne suis point du tout de son sentiment. Car si on admet cette regle il faudroit dire que nous n'avons point de cas parce que nos noms nont pas differentes terminaisons pour les formes. Ce manque de terminaisons est un defaut sans doutte; mais il ne va pas jusqu'a la privation, et il n'empêche pas que nous ne nous servions des cas des noms et de l'optatif et de l'imperatif des verbes tout come les latins quoique moins elegament qu'eux.

Lindicatif et le subjonctif expriment laffirmation d'une façon determinée pour le tems et pour la persone qui affirme. Mais come on peut affirmer une chose indéfiniment sans designer ni la persone qui affirme ni le tems de l'affirmation come lorsquon dit *aimer le vice est un vice*, on a fait un 3$^{e}$ mode pour exprimer cette affirmation indefinie. Et on l'apelle infinitif a cause de cette usage. Ce mode en luy meme n'a donc ni nombre, ni personnes et il ne designe aucun tems.

On forme cependant un preterit avec l'infinitif. Alors on peut dire que l'infinitif designe le tems passé come lorsque je dis *avoir aimé*. Mais ce tems quoique determiné alors a signifier le passé est encore indéterminé dans cette signification car il désigne egalement tous les préterits sans en determiner aucun en particulier, et sans renfermer ni personne, ni nombre dans sa signification, ce qui luy conserve le caractere d'infinitif ou d'indefini.

Lauteur de la grammaire raisonée trouve à l'infinitif un usage qui luy est particulier, c'est d'etre aux verbes ce que le *que* relatif est aux pronoms. On a vû a la 5 que ce *que* relatif outre son usage ordinaire de pronom a encore celuy de joindre la proposition dans laquelle il entre avec une autre proposition, de meme selon cet auteur linfinitif du verbe outre laffirmation qui lui est comune avec les autres modes du verbe a encore la proprieté de joindre la proposition dans laquelle il entre avec une autre proposition. Une preuve de cet usage de linfinitif [cest] qu'on le rend souvent en françois par l'indicatif et le *que* relatif. Ainsi le latin disoit *scio malum esse fugiendum* et nous traduisions *je sçais que le mal est a fuir*. On voit clairement que dans la phrase latine linfinitif *esse* joint les deux propositions *scio* et *malum esse fugiendum* de meme que le *que* relatif les joint dans la traduction françoise. Quelquefois aussi nous exprimons linfinitif meme au lieu de lui substituer *lindicatif* et le *que* relatif car on dit egalement *je crois pouvoir faire votre affaire* et *ie crois que ie puis faire votre afaire* et meme la premiere façon de sexprimer est plus elegante. Or on voit clairement que linfinitif pouvoir fait dans la premiere phrase le meme efet que le *que* relatif dans la seconde, qui est de lier cette premiere frase, *ie crois* avec la seconde *faire votre afaire.*

Linfinitif a encore une proprieté qui le distingue des autres modes des verbes. C'est qu'il perd quelque fois son affirmation et quil prend larticle, et alors il devient un veritable nom, come *le diner, le souper.*

Quand linfinitif est ainsi dépoüillé de son affirmation, il devient quelque fois le nominatif ou le regime des verbes come lors qu'on dit *etudier est le plus grand des plaisirs* ou bien *on est heureux quand on aime a etudier.*

### 5. DES DIFERENTES ESPECES DE VERBES

La definition quon donne ordinairement des verbes, que c'est *un mot qui signiffie une action ou une passion ou bien ni lun ni l'autre* a fait diviser les verbes en *actifs, passifs,* et *neutres.* Il seroit assurement plus raisonable de les diviser en substantifs et en adjectifs, car cela indiqueroit coment tous les verbes hors le verbe substantif *estre* se sont formés. Il faut cependant retenir la division des verbes en actifs, passifs, et neutres, puisquelle est etablie, et que de plus, elle n'est pas sans fondement. Car les attributs que l'on a joint a laffirmation pour en composer les diferens verbes designent ou des actions ou des passions ou bien ne désignent ni l'un ni l'autre. Ainsi on apelle *verbes actifs* tous ceux qui par la jonction de leur attribut signiffient *une action* come *battre déranger,* etc. On apelle *passifs* ceux qui par la reünion de l'attribut et de laffirmation signifient une passion come *estre aimé, estre battu,* etc. Enfin on apelle neutres, ceux dont l'attribut ne signifie ni action ni passion; mais *une qualité, une situation, un raport* etc. come *briller, exister,* etc.

Il y a encore une espece de verbes neutres qu'on apelle *intransitifs* parce que laction quils designent ne passe point au dehors du sujet qui agit come *penser escrire,* etc.

Il y a des verbes qu'on apelle *impersonels* parce quils nont que la troisieme personne laquelle saplique aux trois personnes indiferement. Nous n'en avons point a proprement parler dans notre langue. Mais tous nos infinitifs peuvent former des verbes impersonels. Car l'infinitif marque l'affirmation qui est le propre du verbe. Mais il la marque indéfiniment et peut par consequent estre apliqué aux trois persones, puisquil n'en specifie aucune en particulier.

Enfin il y a encore des verbes qu'on apelle *reciproques* parce que le terme et le principe de l'action quils désignent est le meme. Tels sont les verbes *sabstenir, se repentir* etc. Ces verbes ont toujours le pronom reciproque *se* devant leur infinitif.

Tous les verbes actifs peuvent devenir reciproques des que lobjet qui agit agit sur lui meme.

Les latins exprimoient le verbe actif et le verbe passif par le meme mot qui se terminoit differement. Les orientaux alloient encore plus loin car ils donnoient a un meme verbe trois actifs un passif et un reciproque. (gram. raisonée pag. 121) Mais les langues modernes n'ont point dinflexion particuliere pour le passif et elles le forment du *participe passif* et du verbe substantif *etre*, come *estre aimé*.

## 6. DES PARTICIPES, DES GÉRONDIFS, ET DES SUPINS

Les participes sont des especes d'excrescences aux verbes auxquels on les joint toujours dans les grammaires.

La liaison des participes avec les verbes est ce qui leur donne le nom de *participe* qui vient de *participer*. Cette liaison consiste en ce quils signiffient l'attribut du verbe. Mais ils nont point laffirmation qui en fait le caractere principal, et pour leur faire exprimer la meme chose qu'un verbe dont ils sont formés, il faut leur rendre l'affirmation par le moyen du verbe substantif *estre* ainsi *je suis bien portant*, exprime la meme chose que *je me porte bien*.

Les participes sont une preuve de ce que j'ay dit d'apres un habile grammairien (l'auteur de la gram. rais.) que l'affirmation faisoit lessence du verbe, car le participe signifie la meme chose que le verbe, hors l'affirmation. Et a cause de cela seul il perd sa nature de verbe, nos participes françois ne renferment pas le tems come ceux des latins, et quand nous voulons qu'ils l'expriment nous somes obligés d'y joindre les tems du verbe *etre*.

Il y a des participes actifs, et des participes passifs *aimant* est un participe actif et *aimé* est un participe passif.

Le participe actif est indeclinable, or dans certaines ocasions trés rares, mais le participe passif *aimé* est un adjectif regulier susceptible de cas, de genre, et de nombre, et son usage est une des plus grandes difficultés de notre langue.

Les Latins avoient encore une autre sorte de participes qui signiffioit *qu'il falloit que la chose fut.* Ainsi ils disoient par le seul mot *amandus* tout ce que nous exprimons par ces quatre mots françois *il merite detre aimé*, ce qui fait voir pourquoy les traductions du latin en françois sont toujours beaucoup plus longues que le texte.

Le gerondif et le supin n'appartiennent pas plus au verbe que le participe, et de meme qu'en otant l'affirmation aux verbes on en forme des participes actifs et passifs qui sont de veritables adjectifs, en lui otant cette meme affirmation on forme le *supin* et le *gerondif* qui sont des substantifs actifs et passifs. Le *supin* est le substantif passif, come *amatum estre aimé*. Et le gerondif est le substantif actif *amandum, qui doit aimer.* On voit par la que nous n'avons point d'inflexion particuliere dans nos verbes françois pour le gerondif ni pour le supin.

Le gerondif etant un substantif actif paroit d'abord avoir la meme signification que l'infinitif quand il est nom, mais il en est cependant distingué par une diference trés esentielle. Car outre l'action du verbe le gerondif marque encore l'obligation de faire cette action, comme le marque meme sa denomination de gerondif qui vient du latin *gerere faire*. La façon dont nous exprimons en françois le gerondif des latins est une preuve de cette diference de l'infinitif come nom et du gerondif. Car nous rendons toujours le gerondif par l'infinitif auquel nous joignons un mot, qui signifie lobligation de faire la chose dont il sagit, ainsi ce que la latin exprime par *legendum est*, nous le rendons par les mots *il faut lire* lesquels marquent lobligation de lire et c'est ce que linfinitif devenu nom n'exprime point.

Mais alors on pouroit peut etre confondre le gerondif avec le participe en *dus* mais outre quils avoient en latin des diferences de genre et de nombres qui servoient a les distinguer, il sufit pour eviter de les confondre en françois de faire atention, que ce participe en *dus* et le gerondif diferent entre eux come l'actif difere du passif, car *amandus* participe signifie *qui doit etre aimé*, et *amandum* gerondif *qui doit aimer*.

Le participe actif *aimant* prend quelque fois devant lui la particule *en* come *en aimant en dansant* etc. Et quelques uns en font alors une espece de gerondif. Mais quelque nom qu'on done, a cette façon de sexprimer, il sufit come le remarque le pere Bufier de savoir que cette particule *en* devant un participe actif signifie *tandis que, lorsque*, et qu'elle marque lactualité de l'action, ce qui aparement la fait confondre avec le gerondif qui en exprime la necessité.

### 7. DES VERBES AUXILIAIRES

On voit partout ce qui a eté dit jusquici, que nous sommes souvent obligés d'avoir recours aux verbes auxiliaires pour rendre les memes tems que les Latins exprimoient par une simple difference dinflexion et c'est sur tout en cela que notre langue est audessous de la latine, et quelle conserve encore un reste de barbarie.

Toutes les langues modernes se ressemblent par ce deffaut. Et il y en a meme dans lesquelles il est encore plus frequent que dans la notre, car les Anglois et les Allemans ne forment leur futur et leur aoriste qu'a l'aide d'un verbe auxiliaire au lieu que nous avons du moins dans notre langue une inflexion particuliere pour ces tems.

Les verbes auxiliaires prenent cette denomination de l'usage auquel on les employe qui est de nous *aider* a former les tems de nos verbes. Nous en avons deux en françois qui sont le verbe substantif *etre* et le verbe *avoir*.

Il seroit trop long de marquer icy tous les usages de ces verbes, les deux principaux sont de former avec le participe passif des verbes leurs divers preterits, et de faire avec ces memes participes tous les verbes passifs. C'est le verbe substantif *etre* qui sert a former tous les verbes passifs avec les participes passifs des verbes actifs. On en voit clairement la raison, car tous les verbes renfermant l'affirmation jointe a l'attribut qui est affirmé, en rendant au participe pasif son affirmation par le moien du verbe *etre*, on en doit faire un verbe pasif. Ainsi du participe passif *aimé* on en fait le verbe passif *etre aimé* par le moien du verbe substantif *etre*.

L'autre verbe auxiliaire *avoir* est d'un usage beaucoup plus etendu, car il sert avec le participe passif des verbes a former le préterit defini et tous les tems composés de tous les verbes. Car nous avons des inflexions dans nos verbes pour exprimer l'aoriste et preterit imparfait et lincertain come *jaimai j'aimois j'aimerois* et *j'aimerai*. Mais pour le preterit defini *j'ay aimé* et les composés de tous les tems come *j'avois aimé, j'aurois aimé*, etc. nous sommes obligés d'avoir recours au verbe *avoir*.

Ce verbe *avoir* n'a ces tems qu'en se servant dauxiliaire a lui meme. Le verbe substantif *etre* a aussi besoin du verbe *avoir* dans notre langue, ou il ne forme ses preterits et ses tems composés que par le moyen de ce verbe. Ainsi on dit *j'ay eté j'aurois eté quand j'aurai eté*, etc.

Les Italiens, les Allemans et les Espagnols font servir le verbe *etre* dauxiliaire a luy meme.

Nous n'avons en françois ni supin ny veritables gerondifs que par le moyen des verbes auxiliaires sans le secours desquels, il nous est presque impossible de former aucun discours. Les besoins continuels que nous avons de ces verbes remplit notre langue de bizarreries, car j'ay dit P E que cetoit avec ce verbe *avoir* que nous formions tous les preterits composés mais cette regle n'est pas generale. Car il y a quelques verbes qui prennent le verbe *etre* pour former les leurs tels sont tous les verbes reciproques. Ainsi l'on dit *il s'est tué, il s'est loué il s'est fait tort* etc.

L'auteur de la grammaire raisonée done une raison de cette explication. C'est, dit il, que dans les verbes reciproques, l'action et la pasion se trouvant reunies dans le meme sujet et ces verbes exprimant eux memes l'action, on a trouvé plus a propos de se servir pour former leurs tems du verbe *etre* qui signifie la pasion, que du verbe *avoir* qui ne marque que l'action (p. 45). Mais cet excelent auteur n'a pu rendre aucune raison de l'usage qui est etabli de se servir du verbe *etre* pour former les preterits de quelques verbes intransitifs, come *il est monté il est venu* etc. pendant qu'on se sert du verbe *avoir* pour plusieurs autres de ces memes verbes, come *j'ay pensé, j'ai lu* etc.

Une autre bisarrerie bien plus singuliere encore, c'est que le verbe *etre* forme souvent seul en français les preterits composés du verbe *aller*. Ainsi on dit et meme plus elégament *j'ay eté*, que *je suis allé* ce qui remplit notre langue d'equivoques. (V. de semblables bisareries. 5.)

Le verbe *aller* a son tour devient verbe auxiliaire. Car on s'en sert avant linfinitif des verbes pour marquer un futur prochain, *je vais dire, je vais escrire, je vais venir* etc. Et alors il forme un tems qui repond *au paulo port* futur des Grecs come ie l'ay remarqué cy dessus. Ce verbe *aller* se forme ce futur a lui meme, car on dit *j'y vais aller* pour dire *jirai tout a lheure.*

(Le verbe *etre* forme plusieurs preterits du verbe *aller* come *i'y suis allé* et souvent [on pouroit] les mettre a la place de ceux du verbe *aller*. C'est une des bisarreries de notre langue la plus incommode. Ainsi on dit *j'ay eté chés vous* et *iay été malade.* Dans la premiere phrase *iay eté* est le preterit du verbe *aller* et dans la seconde il est le preterit du verbe *etre.* Voila pourquoi les gens qui parlent mal disent quelque fois *iy suis été*, pour *iy suis allé.*)

Le verbe *devoir* et le verbe *il faut* marquent aussi un futur qui renferme lobligation et qui peut repondre au *shall* des Anglais (§ come *je dois parler sur cette affaire, il faut que j'aille ce soir a lopéra.*

Le verbe *venir* semploie devant un infinitif pour marquer un passé encore plus prochain que le preterit defini car *je viens de dire* marque un passé plus recent que *j'ay dit.*

Le verbe *venir* se met aussi quelquefois pour le verbe *etre quand ce viendra a moy a parler*, pour quand ce sera a moi a parler etc.

Le verbe *venir* signifie aussi se mettre a faire quelque chose et il se met au lieu du verbe reciproque *se mettre* come *quand je vins a chanter*, pour, *quand je me mis a chanter*. Le verbe *je pense* au preterit signiffie ce qu'on etoit sur le point de faire et qu'on n'a pas fait, comme *je pensai lui rompre en visiere*. Le verbe *faire* avec la particule *que* semploye a la place de l'adverbe *tout à lheure*. Ainsi on dit *il ne fait que de sortir*, pour *il est sorty tout a lheure*. Enfin ie ne finirois point si ie voulois raporter toutes ces bizarreries.

Les verbes auxiliaires rendent dans plusieurs ocasions la construction de nos phrases tres dificiles, car dans le preterit defini *j'ay aimé* par exemple, le participe passif *aimé* doit tantost s'acorder en genre et en nombre avec laccusatif quil regit, et tantost ne s'y acorder pas. Ainsi on dit *il a aimé les livres*, et *les livres quil a aimés*. Mais on dit *les peines que m'a doné ce procés*, et non pas *que m'a donées, cette ville que le comerce a enrichie* et *cette ville que le comerce a rendu puissante* et non pas *a renduë*. Enfin, on peut voir dans Mr. de Vaugelas page 153 combien il faut observer de regles differentes pour placer ce participe selon que la grammaire l'exige, ce qui est cause quil ny a presque personne qui en s'en servant ne peche contre quelques unes de ces regles.

Touttes les exceptions et toutes les differences dont la pluspart ne sont reductibles a aucun principe et qui sont uniquement fondées sur l'usage, font quil est trés difficile meme pour les français d'ecrire notre langue correctement et de la parler avec pureté. Et ce sont ces bisarreries qui sont causes que le plus habile grammairien sil na pas ce qu'on apelle l'*usage* fera toujours quelque faute en parlant, de meme que la personne qui vit dans le monde le plus poli et qui passe pour parler le mieux, fera en escrivant une infinité de fautes contre la grammaire si elle n'en conoit les regles que par l'usage. Ainsi pour escrire avec elegance et correction il faut joindre la connoissance des regles de la grammaire a l'usage qu'en font les persones qui parlent avec elegance.

# INDEX